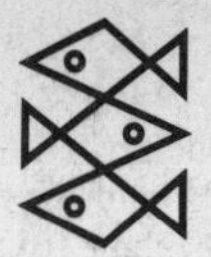

D1193675

Über dieses Buch Gottfried Benns Korrespondenz mit dem Bremer Großkaufmann F.W. Oelze begann 1932 und endete wenige Wochen vor Benns Tod im Juni 1956. Da F.W. Oelze testamentarisch verfügt hat, daß man seine Briefe nicht veröffentlichen dürfe, beschränkt sich die Edition auf diejenigen Benns – 749 Briefe und Karten sind erhalten. Diese Menge war nur in drei Bänden unterzubringen, obwohl die Herausgeber Harald Steinhagen und Jürgen Schröder ihre Erläuterungen »so knapp, so präzise und so sachlich wie möglich« gehalten haben. Die sorgfältig aus den größtenteils handschriftlichen Originalen erarbeiteten Brieftexte werden ergänzt durch Anmerkungen und ein Personenregister für jeden Band. Der erste Teil, der den Zeitraum von 1932 bis 1945 umfaßt, liegt bereits als Fischer Taschenbuch Band 2187 vor. Die beiden abschließenden Bände 5701 für den Zeitraum 1945 bis 1949 und 5702 für den Zeitraum 1950 bis 1956 erscheinen gleichzeitig.

»Auf der einen Seite die Eroberungszüge der handelnden Verbrecher, auf der anderen das Reich des kontemplativen Geistes und des in künstlerischen Formen sich beglaubigenden Ich, so sieht für Gottfried Benn die entscheidende Konfrontation der Epoche aus ... Alle privaten Sensibilitäten und Wunderlichkeiten bekommen einen sehr speziellen gesellschaftlichen Stellenwert, wo der Kontaktscheue auf die ständig propagierte Volksgemeinschaft eingeschworen werden soll, der pessimistisch konditionierte Kopf mit dem rüden Siegesoptimismus der Hakenkreuzritter zusammentrifft und ein ständig die eigene Degeneration bedenkender Intellekt sich den Wehrertüchtigungsidealen der nazistischen Heldenindustrie gegenübersieht ...

Eingemauert in unpersönlich graue Büroräume und dennoch auf eine seltsame Weise bereit, die Kasernenklausur als Herausforderung anzunehmen, verklärt sich für Benn das scheinbar unergiebige Stubenhokkerdasein zu einer besonderen Art von Position, zu einer geistigen Bastion des sich den Forderungen der politischen Macht verweigernden ›Radardenkers‹.« Peter Rühmkorf in der FAZ

Der Autor Gottfried Benn wurde am 2.5.1886 in Mansfeld/Westprignitz geboren. Zunächst studierte der Pfarrerssohn Philologie und Theologie, dann Medizin (Dr. med.). In beiden Weltkriegen war er Militärarzt, nach 1918 Facharzt für Haut- und Geschlechtskrankheiten in Berlin. Am 7.7.1956 starb der Lyriker, Dramatiker, Erzähler und Essayist, der die intellektuelle und literarische Szene der Nachkriegszeit nachhaltig beeinflußte, in Berlin.

GOTTFRIED BENN

BRIEFE AN F. W. OELZE
1945–1949

Herausgegeben von Harald Steinhagen
und Jürgen Schröder

FISCHER TASCHENBUCH VERLAG

Fischer Taschenbuch Verlag
Mai 1982
Umschlagentwurf: Jan Buchholz / Reni Hinsch
Umschlagfoto: Dr. Ilse Benn
Fischer Taschenbuch Verlag GmbH, Frankfurt am Main
Lizenzausgabe mit freundlicher Genehmigung der
Verlagsgemeinschaft Klett-Cotta Stuttgart

Druck und Bindung: Hanseatische Druckanstalt GmbH, Hamburg
Printed in Germany
1480-ISBN-3-596-25701-8

Nr. 293 〈5. 10. 1945〉

Als langjähriger Bekannter des Herrn Dr. Benn teile ich Ihnen mit, daß Herr Dr. Gottfried Benn lebt u. in Bln-Schöneberg Bozenerstr. 20 wohnt.
Ferner soll ich Ihnen in *seinem Namen* folgendes mitteilen: „Herta † am 2. VII. 45 in Neuhaus a. d. Elbe, – wohin ich sie Anfang April evakuiert hatte, – *nahm sich das Leben.* – *Ursache:* Im Zusammenhang mit dem Wechsel in der Besatzungsarmee, – Übergang des Ortes von der engl.-amerikanischen Zone in die russische Zone. –
Ich war an ihrem Grab jetzt."

Herzl. Grüße
gez. Dr. Benn.

Nr. 294 7. XI 45.

Lieber Herr Oelze, Ihr Brief vom 30. X 45 kam gestern an, den von Ihnen darin erwähnten früheren Brief erhielt ich leider nicht. Ihr Brief, der erste seit April, war ein grosses Ereignis, eine aufrichtige grosse Freude für mich, ein Silberstreif der Hoffnung – haben Sie Dank, dass Sie mich vor allen den Ereignissen, die hinter Ihnen liegen u. den Sorgen und Bedrängnissen Ihres eigenen Lebens nicht vergessen haben. Soweit ich aus dem Aschenhaufen meiner Existenz in den letzten Monaten überhaupt aufblickte u. aufdachte, beschäftigten sich meine Gedanken mit Ihnen und den Neuigkeiten, denen Sie selber gegenüberstehen werden. Leider schreiben Sie nicht, wie es Ihrer Frau geht, ob sie alles erträgt u. ob sie an Ihrer Seite ist. Ich fände es sehr richtig, wenn Sie nach Häcklingen gingen, Ihr Gesundheitszustand liesse es doch garnicht zu, dass Sie körperlich arbeiteten, das müsste doch jeder Arzt ohne weiteres attestieren.

Haben Sie Dank für Ihre Worte der Teilnahme zum Tode meiner Frau. Nichts in meinem Leben hat mich so getroffen, so tief getroffen wie dieser Tod, er im Allgemeinen wie in seinen Einzelheiten. Sie nahm sich das Leben, als eine neue andere Besatzungsarmee die englisch-amerikanische ablöste u eine allgemeine Panik in dem Ort ausbrach. Das Nähere ist zu traurig, um es zu erzählen. Ich war im September an dem Grab. Dies Grab u. dieser Tag dort! Mit jedem neuen Tag jetzt wird mein Kummer unerträglicher, es trifft wohl garnicht zu, dass die Zeit einen Verlust lindert.
Was die Manuscripte angeht, so muss ich Ihnen sehr dankbar sein, dass Sie sie durch die Gefahren der Zeit gerettet haben. Durch die Erlebnisse der letzten Monate stehen mir diese Blätter heute sehr fern. Nichts verbindet mich mehr mit den Dingen der Öffentlichkeit. Auch habe ich noch gar keine Schritte unternommen, um festzustellen, ob ich überhaupt publizieren darf. Sicher stehe ich doch – wenn nicht auf den schwarzen, so doch auf den grauen Listen. Berührt mich nicht mehr. In Hamburg allerdings, schrieb mir ein Bekannter, sei in einer Zeitung Aufsatz mit Bild von mir erschienen u. mein Wiedererscheinen erhofft u. begrüsst worden. Es ist ja alles nur regional giltig. Ich wohne im amerikan. Sector Berlins, weiss nicht, wie die Kulturleitung über mich denkt. Darum bitte ich Sie, zunächst die Blätter zu behalten, bis sich eine relativ sichere Zuleitung nach hier ergiebt. Sehr schmerzlich für mich, dass ich Ihre Bemerkungen dazu nicht erhalten habe.
Wie ich mein weiteres Leben einrichte, ob ich es einrichte, weiss ich noch nicht. Ich habe eine Angestellte, die mir Wohnung u. Haushalt versieht, u ich mache meine Praxis, die überraschend gut geht. Immer allein, kalte Wohnung, keine Öfen, Schweigen u. keine Stunde ohne tiefen Gram. Jene 1 ½ Jahre in Landsberg waren wohl das Glück: zwei Zimmer in der Kaserne, draussen kleine Häuser u. Wege in die Felder, die wir abends gingen, ein Frieden, den ich nie kannte

– ein so bescheidenes Leben u. es war das Glück und nun ist es zu Ende. Da wir uns vorgenommen hatten, unter bestimmten Voraussetzungen zusammen sterben zu wollen u. mit dem Morphium, das sie ohne mein Wissen von hier mitnahm u. dann am 2. VII. verwendete (keine meiner Boten u Nachrichten war zu ihr gelangt, sie hielt mich wohl für tot), so ruft sie mich sehr sich nach.
Dass wir uns sehen u. sprechen könnten, ist mein grösster Wunsch, aber natürlich bis auf weiteres unerfüllbar. Sollten Sie in Berlin zu tun haben, Sie könnten in meiner Wohnung wohnen u. verpflegen würde ich Sie auch. Gerne verliesse ich Berlin für immer, aber wohin, ist natürlich unmöglich sich zu entscheiden. Eine Praxis in einem Dorf wäre das Gegebene. Nehmen Sie momentane Arbeitsdrohungen nicht tragisch, das sind Massnahmen, die bald einschlafen werden u. für einen Mann Ihrer Talente nichts Definitives haben. Wie ist die neue Wohnung? Wieviel Räume hat man Ihnen zugewiesen? Und wer sitzt in Ihrem Haus in der Horner strasse? Bremen soll ja wohl nach unseren Zeitungsnotizen jetzt englisch werden.
Bitte grüssen Sie Ihre Gattin. Schreiben Sie bitte wieder, Ihre blauen Briefe wären die einzige Brücke in jene Jahre, und der einzige Silberstreif der Hoffnung für mich.

Tausend Grüsse in alter Freundschaft.

Ihr Benn

Nr. 295 8. XI 45.

Lieber Herr Oelze,
ich beeile mich Ihnen mitzuteilen, dass heute Ihr Brief vom 10 X 45 bei mir ankam, abgestempelt am 29. X in Göttingen. Sehr vielen Dank! Mich beschäftigt Ihr Schicksal sehr. Haben Sie eine *möblierte* Wohnung zugewiesen bekommen,

haben Sie Möbel aus Horn mitnehmen können? Ich sandte gestern einen Brief an Sie – dies zur Orientierung.
Was den Satz aus W. Meister angeht, so ist er sicher sehr des Nachdenkens wert; aber vielleicht heisst es doch, ihn überspannen, wenn man in ihm mehr als eine Bemerkung sieht.
Ich muss mich entschuldigen, dass meine Manuscripte immer noch bei Ihnen liegen u. Ihnen offenbar mehr Verantwortung auflegen, als sie verdienen. Ich danke Ihnen nochmals sehr für Ihre grosse Fürsorge, die Sie ihnen widmeten. Ich habe zunächst gar keine Stimmung, nochmals in die Öffentlichkeit zu dringen, mich in Discussionen einzulassen, mich Angriffen auszusetzen in Bezug auf diese alten Probleme, die alle 30-40 Jahre alt sind u. für meine Generation zu keinem Abschluss kommen können. Auch sehe ich, wenn ich einen Blick in die Zeitungen werfe, dass dort schon vieles von dem, was ich schrieb, ebenso gut dargestellt wird u. das Thema langwieriger Erörterungen ist, – es bedarf meiner Stimme garnicht mehr dazu. – Über den Brief von Th. M. denke ich genau wie Sie. Aber der veranlassende Brief des Herrn v. M. war noch viel übler.
Es ist so kalt bei mir, dass ich keine langen Briefe mehr schreiben kann. Wie ist es bei Ihnen, haben Sie Öfen u. Holz? Wie weit ist Oberneuland von Bremen City ab, ich frage, für den Fall, dass ein Zufallsbote doch vielleicht von hier nach Bremen führe u Sie aufsuchte, um Sie von den Blättern zu befreien.
Meine Gedanken sind oft bei Ihnen u. Ihrer Zukunft u Ihrem persönlichen Geschick. Heute nur diese Mitteilung über den eingegangenen Brief via Göttingen. Herzliche Grüsse

13. XI 45. Ihr Benn

Lieber Herr Oelze, Frl. O. war in keiner Weise von mir beauftragt oder befugt, sich mit Ihnen in Verbindung zu setzen. Ich hatte sie gefragt, da sie sich als Kennerin von Bremen u. seiner Einwohner bezeichnete, ob die Horner Heerstrasse zerstört sei u. ob sie Ihren Namen kenne. Alles weitere ist wohl weibliche Neugier und Geschäftigkeit oder auch Gefälligkeit von ihr. Ich habe Frl. O nur einmal gesehen, ich behandelte ihre, mir sonst auch unbekannte Mutter einige Wochen. Seien Sie nicht missgestimmt, dass sie Sie störte. Andererseits hatte ich damals noch nichts von Ihnen gehört u. man nimmt ja heute jede Gelegenheit wahr, um Verbindungen u. Nachrichten zu bekommen.
Ihre schöne Orchideenkarte bekam ich – ja, bald sind es 6 Jahre, dass Sie in die Heimat der Agapanthus fuhren in der Fülle Ihres Elans u. der klassischen Tropenanzüge u heute heizen Sie Ihren Park, um warm zu werden.
Der Inhalt Ihrer Briefe beschäftigt mich so eingehend, dass ich noch nicht darauf antworten kann. Die geistige Intensität, die von mir immer in meine Prosa ging, ist mir heute u. im Augenblick unsympathisch u. verdächtig, Schweigen erscheint mir grossartiger, leidend schweigen tiefer. Das Ungestüme, Sichhineinwerfende, das *Tätliche* der Essayistik scheint mir mehr für Arsenale u. Waffenfabriken zu taugen als für die Reiche der Aussage u des Gefühls. Nur dass Gedicht u. Lyrik allein in einem Oeuvre romantisch wirkt u nicht identisch mit der Zeit für unser heutiges Gefühl –, darin liegt eine Schwierigkeit.
Vielleicht bald mehr hierüber. Ich habe jetzt einen Ofen in meinem Boudoir, dem hinteren Zimmer, auf den Hof gehend, in dem Regen, eine letzte Hortensie u. ein leerer Kaninchenstall ihrerseits die Identität mit der Zeit zum Ausdruck bringen, – ich will sagen, ich kann wieder einen Federhalter in den Händen halten und schlecht und recht

meine Handschrift auf die Unterlage bringen, wenn ich zwischendurch Holz auf das Feuer werfe. Das ist schon sehr viel.
Leben Sie wohl für heute mit herzlichen Grüssen u. Dankgefühlen gegen Sie für Ihre Teilnahme an meinen Gedanken; wenn je noch einmal etwas Neues in mir entsteht u. produktiv – was man so nennt – wird, verdankt es sich ganz allein Ihrer einzigen Anregung.

Ihr Benn.

Nr. 297 16 XII 45.

Lieber Herr Oelze, am Weihnachtsabend werde ich an Sie denken und ich wünsche hiermit Ihnen und Ihrer Gattin ein erträgliches Fest. Wir hier sollen eine Flasche Schnaps bekommen, – woraus ich mir nicht viel mache und den amerikanischen Keks aus den Armeebeständen des Jahres 1940 haben wir schon, er schmeckt nicht schlecht. Wenn ich noch etwas Café dazu organisieren kann, wenn der Ofen nicht raucht oder ich gar einen Kriminalroman finde, den ich noch nicht kenne, wird die Weihenacht für mich so vollkommen sein, wie es einem Deutschen gebührt u. zukommt. Dem grossen menschlichen Wunder, dass jenes Kind, auf Stroh geboren u. in der Krippe gesäugt, so hoch kommen konnte u. sich solange hielt, werde ich nicht nachsinnen. Alles hätte eigentlich dafür gesprochen, dass es unterging, – aber es ist eben eine asiatische Mythe, vermutlich chinesisch, in Europa wäre der Fall dynamischer verlaufen. Ich werde sie um mich flirren lassen meine wüstenumdröhnte Stille, tibetanische Einöde, höchstens vielleicht gelegentlich unterbrochen von einem alten Kapitän aus meinem Haus, der seine Streichhölzer gegen mein Weissbrod tauscht. So vielleicht am Tage, und um 9 Uhr abends kommt die Phanodorm Tablette an die Reihe, um dann von 10 Uhr an 8 Stunden nicht mehr wach zu sein. Vielleicht schickt die Nacht Träume. Ich glaube jetzt mehr als früher, dass Träume von ausser uns befindlichen Mächten in uns gesenkt werden, um uns zu erinnern oder nur, um uns zu erzählen; – sie treiben ihr Wesen, das man keineswegs immer klar erkennt u. für das mir die Freudsche Analyse nicht ausreichend erscheint u. an dem merkwürdig ist, wie sie dulden, dass man sie kaum behält u schnell vergisst, – also Gebilde, die dies ertragen: Schweigen, Verschwiegenwerden u. Vergessen.. („man muss sehr viel sein, um nichts mehr auszudrücken.."). An solchen Tagen und in solchem Sinne also werde ich an Sie u. Ihr neues verändertes Leben denken. Ferner werde ich Sie als ausserhalb der Rasse stehend empfinden: die europäischen Völker, sicher zerrissen u. tragischen Geistes, aber wenn man bei ihnen einmal auf eine Bemerkung stösst, die über das Banale hinausgeht, ist man erstaunt u. fremdartig berührt, dass sie das produzierten, Einzelne, sehr Isolierte, – während ein Indianerstamm in den Anden einheitlich und geschlossen von der Vorstellung durchdrungen ist, dass kein Mensch etwas auf vollkommene Weise ausführen darf, ohne dafür bestraft zu werden, Vollkommenes kann nur Futa Nutri, der grosse gute Geist der Pampas, erschaffen, – und ein anderer Stamm von dem Stück Acker fortzieht, das er besät hat, weil das *Anblicken* des Landes, das Erwarten der Keimung u. Frucht das Geheimnis der Bildung stört u. aufhält u erst, wenn die Ernte da ist, zurückkehrt, – also so seltsame tiefe Erkenntnisse so spontan besitzt, dass dagegen alles, was wir bestenfalls betreiben, wie Schwarzhandel mit Gürteltieren u grossen Spinnen wirkt. Also Sie Rassenfremder u. Isolierter, der nicht mit grossen Spinnen handelt, meine Grüsse u meinen Dank!

Immer Ihr Benn.

Nr. 298 Berlin 25 XII 45.

Lieber Herr Oelze, die Aussicht am 3 I 46. mit diesem Brief bei Ihnen anzukommen, ist gering, da ein Brief aus Lübeck, wie ich gestern feststellte, 14 Tage geht, aber Ihres Geburtstages gedenken werde ich am Donnerstag bestimmt. Nehmen Sie von Neuem meine Wünsche für Ihr Wohlergehen und meinen Dank für Ihre Teilnahme an meiner Existenz, deren Wirkung u. Folgen (Ihrer Teilnahme) grösser sind als es in jedem einzelnen Augenblick der flüchtigen Zeit erscheint. Ob Sie in Bremen oder Häcklingen sind, frage ich mich, u. ob Sie noch eine Bouteille Rotwein haben werden aus dem väterlichen Bestand?
In Ergänzung meines Weihnachtsbriefes erwähne ich, dass ich Café hatte u der Ofen nicht rauchte u. dass alles allein, also gnädig, vorüber ging. Und zum Jahresschluss möchte ich noch einige der von Ihnen berührten Themen antwortlich erörtern:
1) Th. M.s Antwort finde ich genau so lachhaft wie Sie es fanden. Interessant, wie ein zweifellos recht bedeutender Geist so schwächlich u. stimmungsbestimmt im Charakterlichen u. Persönlichen ist. Und zwar gerade einer, der das Soziologisch-Demokratische des Individuum so programmatisch betont. à propos: der Ausgangspunkt, der Hilferuf des Herrn v. M., war allerdings noch wesentlich niedriger u. gänzlich subaltern, – wie sollte es auch anders sein.
2) Der bei Bekannten von Ihnen wohnende Schriftsteller Frank Th. steht mir nicht nahe genug, um mit ihm in Berührung zu treten. Sicher ist er auch auf mich nicht gut zu sprechen, vor Jahren richtete er einmal einen „offenen Brief“ an mich, in der damaligen „Lit. Welt“, auf den ich weder persönlich noch öffentlich einging –, was natürlich unhöflich war. Sowas vergisst ein Autor nicht. Ausserdem wüsste ich nicht, was ich heute von ihm wollte. Ich brauchte ja gewiss nur einen Schritt der Bemühung hier zu gehn, um wieder

bezw. in die demokratische Front eingereiht zu werden (!), aber ich gehe diesen Schritt nicht, parceque je m'en fiche.
3) von Rowohlt habe ich hier auch schon manches gehört, er hat es in Hbg. wohl auch recht schwer wieder hoch zu kommen.
Dagegen kommen jetzt reichlich wieder Briefe an mich von alten u. neuen Verehrern, die angeblich nie aufgehört haben, mich zu lieben u. sich von meinen Gedanken entwickeln zu lassen. Papierkorb. „Sie waren u. sind der grösste Seher dieser Zeit." Bei einer Vorlesung vor englischen Offizieren rief die Dolmetscherin spontan aus: „ein ganz grosser Dichter ..!" Papierkorb. Verlagsangeboten würde ich näher treten, da ich ja aus den Manuscripten einen Teil publizieren möchte, aber Exclamationen bin ich nicht mehr zugänglich.
Die Sitzungen der – kaum noch vorhandenen, obscur gewordenen, von Konkurrenzunternehmungen überwucherten – Akademie der Künste, deren Mitglied ich ja seit 1932 bin, besuche ich. Meine Frage, welchen Sinn u Inhalt diese Akademie heute haben solle, wird mit „Repräsentation" beantwortet. Gelächter, sage ich! Wer, für wen u. was? 1933 wurden die Mitglieder auf Befehl der Faschisten gestrichen, heute auf Befehl der Antifaschisten, kommen morgen die Katholiken zur Macht, hängen wir eine Madonna an die Wand u. legen Rosenkränze vor die Sitzungsteilnehmer – also: entweder es giebt die Kunst dann ist sie autonom, oder es giebt sie nicht, dann wollen wir nach Hause gehn. Aber diese Akad. hat einen *Etat*, Secretäre, Beamte usw, die Gehalt weiter bekommen wollen, also muss sie zu jedem Kompromiss bereit sein, auch hier sage ich: Papierkorb. Im übrigen wäre es für mich ein Leichtes (der Einäugige unter den Blinden), an die Spitze zu gehn u. zu führen, aber ich habe es satt, mir von Neuem Dreck an den Kopf werfen zu lassen (wie früher) oder hinter Stacheldraht zu kommen, um andere aufzuklären oder weiterzubringen, parceque je m'en

fou. Zumal ich – heute wie immer – viele Feinde habe, die alten u neue; zumal alles, was ich sage, andeute, in Frage stelle, sofort und essentiell als rebellisch u. anarchisch empfunden wird – ich stelle vermutlich *zuviel in Frage.* (Was ich übrigens durchaus in mir bekämpfe, soweit es sich an andere richtet. Ich verallgemeinere *nichts* von mir mehr, rechne für nichts mehr auf Zustimmung u Giltigkeit, lasse jeden, wie er ist, lege nur für meine Person u. meine Tätigkeit jede Kette vor u. lehne jede Teilnahme u. jeden Anschluss ab)

Meine Gedanken gehen in eine bestimmte Richtung u. ich erlaube mir, Ihnen Folgendes vorzutragen: in Hamburg wohnt ein jüngerer Schriftsteller, Dramaturg, Opernhausdirector usw Carl *Werckshagen*, ein alter Kenner u. Bücherbesprecher von mir. Mittlere Begabung, nie das Durchschnittliche (dicht an der Grenze zum Produktiven, aber immer unter ihr) verlassend. Der will zum 60. Geb.tag von mir (2. V. 46) eine grössere Arbeit über mich verfassen. Wie könnte man dem die neueren Manuscripte zugängig machen? Es hätte keinen Sinn, nur über die früheren Dinge zu schreiben, über die genug geschrieben ist. Würden Sie ihn wohl mal empfangen? Der Benn*partner* den Benn*schüler*? Vielleicht könnte ich ihn veranlassen, Sie aufzusuchen. Hamburg u Bremen sind doch nicht so weit. W. ist persönlich nicht uneben u. nicht ungebildet, schnorrt auch nicht. Ihm die Manuscripte überlassen möchte ich keinesfalls. (Ich übernehme für ihn die Kosten, meine Praxis geht ja ganz gut.)

Der Brief wird zu lang u ist kein ordentlicher Geburtstagsbrief. Nochmals herzliche Gratulationen u Grüsse.

Ihr Benn.

Nr. 299 26 XII 45

Lieber Herr Oelze,
seien Sie nicht böse, wenn ich meinem Brief von vorgestern einen weiteren folgen lasse. Ich will Ihnen ankündigen, dass ich Ihren Brief vom 16 XII am 25 XII, also zu Weihnachten, erhielt und er mir eine grosse Freude war, und gleichzeitig sofort antworten, dass ich Ihr gütiges Angebot, mich in Bremen anzusiedeln, nicht annehmen werde, einen neuen Anfang kann ich nicht mehr unternehmen. So sehr ich beglückt wäre, Sie in meiner Nähe zu wissen, so schwierig wäre die Umsiedlung, die Frage der Sachen u. Instrumente, der Neubeginn einer Praxis – alles zu belastend, „das Spiel ist die Kerzen nicht wert", – nicht mehr. Zwar hier zwischen den Trümmern leben, heisst nicht viel anderes, als schon in seinem eigenen Sarge schlafen, aber die Zukunft der Männer wird sich in zwei Reihen scheiden: die Verbrecher u. die Mönche, u. man soll die zweite Reihe bald beginnen.
„Leuchtend von Unsterblichkeit" – mit diesen 3 Worten bäumte ich mich auf gegen die unsagbare Dunkelheit dieser Tage, ihre Nebel, ihre Feuchtigkeit, Nachtbeginn schon um 2 Uhr mittags, lautlose völlig glückverhangene Melancholie dieser Weihnachtstunden, durch die eine arme schäbige verbitterte lastenschleppende Menschheit mit angedeuteten Tannenbäumen und Holzscheiten zog. „Leuchtend von Unsterblichkeit", ja irgendwo ist etwas Unsterbliches in diesen armen Hunden, die wir alle sind, wir hier in Berlin.
Ich schrieb dem Herrn Werckshagen, dass Sie mein Partner seien u. dass ich Ihre Erlaubnis erwirken würde, dass er mit Ihnen in Verbindung tritt. Alles Weitere ist Ihren Eindrükken überlassen u ich bitte Sie, seinem Plan wohlwollend gegenüber zu stehn, aber durchaus der Bestimmende u. Wegweisende zu bleiben, Sie allein haben das Urteil über die Dinge, die in Frage stehn. Adresse des W. anbei.

Nochmals: am 3. I. sind meine Gedanken bei Ihnen, getragen u. zusammengehalten von meinem unveränderlichen Dank.

Ihr

Benn.

Nr. 300 14 I 46

Lieber Herr Oelze, vielen Dank für Ihren Brief vom Geburtstagsdatum, der am 11. I bei mir eintraf u. die darin zum Ausdruck gebrachte so überaus liebenswürdige Art, wie Sie meinen Werckshagenvorschlag aufgenommen haben. Ob er die Reise ermöglichen kann, weiss ich noch nicht. Ich habe ihm Ihre Zustimmung mitgeteilt. Meinen Brief zu Weihnachten, in dem ich Sie mit Indianerstämmen u. deren Sublimität verglich, haben Sie wohl nicht bekommen, abgesandt etwa am 15 XII.

Hinsichtlich Fr. Th. bitte ich nicht weiter auf mich hinzuweisen, ich halte ihn für so, sagen wir: beweglich, dass er Sätze u Gedanken übernimmt, ohne ihre Herkunft erkennen zu lassen. Davon aber abgesehn, halte ich ihn nicht für berechtigt, jetzt das Wort in Sachen der „Inneren Emigration" zu führen, da er doch unbehindert schreiben konnte u. noch im letzten Jahr mit seinem Carusoroman in der „Berliner Illustrierten" doch wohl auch recht schön verdient hat (was ich ihm sehr gönne). Interessant ist, dass eine in New York erscheinende Zeitschrift der jüdischen Emigranten ihn neulich äussert scharf angriff wegen während der verflossenen Jahre getaner Äusserungen nazistischer Natur – allerdings – wen greifen sie nicht an u. wer hat nicht im Laufe der Jahrzehnte Dinge geäussert u. publiziert, die heute als einzelner Satz gefährlich und unsympathisch klingen.

Dass Sie nicht öffentlich hervorzutreten Ihr Leben lang vorzogen, ist doch Ausdruck von Anstand u. Haltung. Es lohnt doch wirklich nicht. Es ist doch völlig vergeblich. Es ist doch sinnlos, – denn selbst wenn man die Frage der Menschheit u der ihr auferlegten Pflicht zu Form und Klarheit als Hintergrund dazu aufrichtet, bleibt für unsere paläontologische Perspective, die unser Jahrhundert für uns heraufbeschwor, diese Menschheit ein so verwehender Reflex, ein so kurzes u. vergängliches Leuchten innerhalb der ohne sie existierenden, gewesenen u. zukünftigen Äonen, dass die Hand erlahmen muss, bevor sie sich um Griffel oder Federhalter schliesst. Nehmen Sie auch nicht an, dass meine Versteinerung irgend einem Optimismus oder aktiven Elan gewichen sei, Gedanken von unüberwindlicher Schwere – neue vielleicht, aber keine guten, – steigen herauf, werfen Schatten u. Schauer, acherontische Stürme.

Was für englische Übersetzungen machen Sie, wenn ich fragen darf? Private oder für die Kommandantur? Was tun Sie, frage ich mich weiter oft, wenn Sie tagsüber nach Bremen fahren, wie Sie schrieben: haben Sie weiter dort Ihr Geschäft oder suchen Sie Arbeit oder sind Sie arbeitsverpflichtet? Haben Sie auch den grossen Fragebogen (U.S.A) ausgefüllt mit den etwa 250 Fragen (waren Sie im Ausland? wer bezahlte Ihre Auslandsreisen? Wen wählten Sie 1932? Haben Sie adlige Verwandte?)? Nachdem die Pg's jetzt hier durchgearbeitet sind, kommen offenbar die Militärs ran u. da steht mir bei meinem Rang möglicherweise noch manches bevor. Ich rechne von Neuem mit Allem. Obschon man die *Versorgung*, bei der allein ich tätig war, kaum als Kriegsverbrechen wird bezeichnen können.

Gelegentlich bekomme ich Nachricht von den auch Ihnen bekannten Freundinnen Else C. Kraus u. Frl. Schuster, die jetzt in Barmen ihre Unterkunft haben. Sie spielen und singen weiter u. möchten nach Berlin zurück. Es fällt mir auf, wie sich manche Künstler in jedem politischen Regime unangefochten halten, während andere z B. ich ebenso bei je-

dem Regime Schwierigkeiten haben. Es ist kein Zweifel, dass ich hier in Berlin weiter als literarischer Staats- u. Gesellschaftsfeind Nr. I betrachtet u sogar empfunden werde. Ich denke darüber nach, ohne zu einem Resultat über die Gründe zu kommen. Vor gewissen Vorfragen Halt machen –, das ist wohl eine der Forderungen der Gesellschaft. Wer diese Vorfragen in Frage stellt, muss mit Ausmerzung rechnen. Als Sicherungsinstinkt des Staats muss man das gelten lassen –, kurz, Antinomieen liegen hier vor, die wir nicht lösen können – s. Schluss von „Phänotyp", bis sie sich selber auflösen.
Wie wirken auf Sie eigentlich so abwegige Dinge aus „Phänotyp" wie z. B. jene Seite „Schon flüchtiges Überblicken, Überblättern schafft manchmal einen leichten Rausch –" oder: „Blöcke"? Kann man sich dabei irgendwas denken, sieht man einen Gang ins Ich, einen echten Maulwurf, der zwangsläufig seine schwarzen Pfoten in die Erde bohrt u. den Haufen hochwirft? Unverschämte Frage an Sie! Herzlichen Gruss, bitte auch an Ihre Frau.

Ihr Benn.

Nr. 301 B. 19. II 46.

Lieber Herr Oelze, Ihr Brief vom 13 II kam schon gestern an, ein postalischer Silberstreif also, vielleicht geht die Korrespondenz jetzt beschleunigter. Vielen Dank! Ihre Urteile werden immer präciser, klarer, schonungsloser. Sie sind gut in Form, was ich von mir nicht sagen kann, ich schleppe und schlürfe dahin. Schrieb längere Zeit nicht, war müde. Schade, dass es mit Werckshagen nicht geklappt hat, aber vielleicht besser so, es hätte nur Enttäuschungen gegeben bei Ihnen. In Ihrem Brief vom 2 II, für den ich auch vielmals danke, schreiben Sie Dinge, die grossartig sind, tiefe Blicke enthalten, neue Erkenntnisse „zeitlos u. ohne Grund", – ja, das

schwebte mir wohl vor. Aber ach, wenn ich mich so als Ganzes oder Halbes überdenke u. überblicke, ist der Anblick doch recht erbärmlich, ich mag mir zur Zeit in keiner Weise ins Gesicht s'ehn. Kunst ist die Wirklichkeit der Götter, und dazu langte es nicht u. keine Gruppe kann etwas hinzudichten u. soll es auch nicht. Wo die Wurzeln lautlos sich bewegen, im Sand, zwischen Gestein, im Stummen, wo die unerträglichen Zischlaute der Mäuler schweigen, kein Ausdruck mehr hinreicht und die Bilder verfallen: dorthin säumt sich, träumt sich das Ich – seine Spaltungen, seine Anläufe, Irren u. Büssen. Mein Gott, wie wenig tiefe Worte giebt es in der Welt, alles nur Zerrungen, eigentlich weiss ich nur von Goethe einige, von Laotse u. von Christus: Eli Eli lama sabastthani – warum hast Du mich verlassen. Viel Spannungen, aber wenig Weisheit; im Verhältnis zum Leiden wie wenig Glorie! Wie wenig, wie wenig – hinab, wo die Wurzeln lautlos sich bewegen!
Etwas, was Sie in einem Ihrer letzten Briefe schrieben, Aphrodisisches betreffend, blieb mir schleierhaft, ob persönlich oder aphoristisch; habe oft daran gedacht. Bitte klären Sie mich auf. Interessiert mich. Vom Hörselberg zum Graal, zu Artus Tafelrunde?
Ihr Haus in Oberneuland reizend, ganz Königin Luise. Übrigens die Christrosen Ihrer Gattin, die ich mir öfter betrachte, finde ich schön angeordnet u ausgestreut mit Phantasie. Sofern die Buchstaben links in der Ecke die Initialien des Mädchennamens sind, verwirrt es mich, ich dachte, Ihre Frau sei eine geborene Focke, (hat mir mal jemand erzählt.)? Menken? C. S. M.? Verzeihen Sie, es ist nicht indiskret gemeint. – Hoffentlich kann ich Ihnen bald einen gehaltvolleren u. zurückhaltenderen Brief schreiben, bin augenblicklich wenig wohl, wenig ausgeglichen, auch viel zu tun in Praxis usw.

Mit herzlichem Gruss Ihr dankbarer

Benn.

Lieber Herr Oelze, zu Ihrem Brief vom 17 II, der am 25 II bei mir eintraf: Wenn ich nicht wieder mit Ihnen in Fühlung gekommen wäre u mir Ihre Briefe in diesen Monaten immer wieder von Ihrem Interesse u. Wohlwollen an u zu mir Bekundungen gebracht hätten, würde ich diese Zeit wohl nicht überstanden haben. Meine Depression war grenzenlos, meine Hoffnungslosigkeit so tief, dass ich keinen Gedanken mehr fassen konnte. Haben Sie Dank – wenn ich dafür danken soll u darf –, wenn es nicht besser wäre, auch von Ihnen nicht mehr zu hören, dass Sie immer noch an jenes Rätselvolle glauben, das sich als Zukunft oder Zeitlosigkeit des Geistes oder Macht der Wahrheit wirklich reichlich dunkel u. irreal immer noch gelegentlich in unsere Gedanken u Träume schiebt. Nun schreiben Sie auch noch von unseren Briefen, – meinen, diesen Stümpereien, klobigen Betastungen mir doch unzugänglich gebliebener Grade, Stigmata mangelbehafteter Erfassungsmöglichkeiten, plumper Versuche, eigentlich nur Abhustungsbewegungen verstopfter Atmungsorgane. Ein Panorama des Geistes stelle ich mir anders vor. Ich finde in meinen Notizen den Satz, von dem ich nicht weiss, ob ich ihn selber schrieb oder irgendwo las, wahrscheinlich ersteres: „je mehr man produziert, umso weniger weiss man von sich. Je länger man lebt, umso fremder werden die Jahre. Nur eine Hülle ist es noch, was am Schlusse fällt". Diesem Fallen der Hülle fühle ich mich sehr nahe.
Ich stehe jetzt vor der Frage, ob ich die „Statischen Gedichte" (Kombination der 22 Gedichte vom Jahre 1943 u. der Ihnen zugesandten Statischen Gedichte vom 3 I 1945, etwas modifiziert, im ganzen 30) erscheinen lassen soll. Ein junger Verleger hier, der amerikan. Lizenz hat, druckt sie. Aber ich zögere vor der letzten Entscheidung. Ich sehe soviel Schwierigkeiten sozialer u. persönlicher Art voraus, Angriffe, Beleidigungen, Gefahren, dass ich mich frage, warum

ich meine ruhige Position, die mir durch meine Praxis Kohlen, Wohnung, Café, Cigaretten ermöglicht, aufs Spiel setzen soll. Wofür? Für die deutsche Öffentlichkeit? Bestimmt nicht. Für literarischen Ruhm? Kein Bedürfnis nach ihm. Für das halbe Dutzend sublimer Geister, die vielleicht zustimmen? Sie kommen auch ohne mich aus. Berlin steht sehr unter bestimmten geistig-politischen Einflüssen, von denen ich hier nicht ausführlich reden kann, und von denen ich weiss, dass sie mich nicht schonen werden, hauptsächlich aus Konkurrenzgründen, Qualität gefährdet Konjunktur, Niveau den Durchschnitt, und vom literarischen Verriss bis zur Prison-Zelle oder zum Verschwindenlassen ist nur ein Schritt. Soll ich das riskieren? Es ist nicht körperliche Angst; mehr das lähmende Gefühl, dass tatsächlich die Allgemeinheit, die Macht, der Staat in dieser Welt mehr Recht hat als jene irrealen Sphären, die nur in sich selber Rechtfertigung u. Ausgleich tragen, – soll man sie in diesem Augenblick, der rein dynamisch u motorisch sich darstellt u. selbst erkennt, in die Arena führen? Wie gesagt, ich zögere sehr.

Ich esse mit meinem Dienstmädchen in der Küche. Sonst habe ich kaum einen Besuch oder eine Unterhaltung, ausserhalb meiner Praxis. Dem Goverts-Verlag in Hamburg, der an mich schrieb, habe ich noch nicht geantwortet aus den oben dargelegten Gründen. Was sich sonst in Deutschland abspielt, weiss ich nicht. Nach Mitteilungen, die gelegentlich an mich gelangen, ist es überall gleich trost- u. hoffnungslos. Was ich von auswärtiger Literatur in den Zeitungen lese, ist allerdings auch nicht aufregend, obschon das Meiste, z. T. das amerikanische, weiter u. freieren Blickes ist, entschieden grossartiger im Blick.

Meinen – sehr verhaltenen u. zweideutigen – Dank an Ihre verehrte Gattin, dass sie unsere Correspondenz bewahrt hat!

Tausend Grüsse in Freundschaft.

Ihr

Benn.

Nr. 303 20 III 46.

Lieber Herr Oelze, vielen Dank für Ihren Brief vom 6/7 III, der heute eintraf. Ich freue mich ausserordentlich, dass Herr W. bei Ihnen war u. danke Ihnen und Ihrer Frau tausendmal für Ihre Freundlichkeit, ihn aufgenommen zu haben. Wie grossartig Sie schreiben, er las Ihnen eigene Gedichte vor „was sehr freundlich von ihm war", – dass es von Ihnen u. Ihrer Gattin sehr freundlich war, sich das anzuhören, erwähnen Sie nicht. Wenn W. so geblieben ist, wie ich ihn das letzte Mal, ich glaube in Hannover 1937, sah, wird er aber sonst ganz nett geblieben sein. Alles, was Sie mit ihm verabredet haben, erhält meine volle Zustimmung u verpflichtet mich von Neuem zu grösstem Dank Ihnen gegenüber. Aber wo endet der alte u wo beginnt der neue Dank, – Sie wissen, wie sehr ich ihn in mir trage.

Eine allgemeine Bemerkung u Bitte: der 2. V ist mir völlig fernstehend u. nur unangenehm. Ich hoffe, dass niemand u. nichts sich an ihn erinnert. Das ist keine Redensart. Ich stehe mir nicht mehr nahe u kann mich garnicht mehr an mich in meiner jetzigen Existenzform gewöhnen. Ich finde es so niedrig, noch zu leben; alles dies mitzumachen, was sich stündlich um einen abspielt äusserlich u. innerlich. Die Zeitgenossen! Man läge wahrhaftig gerne in der Erde, wo einen zwar ihre Schuhsohlen und ihre Spucke, nicht aber ihre Worte u. Gedanken erreichen können. Die Zeitgenossen, aber auch man selbst. Alle die Enttäuschungen, die man an sich selbst erlebte, was übrig blieb – ein par traurige Räusche, angetrunkene Röten, fahl u. doppelbodig. Ich wäre Ihnen dankbar, wenn Sie auch auf W. in diesem Sinne einwirkten – kein Wort bitte an diesen Tag u. keinen Gedanken.

2 Süddeutsche Verläge schrieben mir nett u sehr interessiert, spontan, von sich aus u. erklären in der Lage zu sein, jede auftretende Schwierigkeit in Bezug „Fall Benn" forträumen zu können. Hier habe ich weiter Schwierigkeiten. Berlin!

Mein Berlin! Wieso eigentlich „Fall Benn"? Ich stehe, wie ich hörte, auf der Liste: „völkische Aktivisten". Darunter habe ich mir immer Graf Reventlow oder Wulle („Wer weise, wählt Wulle", 1920) vorgestellt. Mich selber würde ich nie dazu gerechnet haben. Aber da man mich nicht als Pg. bezeichnen kann, muss eben eine andere Formel beschafft werden u die wird dann den Alliierten vorgelegt, die guten Glaubens dann dem entsprechend urteilen. Nun, es ist ja alles ganz gleich. Allgemein wäre dazu zu sagen: wenn man das Deutsche Volk hochbringen wollte, müsste man seinen *Geschmack* bilden. Sein Formgefühl, sein Qualitätsempfinden. Wenn man aber weiter einen Schmarren, nur weil er antifaschistisch ist, als grosses Kunstwerk und ein Machwerk, nur weil es sozialistisch klingt, als Hochprodukt anpreist u. bespricht, wird man es nicht hochbringen, sondern es wird weiter dynamisch, faustisch u. klotzig bleiben. Aber meine Sorgen sind das nicht mehr, Ihre wohl auch nicht, wir leben ja schon „im Chor der hellgeäugten Cherubim" – kennen Sie diese Verse? Ich fand sie kürzlich, d. h. in Landsberg, in einem englischen Unterhaltungsroman (u. diese sind ja immer noch ersten Ranges), es stand nicht da von wem sie sind, aber wohl zweifellos von Shakespeare:

„ – auch nicht der kleinste Kreis, den Du da siehst,
der nicht im Schwunge wie ein Engel singt
im Chor der hellgeäugten Cherubim.
So voller Harmonie sind ewige Geister.
Nur wir, weil dies hinfällige Kleid von Staub
uns grob umhüllt, wir können sie nicht hören."

Ein Trost ist das. Ein grosser Trost.
Immer Ihr Benn.
Bitte einen Gruss an Ihre Gattin

Nr. 304 11. IV 46.

Lieber Herr Oelze,
meine Tochter, Missis Nele Topsoe, die als „war correspondent“ in englischer Uniform mit ihrem Wagen aus Kopenhagen gekommen ist, als Gast im englischen Hotel wohnt u. wohlwollend ihren alten schäbigen Vater aufsuchte, fliegt morgen nach Hamburg u. wird dort diesen Brief posten. Hoffentlich kommt er dadurch eher zu Ihnen als sonst u. findet Sie bei guter Stimmung u. Gesundheit vor. Von Herrn Werckshagen bekam ich einen Brief voll Dank für Ihre u Ihrer Gattin Freundlichkeit und die schönen Stunden in Ihrem Hause. Ich hoffe, Sie haben meinen Brief mit der dahin gehörigen Beteuerung meines eigenen Dankes erhalten.
Ein neuer Brief von Dr. Claassen – Goverts Verlag, – veranlasste mich, der Angelegenheit näher zu treten. Ich antwortete, dass ein Beschluss über einen eventuellen neuen Essayband nicht möglich sei, ohne dass Dr. Cl. das ganze Manuscript kennt. Mir scheint, dass einige Stücke daraus hineingehören, nicht allein der erste Aufsatz „Kunst u. 3. Reich“. Meinem Gefühl widerspräche es auch, Essay u. reine Prosa („Weinhaus Wolf“) zu vereinen, doch überlasse ich Dr. C. die Entscheidung. Wie gelangt er nun in den Besitz des restlichen Manuscripts? Ich glaube, man kann es ruhig der Post anvertrauen, wenn eine andere Beförderungsmöglichkeit nicht gegeben ist. Wie denken Sie darüber? Es eilt ja nicht. Die Sache wird sich doch noch eine ganze Weile hinziehn u. ein bei mir – als Patient – aufgetauchter berufsmässiger Horoskopiker, Graphologe u. Prophet, der grosse Erfolge aufzuweisen hat (der Verwirklichung seiner Prognosen u. ihrer finanziellen Begleitung), sagt mir, dass ich horoskopisch im Augenblick nichts zu erwarten habe u. nichts unternehmen solle, dass aber in der 2. Hälfte 1947 eine ausserordentliche Conjunktur für mich bevorstünde, eine noch nie dagewesene meines Lebens, die ich vorbereiten

solle. Also! Meine Tochter u. ihre internationale Umgebung wiederum sagt, ich soll einen Rucksack packen u Berlin verlassen, Berlin ist verlorenes Gelände, der ostdeutsche Sowjetstaat unabwendbar. Nochmals: Also! Überlassen wir also Herrn Dr. Cl. in Hamburg das Manuscript u. warten ab. Es entspricht meiner tiefen Lethargie, das wenige, das vielleicht noch aus meinen Restbeständen zu machen ist, anderen zu überlassen, und ich bitte Sie daher, sich gütigst überlegen zu wollen, wie das Manuscript, dessen Fortnahme aus Ihren Händen, Ihrem Haus u. Ihrer Nähe mich unmittelbar schmerzt, nach Hamburg zu befördern sei. Adresse: Dr. Eugen Claassen, H. Goverts Verlag, Hamburg 13, Park Allee 42. (24). – Ich mache Ihnen nichts wie Mühe, falle Ihnen zur Last, schnorre bei Ihnen herum geistig u. materiell-postalisch. Ich empfinde es stark. Bleiben Sie mir bitte trotzdem gewogen. Meine Empfehlungen an Frau Charlotte Stephanie.

Herzlichen Gruss von Ihrem

Benn.

Nr. 305 14. IV 46.

Lieber Herr Oelze, in letzter Zeit kam es öfter vor, dass am Tage, nach dem ich Ihnen einen Brief sandte, einer von Ihnen kam. So heute der Ihre vom 3 IV, nachdem ich gestern meiner Tochter meinen mitgab. Ihr Brief vom 3. macht mich traurig. Ich ersehe aus ihm, dass Sie wieder krank waren: wie sehr bedaure ich das – heute, wo man schon mit normalem Körper kaum bestehn kann. Ich ahne auch hinter Ihren Ausführungen viel eigenen Kummer von Ihnen über die Schwierigkeiten u. die idiotischen Massnahmen, die gewisse Kreise gegen gewisse andere Kreise treffen. Es gehört zu unserem, von Ihnen so mustergiltig im letzten Brief wie-

der geschilderten Komplex der öffentlichen Welt, – Sie haben vollkommen Recht u. zeichnen es klar ab: *wir* sollten die Öffentlichkeit von uns ausschliessen u. uns ihr auf keinen Fall mehr preisgeben. Verbrecher u. Mönche – u wir wissen, wohin wir gehören.
Darf ich von mir schreiben. Der Besuch meiner Tochter war mir interessant. Wir hatten uns 7 Jahre nicht gesehn u. kaum Briefe gewechselt. Trotzdem war alles in Ordnung. Eine kleine blonde Person, hat ein Haus, einen Mann, zwei Kinder (Zwillinge), eine Köchin, ein Kindermädchen u ist recht angesehene u. massgebliche Redaktörin bei „Berlingske Tidende" mit hohem Gehalt. Der Mann lungenkrank, aus sehr gutem Haus, nicht sehr arbeitsfähig, aber nicht unwohlhabend, mir unbekannt. Diese Person ist von einer Fixigkeit u. Intuition des Geistes, die beunruhigend ist. Spricht ausser – gebrochen – Deutsch die 3 nordischen Sprachen u. Englisch u. Französisch perfekt u ohne zu stocken. Ich beginne einen Satz u sie weiss, ohne dass ich ihn vollende, was sein Inhalt sein wird u seinen Sinn, ich brauche ihn nicht zu vollenden. Unsere Unterhaltungen haben rapiden Charakter. Eine überraschende Person, u. das Sonderbare ist, dass unsere Beziehungen rein gesellschaftliche sind. Keiner fragt etwas Intimes, Familiäres, keiner ist neugierig, dabei weiss jeder vom andern Alles. Sie ist völlig antideutsch, genau so hart u erbarmungslos wie alle die andern von drüben, sie lebt seit 23 Jahren dort. Sie wohnt im englischen Hotel, bringt mir gelegentlich ein par Cigaretten, ich darf sie nicht ans (Dienst-)Auto begleiten, das wäre „fraternisieren" u. würde ihr Schwierigkeiten machen ..., sie trägt ja Uniform des „war korrespondent". Dabei schröpft sic mich ordentlich, Silber (allerdings von ihrer Mutter) u. Geld, sehr vorsichtig u. kavaliersmässig, aber sie schröpft. Dabei kam mir der Gedanke, Frauen, die Kinder haben, können wohl garnicht sehr anständig sein, sie plündern u. füllen ihre Kiepe auf allen Landstrassen –, der Löwe reisst, das Reh äst u dies hier ist

die Mutterliebe ... wir betreten den heiligsten bürgerlichen Bezirk ... Übrigens: ich habe mich mein Leben lang zu wenig um sie gekümmert, sie hat jedes Recht, mich zu schröpfen, ausserdem kann man ja hier doch jeden Tag alles im Stich lassen müssen – siehe Ihre Bücher in Steinhagen. Soviel über meine Tochter, geboren 1915 in Dresden, ins Leben gerufen 1914 in Brüssel zur Zeit, als ich die ersten Rönnenovellen verfasste, sie ist also sein corpusculäres Korrelat, – „die Tochter des Nihilisten", wie sie sich schon vor Jahren, ohne diese Zusammenhänge zu ahnen, selber nannte.
Die Anemonen u. Crocus in Ihrem Garten und die nach Süden gelegene Terrasse! Hinsichtlich des 2. V gedenken Sie bitte meines diesbezüglichen Briefes. Sie werden ihn in meinem Sinne Ihrem Bewusstsein kurzfristig einverleiben bezw. in meinem Sinne vergessen, wenn Sie selber auf dieser Terrasse sitzen u Ihren mit soviel Bildern und Tönen erfüllten Blick einen Moment auf der Cypresse ruhen lassen, des Chors der hellgeäugten Cherubime gedenken u. jenes von mir so verehrten Verses: „wer spricht von Siegen, überstehn ist Alles". Dann gehn Sie die zwei Stufen hinab u wenn Sie eine Anemone erblicken – es war ein Karfreitag in Hannover – glauben Sie: „ – den einst der Sommer als Krone aus grossen Blüten flicht." Vor allem aber seien Sie wieder gesund.
Bitte viele Grüsse an Ihre Gattin.

Immer Ihr dankbarer

Benn

Nr. 306 2 V 46.

Lieber Herr Oelze, zu meinem 60. Geburtstag beschenke ich mich selbst damit, Ihnen einen Brief zu schreiben, also mich dem gegenüber zu stellen, dem ich im vergangenen Jahr-

zehnt so unendlich viel verdanke. Sie wissen es; wir wollen im Augenblick nichts Näheres darüber sprechen. Oft allerdings beschleicht mich doch eine Sorge, ob Sie das nicht Alles zu freundschaftlich sehn, ob nicht Alles viel gleichgültiger und niveauloser ist, als es Ihr wohlwollend-schöpferischer Sinn empfindet u. betrachtet; ich fürchte, es wird so sein, ich fürchte es nicht für mich, sondern für Sie, nämlich dass Sie selber anderen Sinnes durch eigene Entwicklung oder die Zeitgestaltung werden müssen.
Ihr Geburtstagsbrief kam unvorstellbar schnell bei mir an, nämlich schon am 24, ich hatte also Zeit, ihn in mich aufzunehmen u seine neuen Freundlichkeiten auf mich wirken zu lassen. Das Archiv! Meine volle Teilnahme findet es nicht. Ein A. ist etwas Philologisches u. Verstaubtes, keiner interessiert sich dafür, – selbst das Nietzsche-A. wer kennt es, wer war je da, wem gab es Eindrücke? – Wenn ein par Verse von einem noch ein par Jahre übrigbleiben, ist das schon enorm, auch an einen Kunstbesitz oder ein Kunstgedächtnis dieses Volks kann man kaum noch glauben, – will vielleicht auch garnicht mehr dazu gehören, Ringelnatz u. Morgenstern u. Wilhelm Busch sind wohl die Höhen seiner metaphysischen Reichweite u. die Leckerbissen seines artistischen Appetits.
Im übrigen verlief dieser fragwürdige Tag sehr in meinem Sinne. Keine Sonne, sondern warmer Regen, mir immer sehr angenehm, keine Besuche, keine familiären Aufläufe, Essen mit dem Dienstmädchen in der Küche, die mich ins Gespräch zog über ihr neues Kostüm, das am Rücken noch nicht sässe, dann Patienten u. im übrigen kein Wort gesprochen. Natürlich Erinnerungen, unvermeidlich; und dazwischen Gedanken an Sie, in Ihrem Park sich ergehend, zwischen den Anemonen, die zwei Stufen von der Terrasse herab. Alles in Allem müsste ich sehr dankbar sein, zu den spärlichen Exemplaren mich zählen zu können, die noch einmal das Wissen der vergangenen Jahrhunderte durch Schule u Studium

in sich aufnehmen konnten, es zu verarbeiten und durch Lesen weiterzubilden sich bemühten und die auch einige Teile der Welt zu bereisen genügend Subsistenzmittel sich auf mehr oder weniger honette Art zu beschaffen genügend gelernt hatten. Alles in Allem nicht viel u. als Ganzes wahrscheinlich nicht weit ab von Diogenes u. Marc Aurel.
Zu Ende ein tragisches Jahrzehnt! Es begann im Mai 36 mit dem Angriff im „Schwarzen Korps“, dann die weiteren Schwierigkeiten aus dieser Richtung, dann die allgemeinen u. die privaten Schläge und das Ende ein neuer Angriff: im letzten Heft der „Wandlung“, Heidelberg, Herausgeber Jaspers, wo ein Herr v. Frankenberg sich an mir versucht. Darauf warte ich natürlich schon lange u. es wird der letzte nicht sein. Die Zitate von mir, die v. Fr. bringt, finde ich sehr gut, finden durchaus auch heute meinen Beifall; in wenigen Jahren wird die Beurteilung von heute revidiert sein, man wird das Kriminelle vom Nicht-Kriminellen getrennt sehn u das Letztere weitgehend bejahen. Auch einige Gespräche privater Art mit USA Offizieren, die mich besuchten mit Grüssen von drüben, ein Schweizer Journalist, der bei mir war, die Kameraden meiner Tochter – aus vielen ihrer Äusserungen entnehme ich, dass es sich so verhalten wird (soweit die Propaganda es zulässt.).
Der junge Verleger hier, der die „Statischen Gedichte“ herausgeben wollte, hat zum 2 V 5 Exemplare fertiggestellt, Privatdruck sozusagen, u mir 1 – nur 1. – davon geschenkt. Ich kann Ihnen also keines senden, vermache Ihnen aber mein Exemplar. Sie kennen wohl alles daraus mit Ausnahme eines, einer abwegigen Impression: „St. Petersburg, Mitte des Jahrhunderts“ –; an den übrigen habe ich einiges verändert, korrigiert; daher hoffe ich auch nicht, dass von ihnen etwa eines in Hamburg jetzt erscheint, ohne dass ich es vorher zu Gesicht bekommen hätte. Dr. Claassen scheint verreist zu sein, ich hörte von ihm nichts Definitives. Ihnen danke ich sehr, dass Sie die Manuscripte an ihn gelangen

lassen wollen; natürlich ist es mir ein Vergnügen, Ihnen die Originale wieder zustellen zu lassen, diese Originale, an denen ich hänge schon aus dem Grunde, weil sie z. T. noch von meiner Frau hergestellt sind u. verwoben mit den schönen traurigen Tagen in Landsberg, die immer noch so eindringlich vor mir stehn.

Von der Literatur oder sogenannten Geisteswelt bekam ich natürlich keinerlei Glückwunsch zu meinem Jahrestag. Aber ich hatte Cigaretten u. Café, woran mir auch mehr lag.

Wie geht es Ihnen? Sind Sie persönlich USA oder britisch besetzt? Wer befasst sich mit Ihnen? Sind Sie wieder völlig hergestellt?

Bitte senden Sie mir Nichts. Nichts Zerbrechliches, nichts Unzerbrechliches. Mir genügt die Unzerbrechlichkeit unserer inneren Beziehungen.

Haben Sie nochmals Dank u. bitte grüssen Sie Ihre Gattin oder empfehlen Sie mich ihr.

„Impavidum ferient ruinae" – den Furchtlosen werden noch die Ruinen tragen, ich glaube: Horaz.

Mit herzlichem Gruss
Ihr dankbarer
Benn

Nr. 307 22 V 46.

Lieber Herr Oelze, vielen Dank für den Brief vom 13. ds Mts., der schnell hier war, am 18. Wie wohl Ihre Reise nach Hamburg verlaufen ist, ich meine damit weniger das Literarische als das persönliche: waren die Züge sehr überfüllt, die Menschen sehr schrecklich, der Aufenthalt anstrengend u. die Übernachtung schwierig? Dass Sie dies Opfer für meine Manuscripte brachten, ist so unausgleichbar, dass ich lieber wollte, Sie hätten sie mit der Post gesandt u sie wären ver-

loren gegangen. Wie wirkte Herr Claassen auf Sie? Seine Briefe sind unpersönlich, geben kein Bild von ihm. Offenbar weiss er mit „Phänotyp" nichts anzufangen, – womit er Recht hat. Als Untertitel muss es „Landsberger Fragment" erhalten, um das Fragwürdige vorwegzunehmen.
Den Beitrag in der „Zeit" fand ich recht passend u. ich bin C. W. dankbar dafür. Ein lebhaftes Echo war die Folge; darunter am bemerkenswertesten das Telegramm vom Südverlag in Konstanz, ob ich in Schweizer Zeitungen Nachdruck genehmigte. Also ein Erfolg. Wenn nur nicht die ganze Lage so trostlos wäre in der Öffentlichkeit: eigentlich erscheint ihr alles, was über das Kabarett hinausgeht, schon verdächtig –, lache, Bajazzo, lache perlend u. positiv, und bringe Kartoffelsalat vor, dann jauchzt ihr Herz. Nur vor Ihnen, mein strenger Ritter, meine gotische Figur, zu deren kettenverhangenem Visier meine Augen aufzuschlagen meine Müdigkeit und meine Trauer oft garnicht mehr zulässt, – nur vor Ihnen gilt das Andere und mit Ihnen spricht es allein.
Hier spricht zunächst einer über den Frühling in Bremen, im „Tagesspiegel", der meistgelesenen Zeitung Berlins u. der unterhaltsamsten, dazu eine, die sich nicht ausschliesslich von Kästner u. Brecht ernährt. Seltsam, seltsam in dieser Trümmerstadt sich Claude Monet u. Gauguin vorzustellen. Und waren Sie in den „Abgründen des Herrn Gerstenberg"? A propos: die „Zeit" hat mir einen Brief zum Geburtstag von Herrn Blunck eingetragen, plump vertraulich u. dummdreist, wir wären den Lebensweg zusammen geschritten usw; dass er mich aus der R. S. K entfernt hat, erwähnt er nicht. So geht das ja nun doch nicht! Von mir aus kann er gerne wieder hochkommen u. in altem Glanze weiterleben u er wird es gewiss auch bald wieder schaffen, aber meinen Lebensweg kreuzt er doch wohl nicht mehr. Daneben bezeichnet er sich als Balladendichter aus dem äussersten Norden, aus dem Brückenland zu Skandinavien.

Hier die kleine Laune über St Petersburg – „wie sind Sie bloss *darauf* gekommen" – sagte der junge Verleger.
Was blüht jetzt in Ihrem Garten? Jetzt ist eine Pause, nicht? Bis die Rosen kommen.
Sehr fatal ist mir, dass ich gar kein Englisch kann. Es kommen öfter männliche u weibliche Patienten aus den Kreisen. Aber zu spät es nachzuholen, und ich habe *gar keine* Sprachbegabung.
Wenn ich doch bald hörte, dass der schaurige Ausflug nach Hamburg für Sie gut beendet ist!

Mit herzlichen Grüssen u Dank
Ihr
Benn.

Nr. 308 27 V 46.

Lieber Herr Oelze, Ihr Brief vom 17. V hat einen gewissen Con-sordino-Ton. Gedämpft, leicht enttäuscht. Dr. Cl. war gewiss zu sachlich, nüchtern, schwunglos – so wie seine Briefe auch wirken! Dass er den „Phänotyp" nicht einmal abschreiben lassen kann, ist, wenn nicht unfreundlich, so doch überraschend. Lassen Sie ihn jedenfalls nicht abschreiben, lohnt nicht, behalten Sie ihn im Schrank, er ist reines Spezialistentum, – Bearbeitung einer raren Pilzart, Vorstudien zum Penicillin der Zukunft, Vor-Fleming ohne Nobelpreishoffnung, – Apfelsinenschnitten, doch ihre Mitte u ihr Centrum ist noch weit. Rêverie aus Landsberg, Kaserne mit geheimnisvollem Garten am Block, – geradezu von einer *wüsten* Konzentriertheit von Stimmung, Süssigkeit u. dunstiger Träumerei: 3 Schwalben flogen immer zwischen 7 u 8 Uhr abends, wenn wir in dem Garten uns ergingen u. 2 Flieger kreisten u. ein angebundener Ziegenbock heulte im Nachbargarten u. ein Hund lag auf der Treppe u. ein Major, deutsches Kreuz in Gold, im Civilleben Pfarrer, verbot uns das Betreten des Gartens, da wir nicht zum Bataillon gehörten, sondern aus Berlin waren. Das waren Zeiten – meine Frau ging wegen ihres Gelenkrheumatismus am Stock, ich liebte sie ja so sehr, bitte antworten Sie mit keinem Wort hierauf.

Ich erhalte manche Briefe, ich antworte niemanden mehr. Sie sind der Einzige, der vor mir steht u. den ich vor mir sehe: in Berlin, in Hannover, u wieder in Berlin. –

Selbst wenn das zutrifft, was Sie schrieben, dass ich noch einmal in meinem Schädel sammelte, was verloren in den Jahrtausenden u. Zonen vor sich ging, wie fruchtlos ist das Alles! Alle Fragestellungen, die wir in uns tragen, sind völlig sinnlos, leer, überaltert u nichts füllt mehr die Tennen u. die Tonnen, – nicht mit Nahrung u nicht mit Wein! Was lebt, muss durchschnittlich sein, sonst wächst es ins Astrale u dort ist es kalt u. aufgelöst u. atemlos! Selbst geistige Produktion ist menschlich-rückblicklich u. fast plump u familiär, es ist immer noch *Glauben*, aber echt ist nur, wer völlig sich versagt u. schweigt, in ihm allein beginnt das All, das Ur-spiel u. die Stimmung des Gottes von dem ersten Tag, des dorischen Gottes, – alles Spätere ist schon bon mot u Wiener Walzer. Bitte glauben Sie weiter, dass es unendliche Welten giebt!

Ich erhielt heute *Alcoholzu*teilung zu medizinischen Zwekken u. Zielen, natürlich verleibe ich ihn mir privat ein u. koche über. Ich werde mich dessen morgen sehr schämen. Aber: „blickst Du auch weit auf die Scene, so wird Dir doch nicht bewusst: ist nun das Letzte die Träne oder ist das Letzte die Lust?" Seien Sie nicht böse

Ihrem Benn.

Nr. 309 1. VI 46

Lieber Herr Oelze,

ich denke öfter an Ihren Garten, in den Sie von den zwei Terrassenstufen aus steigen. Da ich ihn nicht malen kann u keine Phantasie besitze, trachte ich ihn in einem kleinen Vers zu erfassen, den ich Ihrer Gattin, die ja nun auch schon soviele Jahre lang unbekannterweise mein Leben aus der Ferne begleitet, in ihre – wahrscheinlich wildlederbehandschuhten – Hände lege. Ein Dank wäre zuviel Belastung für diese kleine Melodie, – geschrieben auf den letzten Bogen des diesbezüglichen Papiers, das mich soviele Jahre begleitet hat.

Hoffentlich haben Sie mir meinen extravaganten Alcoholbrief von kürzlich nicht verdacht.

Tausend Grüsse.
Ihr
Benn.

Rosen:

Wenn erst die Rosen verrinnen
Aus Vasen oder vom Strauch
und ihr Entblättern beginnen,
fallen die Tränen auch.

Traum von der Stunden Dauer,
Wechsel und Wiederbeginn,
Traum – vor der Tiefe der Trauer:
blättern die Rosen hin.

Wahn von der Stunden Steigen
aller ins Auferstehn,
Wahn – vor dem Fallen, dem Schweigen:
wenn die Rosen vergehn.

G. B.

Für Frau Charlotte Stephanie Oelze
und den Garten in Oberneuland.
30. V 1946.

Nr. 310 Pfingsten 46.

Lieber Herr Oelze –, Sie Sturzbach von Ideen u. Aphorismen! Dank für Brief vom 30 V u 1. VI. Meine Antwort muss ebenso aphoristisch sein, um Alles zu bewältigen u. Ihnen Antwort u Rede zu stehn. 1) Die Darwinschen Sachen sind mir natürlich bekannt. Aber was nützt das uns, ob sich etwas aus dieser ekelhaften Naturmasse mit Pollen, Insectenkolben, klebrigen Rundungen befruchtet, befliegt, bestreicht oder sonstwie zum Platzen bringt, das ist schliesslich ihre Sache: wir kommen damit nicht weiter, – weiter d. h. zu uns selbst, zu unserer Stillung, zu unserer Verzweiflungsaufhebung, zu unseren Bildern, zu unserem Schweigen. Ich finde übrigens bei der Masse von Variationsmöglichkeiten, über die diese ekelhafte Natur verfügt, dies alles nur kümmerlich u primitiv, fast albern wie ein Trick – warum dies ganze Theater u wozu eigentlich? Und mir scheint diese ganze naturwissenschaftliche Empirie, Induktion, Materialansammlung nichts wie leeres Gedankenfüllsel, faulste Description, Zeittotschlagen an irgend einem Lehrstuhl oder Studierzimmer ohne Entscheidung geistiger Art, Schlussfolgerung, Abschluss, ohne *Erkenntnis*. Die Erkenntnis über Sie u. Ihre Existenz, die Entscheidung über Ihr Dasein, ohne diese bequemen klebrigen Rundungen, nimmt Ihnen niemand ab – die Biologen jedenfalls nicht, diese Dünnbiergehirne. Aber natürlich brachten Sie das alles nur vor, um mir die Thörichtkeit meines Zitats vor Augen zu führen, was Ihnen auch gelang, es ist äusserst töricht u. nicht beglückend für mich, es zu vernehmen.
2) Ihre Exegese über die Hummelpelze ist prima! Ich

könnte höchstens noch hinzufügen, dass für mich das *Wort* Hummel Hitze ausströmt (u. Dummheit, – die Dummheit der Hitze.) Nebenbei: eine anregende kosmopolitische Meditation: in Berlin sitzt Einer in seinem Hinterzimmer, einen riesigen Block von Jasminblüten vor sich (von nach New York abreisenden Juden aus angeeigneten P.G.-Gärten geschenkt), abwartend die ersehnte Wirkung des vereinnahmten Schlafmittels, bis dahin die 10M.-Scheine zählend, die er über Tag vereinnahmt hat – u. fern davon, in Oberneuland, zwei Kaballeros, aristokratische Gentryspitzen, den Blick in den Garten erfüllt von den Düften der pontischen Azalée, trinken einen Schlossabzug, diskutierend den schön-schattierten Hummelpelz aus einem Kasernenelaborat – –: u hervortreten aus dem Durcheinander Herr G. B u sein Freund Herr Oelze. Sage niemand, das Weltrad sei nicht bunt u. mische nicht Sein u. Schein u. nicht jede seiner Speichen trage den einen Firmenstempel: der Gedanke –, allerdings den Stempel einer ganz offenbar schon abgeschriebenen Filiale.
3) Ihr Apercü über Musik u. Malerei ist eines der sichersten u. folgenschwersten, deren ich mich aus den letzten Jahren erinnere. In der Tat: das Auge hungert, tief aus dem Gehirn heraus, nach Farben, reinen u. vermischten, es ist direkt ein Röcheln u. Schreien unmittelbar aus dem Hirnstamm hervor nach noch so irrsinnigen Räuschen, nach koloristischer Verdrängung der tiefen seelischen Monotonie, in der wir leben. Nichts davon befriedigt mehr die Musik, die, zierlich u. verworren oder eine Art Schlangenpfuhl, uns nur stärker an das völlig verwahrloste Innere unserer sogenannten Existenz bindet. Von Sibelius bis Peter Kreuder, das muss man noch gelten lassen; aber wo es ernst wird, da muss man lachen! Als ob es überhaupt noch so etwas wie eine innere Sammlung um solch Getöse wie Musik gäbe, zu der Frömmigkeit u. Mythologie u. vielleicht noch Barock gehörte; aber heute, in diesem erbarmungslosen Nichts, Rien du Tout, Niente, Nitschewo ist Musik Spielerei, weiches u. schiefes

Verfahren. Wie mir überhaupt immer klarer wird, dass überhaupt ausser Ihnen u. mir *keine Menschenseele* von der totalen Verwahrlosung unseres Inneren, seinen Lügen, seinen Korsettstangen, seinen Suspensorien, kurz seinen traurigen hygienischen Hilfs- u. Rettungsmitteln, Yohimbinträumen, Krücken, Urinarien dem ganzen faulen Zauber seiner künstlichen Aufrechterhaltung etwas weiss. Sein Kern ist völliger Zusammenbruch, kein Gestern, kein Morgen, keine Ahnen, keine Enkel – letzte Runde, Pokerface u. keine Schips mehr auf dem Tisch. Das möchte ich vielleicht noch einmal in völliger Klarheit u. mit letzten Formulierungen schildern.

Ich denke jetzt doch manchmal daran, Berlin zu quittieren, alles zu verkaufen u. mit dem Geld im Strumpf in ein Fischerdorf im Westen zu gehn. 2-3 Jahre könnte ich dort mit meinem Monnaie sicher leben, ohne zu verdienen – wenn ich solange leben möchte. Hier ist alles doch sehr drückend u vor allem zeitraubend – u. die Trümmer! Diese endlosen, furchtbaren, Kilometer weiten Trümmer, aus denen man nie, nie ins Grüne kommt, an ein Feld, in einen Garten. Ausserdem embêtiert mich dies In die-Wohnunglaufen der Patienten von Morgens bis Abends stark, – ein Geschäft, als ob man ein Bordell wäre.

5) Eine Rand- u Schlussbemerkung: ich habe natürlich dem Wercksh. seine Reise nach Bremen honoriert u. ihm M. 300. zuschicken lassen, ich nehme an, dass das seine Unkosten nicht übersteigt. Ich bin ja in der Lage dazu, u es freut mich, ihm zu vergelten, da er ja wohl im Augenblick nicht festes Gehalt bekommt. Dies nur zu Ihrer Orientierung, damit Sie nicht mich Ihrerseits für einen *Schnorrer* u. *Ausnutzer* halten.

6): Im *Rosen*song, bitte beachten: in der *1*. Reihe Vers 2 u 3 vo*n* (n wie Nebukadnezar); in der *3*. Reihe: vo*r* (r wie Romeo). Bei meiner Schrift ist alles möglich.

Tausend Grüsse an Sie! Ihr Ihnen
alles verdankender: Benn

Nr. 311 B. 19 VII 46.

Lieber Herr Oelze, Ihren Brief vom 19. VI, für den ich sehr danke, beantworte ich erst einen Monat später, da ich sehr viel zu tun hatte: die allgemeine Typhusimpferei, Gefängnisarzt, Arzt an der Beratungsstelle für Geschlechtskranke, Nachtdienst, Sonntagsdienst – (alles umsonst, Anordnung des Magistrats bezw. der Alliierten) u. dazu die eigene Praxis, um die Basis für Café u. Zigaretten zu beschaffen. Die Tage sind voll erfüllt von diesen Störungen u. Erbärmlichkeiten. Gedacht habe ich oft an Ihren Brief u. an Sie u. meine Stimmungen u inneren Blicke begleiten Sie viel auf Ihren Gängen. Auch heute nur einige Bruchstücke. Häusliche Schwierigkeiten kamen hinzu: Dienstmädchen Kündigung – ich ihr –, Suche nach einem neuen, – Selbstbettmachen, Stubenaufräumen, Haferflockenkochen usw. Zum 1. VIII. kommt eine neue Ida u ich hoffe dann, wieder etwas Ruhe zu haben.
Anbei der letzte Brief von Herrn Claassen, den ich Ihnen in dankbarer Ergebenheit für Ihre Mühe beilege. Ich habe ihn noch nicht beantwortet. Bitte gelegentlich zurück. Inzwischen waren auch einige „führende Persönlichkeiten" von Presse u. Berliner Literatur zu Besuch bei mir (mit grossen Wagen bereits wieder), mir vorkommend wie Kinder, unentwickelt u. Hänsel u. Gretel im Wald, innerlich hilflos, – ich komme mir vor wie einer, der die Atombombe in der Westentasche trägt vor Anfängern, die noch mit Pfeil u Bogen kämpfen, – ohne dass das arrogant sein soll. Alles ist so stehengeblieben, 1920 u. unradikal. Der interessanteste Eindruck für mich ist der: die hündische Feigheit, mit der die „Geistigen" die politischen Begriffe acceptieren, die Aufstellung jeder Wertscala den Politikern überlassen, also Leuten 4. Standes und 5. Ranges, offenbar besitzen sie selbst in sich gar keine Massstäbe, Richtlinien, Gesetze. Alles beugt sich ohne Scham u. ohne Gedanken den öffentlich geforder-

ten u. vertretenen Hauptworten. Ich schweige meistens bei solchen Besuchen, da jede Discussion sinnlos wäre. Auch in Zeitschriften usw. taucht gelegentlich mein Name auf, von alten Anhängern gebracht, u. aus der Schweiz erhalte ich directe freundliche Anfragen u. Anträge auf Publikation, ohne dass ich darauf eingehe.

Ich sitze dann an einem bestimmten Fenster meiner Wohnung u. schaue auf die leere u. wenig begangene Strasse u sage mir, ein weiter Weg vom frühen G. B, dem wüsten Encephalitiker („Vermessungsdirigent", „Karandasch") bis zum Verfasser der harmlosen Rosenverse, die von Gustav Falke sein könnten u von Phili Eulenburg komponiert –, zum Speien alles: das Stillestehn u. das Weitermüssen, der Stumpfsinn u. die Produktion, alles von Fratzen umstellt, von Zweifeln zerrüttet, von Schlagern an die Wand gedrückt u. aufgehoben. Ein weiter Weg, – ein alter Herr schliesslich das Resultat, der denkt, ob ihm jemand die Kragen plättet u. der auf die Strasse sieht. Hier ist Hochsommer. Brennnessel, Knöterich, Kraut wächst meterhoch auf dem Trottoir; die mageren, von Krätze u. Pusteln bedeckten Kinder trinken nackt aus den Brunnen, aber die Litfasssäulen künden weiter unentwegt „Bunbury" an u. einen Ball, genannt „die Nacht der Prominenten" – wenn das nicht Jeremias u. Ninive ist, weiss ich nichts mehr.

Neben Coffein u. Schlafmitteln vergessen Sie zu erwähnen Pyramidon, ich bin ein Pyramidonophage mein Leben lang, es regt mich an u. nimmt mir die Migräne, dies mütterliche Erbteil, an dem ich so sehr leide. Auch amerik. Cigaretten kommen jetzt hinzu, 8 am Vormittag, nachmittags u. abends allerdings kaum. Ich erwäge weiter, Berlin zu verlassen, mein Schwiegersohn schrieb mir einen Wink, dass es doch wohl als aufgegeben gilt. Ich danke Ihnen unendlich für Ihre freundliche Einladung, aber ein Dorf ist das allein Richtige, ein Fischerdorf oder die Heide. Über Jean Paul im nächsten Brief! Herzliche Grüsse von Ihrem Benn.

– und ich, Verehrtester, bin immer von Neuem überrascht u. beschämt, dass Sie meine Scripta entgegennehmen, lesen u. in sich aufnehmen, ja sogar zum Ausgangspunkt eigener überlegener Exposés und Gedankengänge machen. Ich halte garnichts von mir; ich palavere vor Ihnen herum u. schildere mein nichtsnutziges müdes Dasein; meine gelegentlichen Stimmungen, meine verbrauchte Existenz. *Sie* runden das Alles zu einem Bild, zu einem Gedanken. Zunächst aber danke ich Ihrer Gattin sehr für ihre freundlichen Zeilen; ich bin verwirrt, wie sehr sich ihre Handschrift verändert hat seit jenem einzigen Brief, den ich von ihr erhielt zu Beginn des Krieges, damals ähnelte ihre Schrift stark der Ihren, heute nicht. Ich freue mich sehr auf die Rose von Malmaison, ich hoffe sehr, sie zu erhalten.
Ich sende Ihnen jenen fragwürdigen Band, der die Dramen enthält, von denen ich schrieb. Ein wüstes Buch. Ich blätterte eben darin. Sicher „genialisch", im üblen deutschen Sinne, aber vor allem völlig wahnsinnig, geistig gestört (im bürgerlichen Sinne) u. unangenehm (im aesthetischen Begriff). Ich rechne damit, dass Sie von mir abrücken, Ihre Teilhaberschaft an mir niederlegen u. Ihr Kompagnonverhältnis kündigen. Ich muss dem entgegensehn. Aber es war keine Fälschung u. kein Trick von mir, Ihnen dies vorzuenthalten; ich liess es vor mir immer stillschweigend offen, ob Ihnen diese Periode bekannt sei oder nicht: Sie haben ein ungeheures Gefühl für Extravagantes u. Geschmackloses, wie ich oft bemerkt habe, ich muss damit zählen, dass Sie es abscheulich finden.
Aufgetaucht ist ein alter G.B.veteran: Frank Maraun, früher Berliner Börsen-Zeitung, hat zahllose Aufsätze über mich geschrieben, kennt mich glänzend. Er hat ein Bein verloren im Krieg. War im Pro.-Mi. in der Filmabt. führend tätig, ohne Pg. gewesen zu sein, u hat jetzt natürlich seine

grossen Schwierigkeiten. Er wäre geeignet, in das G.B-Archiv als 3. u. Letzter einzutreten, wenn Sie einverstanden sind. Vielleicht schreibt er an Sie. Er ist intellectueller als C. W., der ja ein sehr netter Mann ist, aber immer, finde ich seit je, etwas langweilig, philologisch. Maraun ist schärfer, dialectischer, näher dran an den kritischen Bruchstellen. Er wollte schon lange ein Buch über mich schreiben. Ihm würde ich die 3. Abschrift vom Phänotyp zugängig machen, die Sie gütigerweise herstellen liessen. Tausend Dank! Im übrigen, bitte, verfügen Sie über alles; behalten Sie bitte das Originalmanuscript, es gehört Ihnen. Ihnen gehört Alles an Manuscripten, was um Sie u. bei Ihnen ist. Ich habe nach nichts Sehnsucht. Vom Phänotyp erinnere ich mich an Nichts als an einige Sätze des letzten Teils, die ich glücklich fand: ... „sie wässerten in entrücktem Schweigen, das nach der Blüte kommt, nach vielen Blüten, aus Schnee- u. Purpurfeldern . ."
Für die Zusendung jenes Jean Paul wäre ich sehr dankbar. Er gehört zu den Genies, zu denen mir jeder Zugang verwehrt ist, dies teilt er für mich mit – Heine. Aber ich wäre gespannt, das von Ihnen erwähnte Stück kennen zu lernen. Hinsichtlich *Goverts* denke ich weiter sehr skeptisch, erwarte eigentlich keine Zusage. Wenn Sie den Ihnen zugesandten Band 1922 gelesen haben, werden Sie vielleicht selber sagen: dieser Mann kann nicht bürgerlich frisiert werden.

Herzlichen Gruss an Ihre Gattin u Sie. Ihr Benn.

Nr. 313 Charbin, 15. VIII 46.

Lieber Herr Oelze, vielen Dank für Ihren Brief vom 11. d. Ms., der heute ankam. Die Post zwischen Bremen und hier funktioniert im Augenblick ja geradezu einladend und kundenweckend.

Sehr freundlich von Ihnen, den Reiss-band wohlwollend aufgenommen zu haben. Was seinen Inhalt angeht, muss ich den „Vermessungsdirigenten“ gewissermassen aufrecht erhalten, er enthält einiges für mich Grundlegende und er spricht einige der Kaugummiprobleme, die seit Generationen resultat- u. genusslos von einem Kieferwinkel in den andern verschoben u. verschleimt werden, wenigstens aus. Abgesehen davon allerdings muss sich der Autor natürlich auch heute nach 30 Jahren klar darüber sein, dass er sich besser im Schatten hält, statt sich in feine geistige Kreise einzudrängen. Er bleibt daher auch räumlich am besten in der obengenannten mongolischen Grenzstadt, die vorläufig noch Berlin heisst; das Leichengewimmel der Verhungernden, die eigentümliche Berufslosigkeit einer nach Millionen zählenden Bevölkerung, die Sinnlosigkeit jeder tätigen Unternehmung und Pameelens intellectuelle Bordellgesinnung gehören wesentlich zusammen. Und dies Alles zur Zeit in Herbsttagen mit dem beunruhigend hohen blauen Himmel, den schwelgerischen Broncetönen in der Nähe der Erde und den krankhaft schwebenden Stunden: gelassen, selbstentstanden, parthenogen. Jupiter im 7. Haus der grossen Erfüllung, der grossen alten Asche Spengler'scher Prophetie . ., die Sterne traten zusammen und die Parzen woben es mit –, mit Kurare oder ohne Kurare, – Jacke wie Hose, selbst die Alkaloide haben ihre Menschlichkeit verloren.
Anbei erlaube ich mir, Ihnen den neuesten Claassenbrief vorzulegen. Wieder der typische Weder-noch-Brief. Es ist nicht schwer, einem Autor seine Verehrung auszusprechen, wenn dieser Autor weder Vorschuss verlangt, noch Vertragsabschluss, noch sonstwie Ansprüche stellt. Was soll das Ganze? Mir fängt es an, langweilig zu werden. Vor Allem: was soll das heissen: „*Bändchen*“? Ich glaube Sie nicht misszuverstehen, wenn Sie auch folgender Meinung sind: angebracht wäre heute, nachdem der Augenblick actueller spontaner Wirkung vorbei ist, allein *gleichzeitig* 3 Bände

herauszubringen: 1) ein Gedichtband, Altes u Neues, incl. Stat. Gedichte. 2) ein Essayband, ebenso angelegt, einschl. aus „Ausdruckswelt" die passenden Stücke 3) ein Prosaband von Rönne über „Weinhaus Wolf" bis Phänotyp. Jeder Band 200-300 Seiten. Dies alles Dreies zusammen hätte etwas Sinn. Alles Andere ist eigentlich unwürdig in Anbetracht meines Alters. Ich kann nicht wieder mit „Bändchen" anfangen wie 1912 bei A. R. Meyer mit der „Morgue". Aber ich muss sagen, ich halte das leider für völlig aussichtslos bei Claassen. Zum Teufel die ganze Sache. Ich bin kein gepflegtes Gehirn, das seine Produkte an gekachelte Molkereien abliefert; das katalaunische Gemetzel, das ich ewig auf meiner geschundenen Rinde sich abspielen lassen musste, fängt an, mir seine letzten Hautgouts entgegenzuwerfen. Bitte, wenn Sie mögen, schreiben Sie doch an Cl., Sie bäten um Rücksendung der „Ausdruckswelt" – mit meinem Einverständnis, da er im Augenblick doch keine Entscheidung darüber träfe. Sie wollten eine Abschrift davon machen lassen.
Zum 50 Wiegenfest Ihrer Gattin meine aufrichtigsten Glückwünsche. Häcklingen! Ort des Friedens, Birken u. Wacholder u. jetzt blüht das Heidekraut. Hier blüht der Phlox in allen Gärten, und, wenn Tränen einen Geruch ausströmten, denke ich immer, würde es der von Phlox sein – so ist es hier.
Neulich war ich im Theater (mir ja ein sehr unsympathischer Aufenthaltsort). „Antigone" von Jean *Anouilh* (Franzose). Moderne Sache: Antigone im Strassenkleid, mit Cigarette u. Café, aber doch sehr interessant, namentlich im Negativen; nämlich: es giebt tatsächlich tragische Constellationen, tragische Konstitutionen, tragischen Willen, tragisches Müssen. Das kann der Autor nicht leugnen, will es auch nicht, tatsächlich: Antigone ist tragisch. Aber das kann man natürlich nicht einfach zugeben oder ausdrücken (wie in „Penthesilea"), es nicht naiv darstellen, also muss es *eingeführt* werden, *umrahmt* durch einen compère, der die Er-

klärungen dazu abgiebt, die Sache sozusagen sozialisiert, journalisiert, verShaw-ert – u. trotzdem bleibt hier etwas von Tragödie übrig, das mich sehr berührte, das Gefühl des Absoluten Müssens zu sich selbst, das ein Müssen zum Tod ist, grundlos, widersinnig, unethisch. Besonders interessant war mir, dass eines meiner Lieblingsthemen (wieso: „Leben", wieso ist das der höchste Wert, wo steht denn das, diese lächerliche Biologie mit ihrem à-tout-prix-corpus-sanum usw.) – dass dies Thema einen Augenblick ins Auge gefasst, aber dann fallengelassen wird, weil doch wohl zu gefährlich. Natürlich ist überhaupt zuviel Geschwafel („abendfüllend") dabei. Ich persönlich finde ja jede Kunstäusserung, die 60 Minuten überschreitet, infam.
Schließlich noch *Maraun*. Er ist nicht der mit einem Jungorden usw. Reiner Journalist, sehr intelligent, dabei sympathisch. Mir angenehm, in Berlin jemanden zu wissen, den ich zwar auch kaum sehe, der aber Bescheid weiss über gewisse Dinge, die sonst niemanden mehr interessieren hier. – Das äussere Leben ist für mich überhaupt sehr sehr schwierig. Eine (neue) Hausangestellte, die wohl auch kein Ideal ist, sondern faul u. radiosüchtig; keiner, der sich um meine Sachen, Wäsche etc. kümmert, von allen Seiten wird man bestohlen u. begaunert –, allerdings fordere ich das auch geradezu heraus, da ich so indifferent gegen alle wirtschaftlichen u. finanziellen Dinge bin, – jedenfalls angenehm ist das Alles nicht u. es verbraucht mich doch stark.
Schluss mit diesem etwas müden u. nervösen Brief.
Was Handschriften betrifft: die Gleichmässigkeit, unveränderlich prachtvolle Form *Ihrer* Handschrift durch all die Jahre ist ein Wunder. Oft frage ich mich, was das psychologisch bedeutet: Ruhe, Sicherheit, Hirnstammklassik, Gleichgewichtigkeit in allen Lagen ..? Oder was? Anlage, Zucht, Schulung ..? Meine centralen Organe sind jeden Morgen u. jeden Abend in einer andern Krise, Zittern, ekelhaften Oscillationen.

(– „auf welchen schwarzen Stühlen webte die Parze Dich...?")

Ihr Benn.

Nr. 314 B. 31. VIII 46.

Lieber Herr Oelze, vielen Dank für Ihren Brief vom 25. VIII mit Rückgabe des Govertsschreibens u. Bremer Zeitung (Raschke). Den Jean Paulband erhielt ich nicht, wann sandten Sie ihn ab?
Für Ihre Kieferoperation wünsche ich Ihnen guten Erfolg, sowohl was den Eingriff selbst angeht als seine zu erhoffenden günstigen Folgen. Aber Ihre Müdigkeit...; es ist nicht *Ihre* Müdigkeit, es ist *die* Müdigkeit u. die werden keine Eingriffe beseitigen. Ich habe schon oft über diese Müdigkeit nachgedacht, ihren Sinn, ich glaube ja, dass jede Grösse *gegen* sie erkämpft werden musste.
An Dr. Claassen schreibe ich vielleicht wegen der 3 Bände. Vielleicht auch nicht. In Anbetracht der Gesamtlage erscheint es mir so unwichtig; sollen sie doch alle drucken oder nicht-drucken, was sie wollen.
Verzeihen Sie mir ein Wort über den Aufsatz von Raschke: ich finde ihn fürchterlich. Banal u. pastoral. Horst Lommer u. Morgenstern gegen N. zu setzen, zu wagen, solche Namen überhaupt in Zusammenhang gelangen zu lassen zu diesem doch wahrhaftig dornengekrönten u. ewigstrahlenden Genius, ist unerlaubt. Überhaupt diese Parallelsetzung von Geist u. Geschichte, ihre Beziehungen sind völlig inferior gesehn. Ich weiss, R. steht Ihnen irgendwie nahe, aber geben Sie bitte zu, dass er hier nicht in seinem Glanz erscheint. Ich finde, was auf der Rückseite Max Schmeling über seine Boxpläne sagt, interessanter.
Die Gesellschaft tut so, als ob sie nicht wüsste, was die Se-

xualität ist. Ebenso tut die Gesellschaft, die in Bremen wie in Nürnberg wie in Paris so, als ob sie nicht wüsste, was *Geschichte* ist. Jeder aber *weiss*, sie ist reiner Mord u. Totschlag von jeher u. in aeternum u. es hat gar keinen Sinn, sie mit moralischen u. intellectuellen Vokabeln zu verzieren. Man höre endlich mit dieser Geschichts„philosophie" auf, diesem unsauberen Feigenblatt vor dem filzläusebepackten Unterleib der Pithekanthropos. („Verbrecher u Mönche" – G. B.)
Haben Sie Ovids „Verwandlungen" zur Hand? Von „Orpheus u. Eurydike" fand ich immer den 2. Teil auffallender als den bekannten 1. Anbei eine Studie dazu – für das Archiv!
Ihre freundlichen Worte über meine hiesige Existenz tun mir wohl, aber ich bleibe hier. Vielen Dank für Ihr gütiges Nachdenken hierüber. *Anspruch* – sagen Sie. Bestimmt nur Ihr grosses Wohlwollen spricht daraus. Ich glaube nicht, dass selbst Rembrandt Anspruch auf einen anderen Lebensabend hatte als mit Hendrikke unter Alcohol u. gepfändet. Es ist doch gut so! Es ist doch herrlich! Alles andere wäre doch verkehrt u. ehrpusselig. Die Tragik, die Schlangenbisse, die Abgründe, für die allein wir leben, sie sind doch hier. Alles andere wäre doch Couplet oder – Thomas Mann. Nein, lassen wir ihn sein Dienstmädchen ehelichen u. seine Bilder unverkauft auf dem Boden stehn. (A propos: Heinrich M. hat mir kürzlich durch Tilly Wedekind (Zürich) einige herablassend freundliche Worte zukommen lassen –, ohne mich damit zu entzücken.).
Ich war in dieser Woche 2 Tage in Neuhaus a. E., um nach dem Grab meiner Frau zu sehn. Eine wahrhafte Fahrt über den Styx! Ein Unternehmen auf Leben u Tod. Verhungern, verschleppt werden, im überfüllten Coupée niedergeschlagen werden – alles da. Mit grossem Glück entging ich einer Verhaftung u. Unschädlichgemachtwerdung durch eine r... Feldpolizei, – vielleicht war es auch nur eine private Räuber-

bande. Neuhaus liegt 12 km. von der Bahn u. in der Nacht kommt man an u. in der Nacht fährt man fort. Meine Eindrücke von der Reise sind horrend, was die Zukunft des Einzelnen von uns wie der gesamten Ostgegend betrifft. Was macht eigentlich die Firma Ebbeke, deren Emblem Sie auf die Rückseite Ihres Briefes klebten? Besteht sie weiter, arbeitet sie, arbeiten Sie?
Schildern Sie nur nicht Ihre Terrasse und Ihre Rosen so sehr! Ich könnte das Heulen kriegen, ich liebe ja doch Gärten u Land über Alles.
Viele herzliche Grüsse u gute Operation.

Immer Ihr Benn

1.9.46

Noch einmal zu Ihren Rosen und der Terrasse und den längerwerdenden Schatten: soweit ich noch einen menschlichen Wunsch in Bezug auf die Realitäten dieser Erde habe, ist es der, neben dem Grab meiner Frau in Neuhaus begraben zu werden. Der Platz neben ihrem Grab ist von mir gekauft. Es würde mich nicht stören, dass der Friedhofsbrunnen ganz unmittelbar daran steht, er wird nicht viel in Bewegung gesetzt in diesem Hof im Wald. Die Gräber am Brunnen – ein Filmtitel, aber in diesem Fall wäre es eine mich bewegende Realität. Diesen Wunsch könnte ich natürlich nur selber mir erfüllen, indem ich dorthin führe, wenn es soweit ist. On verra. – In der Skizze zu Orpheus sind die Dinge sehr hart neben einander gesetzt u. sie muss studiert werden u. bedacht vom Leser. Eine Zumutung! Aber Gedichte sind eigentlich immer eine Zumutung, das ist ihr Wesen.
Der Sonntag ist zu Ende. Ihr Be.

Nr. 315 B. 12. 9. 46.

Lieber Herr Oelze, vielen Dank für Ihren Brief vom 1. 9. mit der sensationellen Mitteilung, dass Sie wieder in Hamburg waren. Hoffentlich war die Reise nicht so schlimm wie meine neuliche an die Elbe. Also Sie haben von Neuem mit Dr. Cl. gesprochen u. dann Row. für mich zu interessieren gesucht. Der Erfolg ist nicht ausgeblieben. R. hat mir sofort einen langen, sehr entgegenkommenden Brief geschrieben, in dem er sich mir weitgehend zur Verfügung stellt. Sehr nett von ihm. Mir wäre der Gedanke, mit R, den ich seit 25 Jahren kenne, zusammen zu gehn, sehr sympathisch u ich habe ihm das sofort geschrieben. Ob u wie ich aber nun mit Dr. C. mich auseinandersetzen soll, ist mir im Moment nicht klar, nachdem wir soviel ganz freundschaftliche, oder wenigstens gentlemanlike Briefe ausgetauscht haben u. er doch sehr höflich u. zugängig zu mir war. Sein Zögern ist ja zum Teil meine Schuld. Eigentlich war *ich* es, der zauderte u. die Schwierigkeiten hervorhob, anstatt sie zu zerstreuen. Ich übertrage vielleicht die Eindrücke u. Tatsachen von Berlin u. seinem Kunstbetrieb zu sehr auf die anderen Zonen u. bin hier innerhalb der besonderen Verhältnisse der Vierzonenstadt besonders vorsichtig. Der Grund ist ein ganz banaler, ja unwürdiger: ich will meine Praxis nicht gefährden, der allein ich es ja verdanke, dass ich einigermassen leben (u essen) kann, – u. auch das war bei Beginn im Juni 45 mit gewissen Schwierigkeiten verbunden, die aus alten, mir kaum noch erinnerlichen persönlichen Feindschaften in diesen Kreisen stammten. An der Spitze hier steht jemand, der mich als seinen persönlichen Gegner empfand u. behandelte, ich musste sehr vorsichtig operieren, um das zu applanieren. Sie können sich denken, zu welcher Klasse u. Rasse er gehörte. Dieser Gefahr nun hoffe ich heute begegnet zu sein. Ferner ist ja Johannes R. B., der hier das Primat der Literatur diktatorisch inne hat, mein ausgesprochener Feind, er tat

Alles, um mich auszuschalten, schon aus Konkurrenzgründen, vielleicht *allein* aus diesem Grund –, wie mir aus seiner Umgebung im Geheimen erzählt wurde. Aber auch hier glaube ich, nunmehr etwas gesicherter zu sein. Es würde also nunmehr nur die übliche literarische Stänkerei einsetzen, wenn ich hervorträte, u die bin ich ja gewohnt aus allen Jahren. Insofern ist die Lage jetzt *vielleicht* etwas anders als vor einem Jahr u ich könnte mein Wiederauftreten etwas intensiver verfolgen.
Nun erscheint mir, die Absicht von Dr. C., erst die neuen Gedichte allein herauszubringen – wie Sie schreiben –, nicht so ganz unrichtig zu sein. Einmal würde das vielleicht recht bald möglich sein, zweitens wäre der Plan der 3 grösseren Bände gleichzeitig doch wohl kaum zu verwirklichen, auch nicht von R: Darüber werde ich mit R. korrespondieren, bei völliger Offenheit gegenüber Cl. Dass R. bei Ihren Bekannten wohnt, wie er mir schrieb, ist ja ein grosses Aktivum für mich, da dadurch Ihr Schutz u. Schirm über den Plänen waltet.
Inzwischen hat der Südverlag in Konstanz, der ja seit Monaten an mich schreibt, eine neue Zeitschrift: Pandora ins Leben gerufen u. mich im 1. Heft u. für die folgenden als Mitarbeiter angeführt. Seltsamerweise u. ohne mich zu fragen, bringt das 1. Heft „Das Unaufhörliche" – also wohl den Text des Oratoriums mit Hindemith. Warum, weiss ich nicht. Jedenfalls habe ich meine Zustimmung gegeben, dem Herausgeber die neuen Gedichte u. den Essay „Kunst im 3. Reich" zugesandt zur Verfügung. Dies ist die einzige Abschrift aus „Ausdruckswelt", die ich besitze.
Ich wage Sie um Ihr Urteil zu bitten, ob ich zu den „Statischen Gedichten" „Rosen" u. „Orpheus Tod" hinzunehmen soll. Aus den „22 Gedichten" habe ich ja manches fortgelassen. Jetzt sind es 31 Gedichte, – dann wären es 33. Natürlich wird schon allein der Titel „*Statische* Gedichte" Anstoss erregen in einer Zeit, die sich in einer – wenn auch sinnlosen –

Bewegung zu befinden als ihr besonderes Verdienst u. ihre politische Forderung ansieht.
Was macht Ihre Kieferreparierung bezw. Operation? Sie schreiben garnichts darüber.
Als Row. mir neulich schrieb, er sei mit Ihnen bei Ihren Freunden zusammen gewesen, sah ich plötzlich unsere, Ihre u. meine, Beziehungen ganz sonderbar: wir führen ein völlig isoliertes Leben mit einander, rasen wie zwei D-Züge auf einander zu in unseren Briefen, an einander vorbei, die Städte u. Landschaften neben den Gleisen kennen wir nicht, lassen wir ausser Betracht. Plötzlich stellt man fest, dass diese auch da sind, sehr real mit Einwohnern u. Gegenständen, u. ich bekam einen Schock, dass meine egozentrische u egoistische Gebahrung Ihnen gegenüber sehr anspruchsvoll u. nicht sehr fair ist. Wissen Sie also, dass ich diese Tatsache zum Mindesten stark empfinde u. beachte.
Nehmen Sie viele Grüsse, bitte auch an Ihre Gattin,

von Ihrem dankbaren

Benn.

Nr. 316 3 X 46

Lieber Herr Oelze, vielen Dank für den Brief vom 28. 9. mit der Beilage des Govertsbriefes, den ich beifolgend mit bestem Dank zurücksende.
Es war eine Pause zwischen unseren Briefen u. ich dachte mir, dass es Ihnen nicht gut ginge. Gute Erholung, Besserung!
Der Jean Paul Band kam *nicht* an.
Ihr Brief macht mich traurig, noch trauriger, als ich sonst schon bin. So gerne würde ich Ihnen einmal etwas *Positives* berichten, etwas Strahlendes, aber das Gegenteil ist der Fall. Schon wieder eine Panne! Der Verlag in Konstanz hat die

Licenz für seine geplante neue Zweimonatsschrift nicht bekommen, weil mein Name unter den Autoren steht. Wer hat das verfügt? Der Leiter der betr. Abteilung in der franz. Zone. Wer ist das? Herr Döblin, – mein 3facher Kollege: Berliner Schriftsteller, Berliner Arzt u. Kollege aus der Dichterakademie. Er sitzt als Franzose im Range eines Oberstleutnants in Baden-Baden. Seine Frau, eine Berlinerin (J...), spräche mit ihm nur noch Französisch, kein Wort deutsch mehr. Also der Verleger fuhr zu D. Wut u Geschrei; massloser Hass gegen mich, bei näherem Befragen stellte sich heraus, dass substantiell rein nichts gegen mich vorlag, allein die Affekteinstellung von D. verhinderte alles Weitere. Angeblich stehe ich auf der „Schwarzen Liste" (offenbar ein Emigranten-Femeaktenstück; kein Mensch konnte bisher Näheres hierzu sagen). Für mich natürlich sehr peinlich, dass schon die Setzung meines Namens einen Verleger kompromittiert. Es wird auch bei Goverts nicht anders werden, ich bin sicher. Der Konstanzer Verleger meint, ich solle an D. persönlich schreiben u. um Schönwetter bitten. Ich denke aber natürlich nicht daran. Andere Fachmänner hier sagen, die Streichung von der Liste sei nicht schwierig, sie sei völlig fluktuierend. Aber ich setze mich nun nicht mehr in Bewegung. Auch an Dr. Claassen u. Rowohlt schreibe ich nicht mehr. Ich habe es satt. Ich will keine Post mehr sehn u. keine Kouverts mit Aufdruck. Bitte gehn auch Sie nicht mehr zu Dr. Cl. in meinen Angelegenheiten, lassen Sie ihn bitte allein sich entscheiden, u ich bin sicher, er kann nicht anders, er wird ablehnen müssen.
Sie werden der Einzige sein, mit dem ich noch in Verbindung bleibe u. das ist natürlich für mich sehr viel, ja alles. Sie sind so freundlich zu mir, so nachsichtig u. wohlwollend, jeder Ihrer Briefe tröstet u. bereichert mich.

Tausend Dank, tausend Grüsse!

Immer Ihr

Benn.

Unsere Unterhaltung über „Anspruch“ und Rembrandt habe ich alleine weitergeführt – aber Herr Oelze als Auftragsgeber u. Produktionsleiter! – Hinterzimmermeditationen aus der Bozenerstreet – Kartoffelkäfer und Mehltau und Reblaus auf allen Gräsern.

Nr. 317 4 X 46.

Lieber Herr Oelze,
in Ergänzung meines gestrigen Schreibens ein Wort zu Orpheus. O. wird – nach Ovid – tatsächlich von den Frauen getötet, mit Steinen beworfen, verwundet, zermalmt, da er sie zu beschlafen offenbar ablehnt. Ein sonderbarer Gedanke innerhalb der griechischen Welt! Nicht klar wird aus Ovids Darstellung, warum seine die Natur bezwingende Macht, die ihm in seinem Gesang verliehen war u. die zunächst soweit ging, die kahlen Berge usw seines Aufenthalts zu beleben u. zu belauben, die Tiere zu bändigen u. anfänglich auch die Wurfgeschosse u. Hacken, die die Frauen nach ihm schleuderten, zu besänftigen u. unschädlich zu machen, dann plötzlich nachlässt u. seinen Tod ermöglicht. Das ist der Inhalt des Ovid'schen Gesangs. Alles Einzelne ist natürlich nicht von Ovid; die Grosse, Gefleckte usw, die Totenklage sind natürlich nicht in ihm enthalten. Dagegen, dass ihm dann die Leier entsinkt, sie den Fluss hinabtreibt u. dann von den Ufern ihr Gesang gewissermassen aufgenommen wird, ist in der Ode enthalten. Auch der absonderliche Ausdruck: „nackte Haune“ findet sich in der Vossischen Übersetzung – ein Ausdruck, der mir in seiner, allerdings befremdenden, Kompactheit gut verwendlich erschien.
Das Ganze ist eine Stilstudie von mir, den episch erzählten Vorgang auf eine Messerschneide zu bringen, in einem Moment – einem stilistischen Moment – zu liquidieren; es ist

ein „Mit-dem-Rücken-an-der-Wand-Stil", – unbeweglich, nicht im erzählerischen Fluss, den Vorgang darstellen, vielmehr ein expressives Aprèslude zu fabrizieren.
Soweit hierüber.
Dank für Ihr grossartiges Interesse für diese Art Details!

Ihr
Benn

Nr. 318

Quartär.

Die Welten trinken und tränken
sich Rausch zu neuem Raum,
und die letzten Quartäre versenken
den ptolemäischen Traum.

Verfall, Verflammen, Verfehlen –,
in toxischen Sphären, kalt,
noch einige stygische Seelen,
einsame, hoch und alt.

G. B. 12/X. 46.

15 X 46.

Caro Maestro, die Frage der Müdigkeit ist eine brennende, ich habe oft über sie nachgedacht. Ich bin der Meinung, man kann sie einengen, diese Müdigkeit, sogar sie fruchtbar machen, wenn man ein Ziel vor Augen hat. Auch der Schlaf ist ja ein ausgesprochen metaphysisches Problem. Wozu dieses Intervall, diese Erholung zu einem Leben, dessen Charakter

ausserhalb jeder Erholung liegt. Wahrscheinlich sind Wachen u Schlaf und Müdigkeit nur Symbole eines Rhythmus, jenes fernen Rhythmus, in dem wir stehen u. der sich immer verborgen hält. Trinken wir also weiter unseren Mohnsaft und erblicken wir in jeder Tablette Phanodorm die rote Blüte, die so flatterhaft aussieht u. so Schweres enthält.
Die „leere Stelle“ im Schwan von Avon verpflichtet mich zunächst zu einem grossen Dank dafür, dass Sie und Ihre Gattin sich mit dem Produkt beschäftigen. Ich fürchte allerdings, dass mir im Augenblick nicht Besseres als Ersatz dafür einfällt. Die Verse sind salopp, aber sie sollen es sein. Sie sollen die ganze Nonchalance ausdrücken selbst dem eigenen Werk gegenüber, die Gleichgiltigkeit gegen das eigene Ich, die Vergesslichkeit selbst den produktiven Strömen gegenüber, die einen vielleicht einst erfüllten. *Leer* ist er geworden, Gleichgiltigkeit herrscht: Ruhm, Grösse, Kränze – kein Gefühl mehr dafür, die Harfe hängt in der Weide, – Schweigen. Vielleicht noch darauf achten, dass Verse *gefüllt* sind, gefallen – zuviel Aufmerksamkeit gegenüber dem Publikum, zuviel Zartheit gegenüber der eigenen Person! Leer! Zu Ende! Solipsistischer Nihilismus; letzte Objectivität, fast schon Beziehungslosigkeit in Bezug auf sich selbst, Herabsehn aus grosser Höhe auf sich selbst wie der Falke in einen Abgrund. Die Zeit nimmt einen bereits in ihrem Strom mit dahin, mit hinab u. man ist immer noch da u sieht zu: – was war man? Keine Ahnung! Was dachtest Du? Mir unbekannt! Wer dachte in Dir? Nicht zu ergründen! „Ich glaube, das ist von mir“ – aber vielleicht auch von einem andern, jenem fernen Collectiv, das überall am Werke ist, am unbekannten Werke. Und auch die folgenden Reihen mit Dante sind in keiner Weise überheblich, nein, lässige Feststellung, Überblicken am Kamin den Blick in das rauchende u. zu Ende brennende Feuer, vielleicht ist es anmassend, vielleicht auch nicht, über Allem eine Trauer u. eine Müdigkeit. (A propos: vergessen Sie auch nicht, dass ja der fol-

gende Vers *vorbereitet* werden musste, der letzte, mit dem grossen Affengebiss! Ein Poem ist ein schwieriges Werk, alles muss in einander verzahnt werden, eine furchtbare An- u Ausgleichsarbeit, bis alles zusammenpasst u stimmt, dazu können auch leere Stellen nötig sein, um eventuell gefülltere stärker hervortreten zu lassen. Man will ja mit einem Gedicht nicht ansprechend sein, gefallen, sondern es soll die Gehirne spannen u. reizen, aufbrechen, durchbluten, schöpferisch machen). Also, sehr verehrte gnädige Frau, seien Sie gütig u. gnädig mit den armen Herstellern so labiler Gebilde, die Zahl der Worte ist beschränkt, jeder Ausdruck sehr erkämpft, jeder Vers trägt Spuren dieser Fugenarbeit u. nicht in jedem kann die Totalität der Planung und Vision sein. Aber ich schliesse diese mangelhaften Ausführungen zu dem Thema mit meinem nochmaligen Dank für Ihre gütige Anteilnahme, die ich voll zu würdigen weiss.
Herr Oelze, Ihre Ausführungen über die von Deutschland erregten Induktionsströme treffen das Richtige, aber ich füge hinzu, es wird an der Gesamtlage nichts mehr ändern. Immer stärker wird mein Gefühl davon, als ob die Stunde da wäre, in der sich etwas abzieht von der Erde, nennen Sie es den Geist oder die Götter oder das, was menschliches Wesen war. Es handelt sich nicht mehr um den Verfall einzelner Menschen, auch nicht einmal einer Rasse oder eines Kontinents oder einer sozialen Ordnung, eines geschichtlichen Systems, sondern um weit Ausholenderes, das mit keinerlei Methode des Denkens mehr zu erfassen ist. Es ist die Zukunftslosigkeit des Quartär, es ist hinüber. Man wird hier noch eine Weile ideologische Draperieen um politisch-historische Symbole ziehn, Paravents herumstellen. – Ihre Makartbuquetts – u. in Asien noch eine Weile einige Opfer für die Hexen u die Götter und einige Gebete an die Wasserratten richten, aber es ist einheitlich zu Ende. Etwas ist nicht mehr in Ordnung. Da sind noch einige Stellen mit Geist, einem sehr bewussten, tief melancholischen, schwei-

gend sich erlebenden Geist, aber das Menschliche ist ausgeglüht, zerstoben. Die Schöpfung richtet ihr Ejaculat in andere Räume, andere Formen, andere Aufnahmeapparate, mit uns ist sie fertig. Mir scheint das sich völlig klar abzuheben, in Asien wie hier, auch die in das Wunder noch reichende Welt Tibets wird keine neue Induktion und Integration mehr bringen –, s. das Anfangsgedicht!
Womit ich schliesse. Dank für den Brief vom 9. X. Und nun haben wieder die R. A. Schröder's das Wort.

Tausend Grüsse!

Ihr Benn.

Nr. 319 4 XI. 46.

Lieber Herr Oelze, – beim Lichte einer Kerze (wir haben am Tag noch etwa 1 Stunde electr. Strom; Deutschland ist das kohlenreichste Land Europas) schreibe ich u. danke Ihnen für den Brief vom 27 X. Der Brief klingt müde u. nervös. Wenn ein Mann wie Sie nach Reisig u. Nahrung sich umsehn muss, ist das allerdings auch schrecklich u viel schlimmer als es für unsereinen ist, der das sein Leben lang tun musste u. es also gewohnt ist. Meine Gedanken, bedauernde und deprimierte für Sie, begleiten Sie in diesen dunklen Tagen u. hoffen, dass Sie etwas Mut u. Nerven finden, um es zu überstehn.
Auf dem Hintergrund dieser Gedanken kommt es mir doppelt absurd u. unbescheiden vor, Ihnen fortlaufend mit lyrischen Ergüssen u. aesthetischem Geschwätz zu kommen u dies in einer Handschrift, die an sich schon eine Aufgabe stellt, ich werde das einstellen müssen oder jedenfalls einschränken u. Sie nicht mehr so aufdringlich in Anspruch nehmen.
Ich schliesse daher heute das Orpheus-Thema ab, indem ich

Ihnen die Stelle aus Ovid zitiere, Ihnen das weitere überlassend:

„ – die Geräte der Arbeit
bleiben zurück; und es liegen, zerstreut durch verlassene
Felder,
Lastende *Haun* (!), Jäthacken, und langgeklauete Karste.
Als die Verwilderten solches geraubt und zerrissen die Stiere
trotz dem drohenden Horn . . ."
u.s.w.

Dann sende ich Ihnen noch das komplettierte „Quartär" – für das Archiv. Sie wollen nicht darauf eingehn, ersparen Sie sich Gedanken u. Eindrücke. Sie müssen es bitte verstehn: da ich hier keinen Vertrauten habe, niemanden, der bei einem etwaigen Abschluss, Deportation usw. meine Dinge bestellt u. ordnet, häufe ich zu Ihnen meine Gedanken u. Bruchstücke u. Restbestände hin, sehr der Zudringlichkeit und Unbescheidenheit meines Verhaltens mir bewußt. Betrachten Sie anliegenden Zeitungsausschnitt, eine gewisse Gefahr liegt vor –; dies als Antwort auf Ihre diesbezügliche Frage im letzten Brief. Hierzu zwei Andererseits: 1) mich schreckt das Alles nicht mehr, πολυτροπος, ὃς μαλα πολα . . 2) bin ich dabei, mir hier eine Art Vertraute zu erziehen, die einiges von mir weiss u. erhält u. deren Namen ich Ihnen gelegentlich schreiben werde u. die jedenfalls Ihren Namen u. Adresse hat. Eine reizvolle, sehr begabte, leider sehr junge Person, die ich etwas an mich herangezogen habe. – Dies für alle Fälle zu Ihrer Kenntnisnahme.

Das Leben ist sehr dunkel. Den grössten Teil des Tages herrscht völliges Dunkel, auch Kerzen giebt es kaum noch; die Praxis kommt natürlich dabei zum Erliegen. Keiner weiss, was werden soll. Es ist viel schlimmer als im vorigen Jahr.

Leben Sie wohl.
Tausend Grüsse.
Immer Ihr Benn.

Nr. 320 21 XI 46.

Lieber Herr Oelze, vielen Dank für Brief vom 15. d. Ms. mit Einlagen u. den vom 17. IX mit 1 Einlage –, alle Einlagen anbei zurück, dazu noch Artikel Raschke.

Ich muss im Depeschenstil antworten wegen der Fülle der Themen:

1) *Rowohlts* Brief sehr erfreulich u. überraschend. Bin natürlich mit Allem einverstanden. Schrieb ihm eben; will aber Antwort von Claassen abwarten.

2) An *Claassen* schrieb ich mit der Bitte um endgiltige Antwort. Er hat nun lange genug Zeit gehabt. Für beide Fälle, R. u. Cl., sehe ich weiter schwarz, es wird wieder nach anfänglichen Hoffnungen die üblichen Schwierigkeiten geben. (Übrigens der interessanteste Denker seit Nietzsche: nicht Keyserling, nicht Klages, nicht Bergson, sondern Spengler wäre heute genau so unerwünscht u. schwarzbelistet wie er es bei den Nazis war).

3) *Hegel:* Wenig von ihm gelesen. Was ich von ihm fand, fand ich grossartig in der Abstraktionsfähigkeit, u, wenn nicht im Ausdruck, jedenfalls im Blick. Erinnert mich immer an Hebbel, beide gross, aber ohne das Fluidum, ohne das ich mir keine reine Grösse in unserer Region denken kann: Latinität.

4) *Hesse.* Kleiner Mann. Deutsche Innerlichkeit, der es schon kolossal vorkommt, wenn irgendwo ein Ehebruch erlitten oder gestartet wird. In der Jugend einige hübsche, klare Verse. Spezi von Thomas M. Daher der Nobelpreis, sehr treffend u passend innerhalb dieses moddrigen Europa.

5) *Die Franzosen.* Ganz Ihrer Meinung! Aber sie haben mehr Leichtigkeit in der Anlage ihrer Bücher. Wenn Literatur, wie ich meine, ein gelungener Ausgleich zwischen Originalität u. Convention ist, so haben die Deutschen zu wenig Convention; ihre so robust beladenen Gehirne verhalten zu

wenig, wollen meistens zu viel; die Franzosen verteilen ihren schwachen Inhalt lässiger.

6) *Frau Lehne.* Nicht für Erdäpfel, aber für Rauchwaren tue ich ja alles. Jedoch verfüge auch ich kaum noch über einige Exemplare jener Bücher. Die Verlagsanstalt hat garnichts mehr, hat alles fortgereinigt, als das Gesetz es befahl. Will sehen, ob ich Weihnachtsmann spielen kann. Woher kennen Sie Frau Lehne?

7) *Der dichtende Kollege.* Nicht schlecht. Direkt konkurrenzfähige Gedanken, aber etwas stumpfsinnig im Darstellen. Wenn, wie ich meine, Kunst eine Kurve ist zwischen Centrum u. Peripherie, mit Betonung der Peripherie („Olymp des Scheins"), so ist hier zuviel Centrum. Aber wie gesagt: nicht unbeachtlich, ganz interessant.

8) Ihre Bemerkungen über die *Jugend.* Sehr treffend! Alterslos, kaum vorstellbar innerhalb von Liebe und Lyrik. Aber wohl sehr echt, identisch mit dem Zeitalter des excentrierten Ich u. der Radargeräte. Natürlich äusserst gefährlich für die Jugenden aller anderen Länder u. Völker, weil zukunftgezeichnet u. unvorstellbar hart.

(Infolge Lichtsperre u.
Kerzenlicht
Stearinflecke –
Pardon!)

9) Was tun Sie so oft in *Hamburg*? Haben Sie dort Geschäfte?

10) Wie geht es Ihrer *Gesundheit*? Schlafen Sie jetzt mehr u. besser?

11) Haben Sie genügend *Heizmaterial*? Wieviel Öfen heizen Sie? Keine Neugierde; ich stelle Sie mir so oft vor.

12) Aus Zürich meldet sich *Martina*, aus London *Erna*, aus New York *Trudchen*. Alles Tauben auf dem Dach. Ein Care-Paket bekam ich – grossartig! Von Erich Reiss, meinem einstigen Verleger.

13) Erlaube mir, ohne wichtigtuerisch sein zu wollen, darauf hinzuweisen, dass in „Quartär", letzte Strophe, es *Geschichte* heisst, nicht Geschicht*en*, Sie verstehen. Ich bitte gehorsamst, das Wort zu unterstreichen, d. h. es soll – in jener fernen Zukunft, wenn sie die Gestirne herbeiführen sollten – *gesperrt* gedruckt werden.
14) Bekam in die Hand gedrückt einiges von Rilke z. B. Inselband „Briefe an einen jungen Dichter". Schöne Sachen drin; auch ein wunderbares Gedicht von ihm „Herbst" stand neulich in einer Zeitung. Ist doch wohl sehr einzigartig innerhalb der deutschen Lyrik dieses Jahrhunderts, dieser Tscheche.

Viele herzliche Grüsse. Bleiben Sie
mir gewogen! Ihr Benn.

Nr. 321

Lieber Herr Oelze, nicht kann ich damit rechnen, dass das Folgende Ihre wohlmeinenden Gefühle für mich, die mir so über Alles wertvoll sind, vertiefen kann, – ich kann Sie nur bitten, sich mir nicht dadurch zu entfremden, sondern es als eine Notwendigkeit meines im Wesentlichen doch recht trauervollen Lebens hinzunehmen. Wenn Sie diesen Brief in Händen halten, habe ich mich wiederverheiratet, ich bitte Sie das zu verstehen.
Es sind nicht die äusseren Bedingungen meiner Existenz, die mich dazu bestimmen konnten. Ich hätte es hingenommen, weiter in einer verfallenden Wohnung zu hausen u. von der Angestellten betrogen zu werden bei einer grossen Praxis, die ihre eigenen Schwierigkeiten täglich mit sich bringt. Ich hätte auch die Einsamkeit ertragen u. das Schweigen u. die innere u äussere Isoliertheit, alles das bin ich ja gewohnt u. es gehört zu meiner Natur. Sondern, wie ich Ihnen kürzlich schrieb, hatte ich seit einigen Monaten eine Gefährtin ge-

funden, an mich herangezogen, sie mir verknüpft, ein Wesen von grossem Reiz nach der menschlichen Seite hin, die ich wohl nicht hätte halten können, ohne Alles einzusetzen. In meinen Jahren kann man einer jungen Person nicht zumuten, als Freundin mit mir zu leben, ihr den Weg zu anderen Männern versperren, ihr nichts weiter bieten als geistige Führung oder auch Liebe, die äussern u. gesellschaftlichen Dinge sind für eine Frau genau so wichtig –, und sie wieder verlieren wollte ich nicht. Das Ganze ist natürlich nicht wichtig für andere, auch für Sie, lieber Herr Oelze, nicht; aber bei der Einzigartigkeit der Beziehungen zwischen Ihnen u mir müssen Sie erlauben, dass ich zu Ihnen davon spreche.

Um es gleich zu sagen: „die Regeln", die Sie in einem anderen Fall, als unerlässlich zu beachten erwarteten, sind erfüllt; „die Lage", um in meiner Nomenklatur zu reden, ist klar erkannt, kein Wahnsinn trübt mein alterndes Gehirn. Diese junge Dame hat einen selbstständigen Beruf, den sie weiter ausüben wird, sie ist Dr. med. dent., hat eine grosse eigene zahnärztliche Praxis hier ganz in meiner Nähe –, wenn ich morgen tot bin, kann sie weiterleben, sie verdient sehr gut. Ihre Familie ist mir kaum bekannt, interessiert mich auch nicht sehr, mein Interesse gilt nur ihrer Person. Da sie noch erheblich jünger ist, als meine verstorbene Frau war, nämlich mehr als 25 Jahre jünger als ich, entfällt jede bürgerlich-konventionelle Bemassstabung dieser Ehe, sie ist von vornherein eine Spannungsbeziehung, –: das sichert viellcicht ihre Dauer –, aber was heisst Dauer, über eine Dauer kann man heute nicht disponieren, für nichts. Sie setzt sich einen schönen weissen Kachelofen in das Zimmer, in dem Sie und ich die wenigen Male sassen, als Sie bei uns waren, und richtet sich das Zimmer ein u. ich bleibe in meinem Hofzimmer, jeder macht am Tage seine Praxis (die ihre bleibt weiter ausserhalb) u. abends reden wir zusammen. Es wird ihr Leben nicht schädigen, wenn sie eine Weile

mit mir verbracht hat, sie wird einiges lernen, einige innere u. äussere Erfahrungen bei mir u. durch mich sammeln u. dann wird sie weitergehn u. meinen Namen noch eine Zeitlang tragen u. die Erinnerung an mich bewahren, so lange sie es kann u. mag. An die Trauer um meine verlorene Frau wird sie nicht rühren, diese Dunkelheit wird mir allein gehören weiter wie bisher. Es ist diese neue Verbindung eine für mich sehr schöne, aber natürlich von vornherein auch eine sehr ernste u. melancholische; u ich muss ihr sehr dankbar sein, dass sie in meine verlassene Wohnung gezogen ist u. meinen anrüchigen Namen angenommen hat. Den Namen werde ich Ihnen und Ihrer Gattin durch eine Anzeige bekannt geben, – auf sehr schlechtem Papier, aber besseres giebt es nicht. Ihre u. meine Beziehung zu einander beobachtet sie mit grösster Aufmerksamkeit und Spannung, aber sie ist in der Lage, ihnen zu folgen, auch sachlich, sie ist ungewöhnlich begabt, auch nach der rein erkenntnisgerichteten, ja philosophischen Seite hin. Überhaupt ist mir an der ganzen Person am erstaunlichsten, dass ich sie völlig als ebenbürtig empfinde. Sie hat die Absicht geäussert, sich Ihnen persönlich brieflich vorzustellen. Sollte sie es tun, würde es mich sehr freuen u. ich wäre Ihnen sehr dankbar, wenn Sie ihr liebenswürdig antworteten und sie nicht von vornherein aus unserer Mitte ausschlössen. –
Und was sagen Sie nun dazu? Wieder eine neue Verwandlung des Chamäläon – „war er wirklich, – nein, nur alles möglich, das war er –“. Aber, ach, heute ist er nicht mehr alles möglich, sehr vorsichtig vielmehr auch gegenüber allen Verwandlungen. Meine Frau sagte zwar neulich zu mir: „Du bist schlank u. jung – zeitlos wie die Götter –“ aber ich weiss es besser. Doch sehr müde bin ich, man könnte mir die Unsterblichkeit anbieten –, nichts lockte mich mehr aus meiner Reserviertheit u aus meinem Schweigen.

Ihr Benn.

13. XII. 46.

Es trifft sich merkwürdig, dass meine Tochter mir mitteilt, sie lasse sich von ihrem Vicevater dort, in dessen Haus sie seit ihrem 6. Jahr aufwuchs u dessen Frau, meine langjährige Freundin, kürzlich starb, adoptieren, um die Erbschaft von ihm – ein herrliches Landhaus u. Garten am Sund bei Klampenborg („Am Saum des nordischen Meers") – unbehelligt antreten zu können später. Natürlich bin ich einverstanden; habe also nun plötzlich keine Tochter u. Enkel mehr.

Be.

Nr. 322 ⟨18. 12. 1946⟩

Dr. med. dent. *Ilse Kaul*
Dr. med. *Gottfried Benn*

erlauben sich, ihre Verheiratung anzuzeigen.

Berlin-Schöneberg
Bozenerstr. 20 Dezember 46.

Mit vielen Grüssen zu Weihnachten für Sie, lieber Herr Oelze, und Ihre verehrte Gattin.

Ihr
Benn.

Nr. 323 27 XII 46.

Lieber Herr Oelze, zum Allgemeinen Jahreswechsel am 1. I u. zu Ihrem persönlichen am 3. I. meine herzlichsten Glückwünsche. Bleiben Sie gesund u. bewahren Sie Ihr Herz vor

Bitterkeit u. Furcht –: impavidum ferient ruinae. Ich werde am Freitag Ihrer gedenken.
Dank für Ihre Weihnachtskarte mit dem stolzen Rolandbild! Aber, ach, ich erinnere mich an kein Weihnachten weder vor noch nach 1914 mit Orchideen oder Maiglöckchen, vermisse also auch heute nicht so viel. Tausend Grüsse, bleiben Sie unserer Freundschaft gewogen! Ihr

Benn

Nr. 324 B. 1. I 47.

Lieber Herr Oelze, heute kam Ihr freundlicher Brief vom 25/27 XII 46 – tausend Dank! Gestern kamen die 2 Pakkungen Chesterfield – ein grosses Geschenk – zehntausend Dank! Aus Ihrem Brief vom 25 XII ersehe ich, dass Sie mein ausführliches Schreiben vom 13. XII betr. Eheschliessung nicht erhalten haben, ich bedaure das sehr, ich wollte Sie keinesfalls mit der gedruckten Anzeige überfallen, sondern Ihnen diesen Schritt ausführlich begründen. Haben Sie den Brief vielleicht inzwischen noch erhalten?
Goverts: anbei wieder ein ausweichender Brief von Dr. Claassen. Ich bitte Sie hiermit in aller Form, die Manuscripte zurückzuerbitten; ich werde Dr. C. in den nächsten Tagen schreiben, dass ich innerhalb von 4 Wochen um definitive Antwort bitte – eine Antwort nur: ja oder nein. Ich verstehe nicht, warum er trotz meiner Aufforderung diese klare Antwort nicht erteilt, ich erleichtere ihm in jedem Brief die Absage so sehr, dass er sie ruhig aussprechen könnte. Ich verspreche mir aber auch von Rowohlt nichts. Es wird nicht gehn, ehe nicht die ganze Lage sich ändert. Obschon heute das Jahr beginnt, von dem mein Prophet gesagt hat, dass es in seiner 2. Hälfte meinen grossen Aufstieg bringen würde, glaube ich selber nicht daran; Sie wissen, es berührt mich

nicht mehr. Meine Zeit ist vorbei, ich bin zu alt, um jemanden zu interessieren. Übrigens ist auch meine neue Ehe unter diesem Gefühl erfolgt: die Armeen sind geschlagen, es ist der Rückzug über die Beresina, einige zerfetzte Bärenmützen gelangen bis nach Polen, nach Paris nur der l'Empereur – u. der bin ich nicht. Es ist die Verschanzung im Winterlager; an der Seite u. mit Hilfe dieser reizenden Frau wird die Isolierung vollkommen sein.
Eine Heidsieck Monopole habe ich nicht, aber am 3. I werden wir viel von Ihnen sprechen – wie übrigens fast jeden Tag!
Leben Sie wohl. Vielen Dank für alle Güte u. Freundschaft im zu Ende gegangenen Jahr. Bitte grüssen Sie Ihre Gattin.

Immer Ihr Benn.

Meinen herzlichen Glückwunsch zum Geburtstag, lieber Herr Oelze.
Ich erlaube mir hiermit, mich Ihnen vorzustellen.

Ihre Ilse Benn.

Nr. 325 B. 10 I 47.

Lieber Herr Oelze, Ihr Brief vom 5 I 47 kam gestern an. Vielen Dank. Ihre Schilderung der Reise- u. Bahnverhältnisse ist sehr eindrucksvoll; die soziologischen Folgerungen sehr überzeugend. *Uns* überrascht das Alles ja wohl nicht –, Thema: geschichtliche Welt oder Verbrecher u. Mönche.
Hier sind etwa 18° Kälte. Noch habe ich für 1 Ofen Kohlen, aber nicht mehr für lange; was dann wird, weiss ich nicht. Die Praxis schläft bei der Kälte u. den ewigen Stromsperren sowieso ein. Tut ja nichts. Ich werde keine Steuern mehr zahlen u. wie alle Welt nur an meine Verproviantierung denken.
Merkwürdig, dass der Brief vom 13 XII verloren ging. Es

war ein Brief ausserhalb unserer „Themen", ein rein persönlicher Brief über meine neue Ehe u. die dazu gehörige Frau. Ich werde nun seinen Inhalt nicht wiederholen, nur nochmals Ihnen sagen, dass diese Ehe, die nicht leicht – von beiden Seiten – zu Stande kam, für mich ein ausgesprochenes Glück bedeutet, mit dem das Leben mich überraschenderweise beschenkt hat. Ich habe meine inneren u. äusseren Erfahrungen, die geistigen, die menschlichen u. die erotischen einsetzen müssen, um diese reizende Person zu gewinnen, die – wollen Sie das bitte für sich behalten – 27 Jahre jünger ist als ich. Es ist von beiden Seiten eine ausgesprochene Liebesheirat, so sehr Sie es hinsichtlich meiner Partnerin zu mir bezweifeln könnten. Meine Frau macht ihre grosse zahnärztliche Praxis, die ganz dicht neben meiner Wohnung liegt, weiter, verdient u. ist, bin ich morgen tot, ihres Lebens sicher.
Es wäre überaus reizend, wenn Sie uns besuchen könnten.
An Dr. Claassen schrieb ich einen jetzt etwas deutlichen Brief u. sagte ihm, dass Sie die Manuscripte zurückholen würden. Es traf sich, dass ich ihm ein Schreiben von der D. V. A. Stuttgart mitschicken konnte, die plötzlich dringend ihre Beziehungen zu mir geltend machte, weil der grösste Italienische Verlag in Mailand eine Lizenz für „Gesammelte Aufsätze" von mir haben wollte, die übersetzt u. als Buch erscheinen sollten. Die D. V A. wurde plötzlich ganz warm. Ich antwortete, dass ich keine Verlagsbeziehungen zu ihr mehr aufnehmen würde, da sie mich so schnöde u. ohne jedes persönliche Wort des Bedauerns aus ihren Autoren gestrichen habe u. erst durch diese italienische Anfrage sich meiner erinnern konnte. Dies schickte ich Claassen. On verra. Tausend Grüsse.

Ihr Benn

Die Schrift ist Folge der Kälte.
nochmals Dank für die Cigaretten! Mein Bedauern über den Verlust des Jean Paul!

Lieber Herr Oelze, – also der Brief vom 13 XII. 46 ist doch noch in Ihre Hände gelangt. Dank für die Mitteilung u. Ihren Brief dazu. Im übrigen kommt keine Post mehr an, keine Pakete, keine Nahrungsmittel, weder schwarz noch weiss, das Leben stirbt ab, keine Kohlen mehr, ich wandere im Pelz durch meine eisigen Räume. Da rüsten die Leute Expeditionen nach der Antarktis aus, während wir doch alles im Hause haben; und die angeblich so unerträglich heisse Sonne mit ihren 3 Millionen Hitzegraden wird wohl auch alles physikalischer Schwindel sein. Die Märchen der Gebrüder Grimm, las ich in der führenden Berliner Zeitung, sind für uns untragbar, eine Vorschule der Grausamkeit, man liest in ihnen von eisernen Pantoffeln, die über ein Kohlenfeuer gestellt werden u. die rotglühenden Schuhe muss dann eine anziehn: „direkt eine Gebrauchsanweisung für die Folterkammern der Vernichtungslager", und eine Schwiegermutter wird auf einen Scheiterhaufen gebunden u verbrannt –: „wollen wir wirklich weiter dulden, dass unseren Kindern Mord u. Totschlag in dieser Häufung vorgesetzt werden darf?" Während André Gide einem jungen Ägypter antwortet, dass wir keineswegs eine zum Opfer bestimmte Generation seien u in Unruhe leben, sondern zu aller Hoffnung berechtigt und verpflichtet seien. Dr. Henry Goldblatt hat das ACS.-Serum entdeckt, das die natürliche Lebensdauer des Menschen auf eine phantastische u. unvorstellbare Art wird erweitern können; von den Walen sind 15% Blauwale, diese führen die jährlichen Wanderungen, ihre Erledigung durch die moderne Fünf-Secunden-Bombenharpune ist weit systematischer als mit der früheren Handharpune. Haben Sie einmal im Menahaus gewohnt, dem Ziel vieler Hochzeitsreisender, von seiner schattigen Terrasse geht der Blick über die stolzen Zeichen uralter Kultur, die Linie XV fährt in einer Stunde bis zu den Pyramidenfeldern von Gizeh hinaus, Pilgerzüge allerdings stoppen gelegentlich das ganze Getriebe. Aus den medizinischen Zeitschriften ist interessant, welche Unruhe die *Causal*extremisten befällt. Gewisse Gegenprincipien wühlen in ihren Gedanken. Heisenberg, Prinz de Broglie, Uexküll – daran zappeln sie. Veil u. Sturm mit ihrem sensationellen Buch über das Stammhirn als Ursache u. Ausgangsherd vieler interner Krankheiten sitzt ihnen als Dorn im Causalfleisch. Aber natürlich können sie nicht mehr zurück. Grossartig! Nur zappeln können sie, Geschwätz fabrizieren, irritiert sein. Die Verbindung dieser europäischen Geistigkeit mit der modernen Biologie ist unauflöslich, – eine Verstrickung. Sie möchten gerne zurück, aber sie können nicht mehr. Wunderbar! Auf der einen Seite die politische Welt: kommt eine neue Clique zur Macht, schafft sie sich zwei Stützpunkte: einen Ausbeutungskodex u. eine Denunziationsideologie, damit regiert sie dann zehn Jahre, dann kommen die nächsten ran. Auf der anderen Seite die Biologen, die den intellectuellen Humus für diese Kakteenfelder liefern, und sie können nicht weiter, sie können nur noch irritiert sein – Paneuropa u dabei kann es noch nicht mal die Kohlenproduktion organisieren.

Tausend Frostgrüsse! Ihr

Benn

1) Hoffentlich müssen Sie nicht zu oft aus Ihrem Heim u über Holler Land u. Schwachhausen (umsteigen!) in die City! 2) von Dr. Claassen keine Antwort.

Nr. 327 23 II 47.

Lieber Herr Oelze, meinen Dank für Ihr Schreiben vom 9. II. Ihr Gedanke, in ein anderes Land zu ziehn, ist so überragend beglückend für Sie u. Ihr Leben, dass ich meinen privaten Kummer darüber zurückhalten müsste. Tun Sie

das! Raus aus diesem Dunst, in dem Alles nach verstopften Toiletten riecht, – die Ausschüsse u. die Kommissionen u. die Lizenzen u die Kommentare, – selbst Ruhm in diesem Volk, wäre ein kläglicher Ruhm. Ich ginge eher nach Florenz als in die Schweiz, es ist weiter fort, fremder, von der Reformation unerreicht.
Was Sie von der Liebe schreiben – die Doppeltheit bleibt doch immer eine Tatsache („erkenne die Lage"), eine Tatsache unserer Existenz, der mit Romantik u. Schwärmerei gegenüber zu treten Verkennung wäre; u. „kaltes Herz, dazu reizbarste Sinnlichkeit" – wie Sie schreiben – ist doch ein gutes Instrumentarium den Gegenstand zu fixieren, zu fassen u. wieder abzusetzen, wenn man mag, – also ein Positivum. Genuss, Spannung u. Steigerung ist dabei zu erreichen, ohne dass sich menschliche Hilfe u. Nachsicht dabei ausschlösse. Wenn man so ist, kann man ruhig vieles des weiteren den Frauen überlassen, – die über uns ja bestens Bescheid wissen!
Es tut mir so leid, dass Sie krank waren. Auch mich schlug vergangene Woche eine reguläre Grippe nieder, die mich einen Tag lang an den Rand des Verderbens brachte, aber dann unter Sulfonamiden wich. Noch jetzt liege ich im Bett u. habe die Praxis zu. Es ist angenehm zu liegen, finde ich; schwer sich zu erholen, wenn man nichts zu essen bekommt, aber es liegt etwas Träumerisches über diesem Zustand u. etwas Beschwichtigendes, noch ferner u. nebensächlicher wird die Welt u. der Gedanke vertieft sich in mir, dass das Ende der Grösse, – der letzten, die uns beschieden ist, – doch eher eine individuelle Vollendung seines Selbst u. das heisst: der Welt sein wird als eine Zerstörung.
Ich lese nicht mehr soviel wie seinerzeit in Landsberg; aber was ich lese, durchdenke ich mehr. Ich beschäftige mich (aus Zeitungsaufsätzen) mit dem soviel genannten *Sartre*, dem französischen Existentialisten, – scheint mir 3. Aufguss uns längst bekannter Erledigtheiten; dann mit Georges *Bernanos*

(„Sonne Satans", katholisch), bei dem mir zum Bewusstsein kam, dass es nicht genügt für ein *grosses Leben* einige sehr treffende Bemerkungen über Zeit- u. Geisteslage gemacht zu haben, das ist zu einfach u. kann auf Zufälligkeiten beruhn. Es muss durch das Leben u. die Veröffentlichungen *durchgeführt* der neue tiefe Ausdruck sein, der Stil, der natürlich ganz anders aussieht u. anders aufgenommen (nämlich negativ) wird als die treffende diagnostische Bemerkung. Der die Zeit brechende (im Sinne des Stiers) u. die Zeit spiegelnde (im Sinne des Reflectors) Stil, der wird es sein, der die Zeit darstellt u. aussagt – soviel sich von einer Zeit überhaupt etwas darstellen u. aussagen lässt, soweit das überhaupt interessant u. nötig ist. Aber, wie Bernanos, unaufhörlich zu schreien: Ihr seid verflucht u ich will Euch erschüttern u. es ist das Ende u hinab mit Euch in die letzte Nacht – u. selbst dabei vergnügte Jahrzehnte im Café Barbacena in Rio zwischen den Stammgästen Manuscriptbogen von katholischen Romanen vollschreibt, kann nicht den Titel „der grosse Bernanos" beanspruchen, den man ihm in Frankreich giebt. *Wie recht hatten Sie neulich mit Ihrer Kritik an den Franzosen! Diese beiden beweisen es von Neuem.*

Anbei Antwort Dr. Cl. u. den Brief, den ich erwähnte. Bitte gelegentlich zurück. Dann ein Ausschnitt einer heutigen Zeitung. Nun hat Dr. Cl. wohl freie Hand? Wozu aber?

Addio, lieber Herr Oelze, betreiben Sie Florenz. Hier ist immer noch Winter u. alles hoffnungslos. Die Magistrate verkriechen sich hinter die Alliierten, diese hinter die Elemente, diese hinter das Hochland von Tibet, dies hinter den Dalai-Lama u.s.w. u wir gehn vor die Hunde.

Viele herzliche Grüsse

Ihr

Benn

Nr. 328 B. 16 III 47.

Lieber Herr Oelze, vielen Dank für Ihren Brief vom 2. III – ein Brief von grossem geistigen Schwung, sich aufreissend zu dem dionysischen Schlusswort: *Übermensch* – und dies nach 4 Monaten malignen Winters und aller irdischen Trostlosigkeiten! Den in ihm entwickelten Gedankengängen werde ich heute nicht nachgehn, aber sie beschäftigen mich sehr. Sie sind eigentlich das, was mich in den letzten Wochen unaufhörlich beunruhigte u. mit denen ich mich auseinandersetzte. Vielleicht kommt etwas Neues dabei für mich heraus, wenn man wieder schreiben kann, d. h. Stromsperren, Dunkelheit, kalte Räume es zulassen, die Feder wieder zähneknirschend in die Hand zu nehmen, jedenfalls habe ich wieder etwas *Löschpapier* schwarz aufgetrieben, um wenigstens das Geschriebene abtrocknen zu können u. die Gedankenströme zu sichern. On verra; aber eine so glückliche Zeit wie in Landsberg steht mir kaum bevor, dort hatte ich buchstäblich gar keine Arbeit (½ Stunde am Tag), bekam das Essen in die Wohnung gebracht u. konnte sinnieren. Jetzt muss ich mich ununterbrochen stören lassen von Patienten, Schwarzhändlern usw, um alles zu organisieren u. kann mich nie konzentrieren. Nun – on verra.
Ihre angegebenen Briefe bekam ich, die Cigaretten vom 6 II. nicht; tragisch! Aber die Briefe ersetzen sie mir.
Rowohlt ist oder war hier u. hat es zu zahlreichen Zeitungsnotizen darüber gebracht. Mir recht widerlich. Ich teile Ihre günstige Meinung über ihn nicht, teilte sie nie. Mir trat immer das Laute u. Charlatanhafte an ihm zu stark entgegen u. ich konnte nie Fühlung mit ihm gewinnen. Bei mir hat er sich bisher nicht gemeldet, ich vermisse es auch nicht, – alle diese Lizenzträger sind nicht mein Fall. Ausserdem habe ich auch gar keinen Alcohol für ihn, das Einzige, was ihn wohl wirklich interessiert. –

22. III 47.
Inzwischen ist die Woche vergangen: mit Tauwetter, Frühlingsstürmen und ähnlichen wirklichen Glückseligkeiten, der Winter scheint zu Ende zu sein, man fühlt die Stromsperren weniger u legt die Briketts nur noch einzeln auf die Glut. – Es ist der 22 III – Goethes Todestag, ein Ereignis, das ich nie ohne Rührung an mir vorübergehen lasse. Er – dies Geheimnis! Goethe u. Nietzsche, diese beiden: ihre Erscheinung, ihre Verse, ihre Aussprüche – ihre Vollendung –, diese beiden sind es, die ich anbetend in mir trage. Von anderen nur einzelne Aussagen u. Gedanken. Bei der Gelegenheit: wer ist Ihr „ältester Lehrer“, von dem Sie die treffende Bemerkung neulich schrieben? Ob die Wirklichkeit wirklich so ist, wie sie ist – das allerdings weiss ich nicht gewiss. Giebt es nicht zum Mindesten 2 Wirklichkeiten, eine empirische u. eine – sagen wir – mythische, u die Bewegung auf die zweite, ihre Erarbeitung ist sie nicht das Ziel? Mir kommt in letzter Zeit überhaupt der Gedanke, dass Ursache der *Krise*, der so fühlbaren, nun jahrhundertealten, nicht etwa ein Mangel an Kraft u. Fähigkeit des Geistes sei – dieser Geist ist ja riesig, er trug die Jahrtausende, er stützte die Welten –, dass vielmehr die *allgemein hingenommene Konzeption des Seins-Grundrisses*, die abendländische Konzeption, die abendländische Grundlegung von vornherein verkehrt u. trügerisch u. abfallartig war. Die Realitätsentscheidung im Sinne der empirischen Wissenschaften war der Fehltritt; die allgemeine Erfahrbarkeit der Verhältnisse als Massstab der Wirklichkeit zu fordern u. zu lehren, war der Schritt vom Wege, durch den sich die primäre mythische Wirklichkeit verlor. Aber sie ist bestehen geblieben, als Forderung, unbestimmtes Ahnen, neuerdings sogar als Erkenntniss; aber sie blosslegen u. zur Erscheinung bringen, hiesse *die Konstituierung eines ganz neuen Kulturbewusstseins propagieren*, also etwas unternehmen, das in K.Z. oder maison de santé unausweichlich führte. Aber das sind schon

Gedankengänge aus dem neuen Kreis s. o. On verra.
Mit altem Dank u. neuen Grüssen
Ihr Benn

Nr. 329 23 III 47.

Lieber Herr Oelze, als ich meinen gestrigen Brief – den on verra Brief mit den alten neuen Banalitäten – absandte, versäumte ich hinzuzufügen, dass ich Ihren Brief vom 7 III mit den zahlreichen Beilagen bekommen hatte. Vielen Dank.
Dann vergass ich unter den meteorologischen Glückseligkeiten zu erwähnen, dass auch das seit 6 Monaten nicht gehörte Geräusch des *Regens*, dieses süsse Geräusch, mich inzwischen entzückt hatte. Ferner will ich Ihnen einen Satz zitieren, den ich kürzlich las u. dem ich nachdachte: „Der Wahrheitsbegriff hat, psychologisch gesprochen, etwas von einer Wesenheit an sich, mit der man nicht wirklich rechnet u. die man nicht ernst nimmt." (Er wäre also wohl auch eine der Listen der Vernunft, uns zu beschäftigen u. zu täuschen. Müsste also wohl auch korrigiert werden durch: Perspective, Imagination, Nebel- u Rauchgestalten. Fällt schon wieder unter das *neue* Thema.). Schliesslich glaube ich, dass Sie mit Ihrem „ältesten Lehrer" im früheren Brief Schopenhauer meinten. Irre ich?
Ich trage einen Schlips vom Broadway u rauche eine Cigarette mit dem hellen, heissluftgetrockneten Tabak aus Süd-Karolina – ein Paket aus U.S.A.
Ihr Benn.

Nr. 330 B. 12. IV 47.

Lieber Herr Oelze, vielen Dank für Ihre beiden Briefe, die zusammen ankamen, der vom 4 (Post: 5.) u. der vom 5 (Post: 8.) – was heisst, bitte: Domshof 10 I? Ist das Ihr Büro in der Stadt? Sie haben doch Ihre Rosen- u Terrassenvilla in Oberneuland nicht etwa verlassen?
Der Satz über Goethe kommt mir völlig fremd vor. Liegt kein Irrtum vor? Am 16. XI 36 –: also von Hannover aus nach *Berlin* an Sie? Waren Sie damals in Berlin für so lange, dass ich dorthin schrieb? Entschuldigen Sie, dass ich es nicht mehr weiss, mein Gedächtnis ist schwach für die tatsächlichen Ereignisse. Aber der Satz ist gut, zu gut, als dass er von mir stammen sollte. Und wer ist: Daumer? Nie gehörter Name für mich. Die Bemerkung von Borchardt klingt recht gut.
Was Hamburg angeht, wäre ich dafür, jetzt bei beiden Stellen aufzuhören u sich dort abzusetzen. Vor allem möchte ich gerne das Exemplar des Phänotyp von R. zurückhaben. Sonst erscheint es eines Tages, original oder beklaut, von irgend einem zugelassenen Schubiack als Eigenwert. Dieser Gesellschaft muss man Alles zutrauen. Gegenüber Dr. Cl. wäre ich für sehr höfliche u. rücksichtsvolle Abnahme der Beziehungen, vielleicht ist es ihm ganz angenehm, wenn von meiner Seite Schluss gemacht wird, er kann doch anscheinend garnichts ausrichten, wahrscheinlich ist es ihm selber unangenehm genug. Ich möchte nunmehr selber entscheiden, dass keine weiteren Schritte versucht werden. Ich habe mich damit abgefunden, dass es nicht geht. Ich leide nicht darunter.
Was Ihr Goethe-Distichon angeht, habe ich mir allerdings dabei notiert: „Die, die sich in ihrem eigenen Geschick erfüllt sehn, werden nie den Zusammenhang erschau'n. Dieser nämlich ist etwas Anderes als die Erwartung einer persönlichen Balance."

Was meine neuen Stümpereien angeht, so wird es etwas nicht in Richtung Phänotyp, sondern eher „Weinhaus Wolf“. Mir scheint, es wird leichtsinnig, aber auch bösartig; obenhin – überhin –, aber über Verfall u. Gräbern, – unseren Verfall und unsere Gräber. Mich beunruhigt, dass ich eigentlich garnichts mehr ernst nehmen kann, kein Problem, keine Fragestellung, kein Gefühl, – alles vermische ich, verwische ich zu einzelnen Absätzen, Perioden, die mir aufsteigen wie Inseln aus Schlamm u. Modder. „Wir alle leben etwas anderes, als wir sind“ – ist ein beiläufiger Satz, aber was *sind* wir eigentlich, frage ich in meine eigenen Kulissen? Schon diese Fragestellung ist falsch –, man kann nur noch so schreiben, dass sichtbar wird, dass es weder Frage noch Antwort giebt; das Alles war einmal, heute giebt es nur eine Darstellung, die die Fragestellungen alle auslaufen lässt, vielleicht noch einmal verflicht, beleuchtet, aber sie inhaltlich nicht mehr ernst nimmt. Sie können aus diesem Geschwätz nicht entnehmen, womit ich eigentlich beschäftigt bin, ich weiss es selbst nicht klar – aber das wusste ich meistens nicht, wenn ich in Arbeiten sass.
Bleiben Sie gesund. Viele herzliche Grüsse.

Ihr Benn

Nr. 331 B. 29/4 47.

Lieber Herr Oelze,
ich behellige Sie wieder einmal mit meinen Privatdingen. 1) anbei Brief aus dem Rowohlt-Haus, das übliche Gewäsch. Meine Antwort an Herrn Marek ist etwas höflicher ausgefallen, als der Entwurf angiebt, aber meine Absage an R. ist wörtlich so geblieben u. ebenso mein Hinweis, Ihnen das Exemplar des „Ph.“ zuzustellen. Herr R. wohnte hier, wie ich hörte, bei Paul Wegener, dem Präsidenten aller nur

möglichen antifaschistischen Kunst- u. Kulturvereine usw, das erklärt schon zur Genüge, dass er keinen Schritt in Richtung Bozenerstr. machen konnte oder wollte. Da mein Telefon immer besetzt ist, ist es natürlich Schwindel, dass er versuchte, mit mir in Verbindung zu treten.
2) eine neue kleine Arbeit –, Richtung „Weinhaus Wolf". Betrachten Sie es als aus dem Wunsch geboren, aus unseren Briefen der letzten 2 Jahre einiges zusammenzufassen u. dem „Archiv" zu übergeben. Boxerisch gesprochen: Leberhaken bei flotter Beinarbeit. Vielleicht nicht Ihr Geschmack. Vielleicht setze ich diese neue Figur weiter fort. Die Arbeit zeigt von Neuem, dass nicht die Schwarze Liste mein Combak verhindert, sondern ich selbst: alles, was ich neu veröffentlichen könnte – vielleicht ausser einigen Gedichten – würde sofort wieder die schwersten Controversen hervorbeschwören, die grössten Pöbeleien. Wer hat nun Recht? Die Allgemeinheit, die sich gegen extravagante Aussenseiter wehrt oder das berüchtigte Individuum, das angeblich den Geist vertritt, im Grunde natürlich auch nur „seinem Affen Zukker giebt", seinem eigenen Lieblingsaffen. Unentwirrbar, – das Weitere dazu findet sich in „Lotosland".
3) Lieber Herr Oelze, hören wir bitte nun damit auf, Verläge, Lizenzträger, Söhne des Himmels, grosse Borsten für G. B. zu interessieren. Verlassen wir das Abendland. Finden wir uns damit ab, für uns zu sein u. zu bleiben: „Schwarze Kutten". Und bewahren Sie mir trotzdem Ihre persönliche Sympathie.
Haben Sie eigentlich einmal wieder etwas von Werckshagen gehört? Ich nichts. Ich habe einen Mitarbeiter von Minister Grimme in Hannover, der mich vor einiger Zeit besuchte, für W. zu interessieren versucht u. gebeten, ihm zu helfen, wieder hochzukommen. Über Erfolg weiss ich nichts.
Wie geht es bei Ihnen? Blühen Veilchen am Rosensaum? Und die gesundheitlichen Dinge? Viele herzliche Grüsse

Ihr Benn.

Nr. 332 Berlin, den 24. 5. 1947

T: 71 20 97.

Lieber Herr Oelze!

Vielen Dank für Ihren Brief vom 11. 5. 47, den ich mit Maschine beantworte, da er etwas länger wird und meine Handschrift ja bekanntlich unerträglich ist.

Was zunächst meinen Geburtstag angeht, so ist es mir eine aufrichtige Genugtuung, daß Sie ihn übersehen haben. Erstens ist jeder Brief von Ihnen ein Geburtstagsbrief für mich und zweitens ist mir dieser Tag äußerst unsympathisch und ich bin froh, wenn er, wie der Diesjährige, pausenlos unter Arbeit und Scherereien vergeht.

Nun zu Ihrer Reise nach Hamburg. Hoffentlich war die Fahrerei nicht zu beschwerlich und Sie haben nicht stehen müssen. Über Herrn R. wollen wir keine weiteren Worte mehr verlieren. Ich ersehe, daß Sie sich meinem Urteil über ihn anschliessen und was seine Vergangenheit angeht, könnte ich noch einige sehr markante Daten aus seiner Wehrmachtszeit beifügen, aber er ist mir zu gleichgültig, von mir aus kann er noch zehn Lizenzen dazubekommen. Er hatte inzwischen auch an mich geschrieben, aber das rührt mich nicht. Seine Angabe hinsichtlich des Telefons kann übrigens stimmen, – ich habe seit einigen Monaten eine neue Nummer und im Telefonbuch steht noch die alte.

Von Dr. C. ist es in der Tat unendlich liebenswürdig, uns soviel von seiner Zeit zu schenken, wobei ich Ihre eigene Liebenswürdigkeit zunächst außer Betracht lasse.

Was die Sache selbst betrifft, so wäre ich dafür, bei unserem Beschluß zu bleiben, die Manuskripte an sich zu nehmen, aber mit Dr. C. in freundlicher Beziehung zu bleiben. Sicher ist er ein hervorragender, tadelloser Mann, – er hat mir auch jetzt wieder nach Ihrem Besuch besonders liebenswürdig geschrieben. Wir wollen also abwarten, wie sich die Angelegenheit in Bünde in Westfalen entwickelt.

Inzwischen ist das eingetreten, was Sie in Ihrem Brief als

Wunsch äußerten. Nämlich, es sind zwei größere Aufsätze über mich im Auslande erschienen, – den einen habe ich vor mir und sende ihn Ihnen anbei mit. Er ist ja, abgesehen von der einen, wenig angenehmen Kritik meiner neueren Gedichte, erstaunlich günstig und als starkes Positivum für mich anzusehen. Die „Weltwoche" ist meines Wissens ein sehr verbreitetes Blatt.
Über den zweiten Aufsatz ersehen Sie etwas aus diesem Artikel aus der „Weltwoche". Dieser Aufsatz scheint nicht sehr angenehm zu sein. Ich erhielt nämlich von meinem Schwiegersohn aus Kopenhagen vor einigen Tagen einen Brief über diesen Aufsatz, mit dem Zusatz, er hätte beschlossen, diesen Aufsatz meiner Tochter nicht zu zeigen, da er sie sehr kränken würde. Ich machte mich also auf allerlei gefaßt; aber nach der Bemerkung in dem Schweizer Aufsatz kann es doch wohl nicht so fürchterlich sein. Ihrem Vorschlag, mich mit Heinrich Mann in Verbindung zu setzen, möchte ich nicht folgen, – er hat mich zwar neulich grüßen lassen, wie ich Ihnen schrieb, aber das war nur eine konventionelle Höflichkeit über Tilly Wedekind, – er weiß, daß wir früher sehr befreundet waren. Auf keinen Fall möchte ich ihn mit irgendeiner Bitte angehen.
Es liegt weiter folgendes vor: Ein junger Schweizer Dichter, der mich einige Male hier besuchte, nahm einige von den neueren Gedichten mit hinüber, um sie in der „Neuen Schweizer Rundschau" drucken zu lassen. Er schreibt mir jetzt, daß dies geschehen würde. Er schreibt weiter, daß ein ihm befreundeter Verleger (es ist der in dem Aufsatz der „Weltwoche" erwähnte Arche-Verlag gemeint) einen Gedichtband von mir herausbringen würde, dazu müßte ich weitere Manuskripte in die Schweiz bugsieren. Dieser junge Mann entstammt einem großen Winterthurer Zeitungs- und Verlagshaus, ist anscheinend sehr wohlhabend, hat jetzt selbst einen Gedichtband veröffentlicht, erscheint mir aber als Ganzes sehr knabenhaft und unzuverlässig, – er ist ein

fanatischer Anhänger von Ernst Jünger, und Herr Döblin in Baden-Baden hat ihn kürzlich kurzerhand aus seinem Büro herausgeworfen, als er erzählte, er wollte Jünger bei Hannover aufsuchen. Also dieser junge Mann ist mir keine ganz zuverlässige Persönlichkeit, mit der ich mich in der heiklen Situation, in der ich mich befinde, hundertprozentig einlassen möchte. Die Schweiz ist postalisch schwer zu erreichen, – ich hätte keine Garantie, daß der Gedichtband in der Art und in der Form erschiene, wie ich es wünschte, ich würde keine Korrektur bekommen können und u. ä. Das sind meine Bedenken äußerer Art. Die Bedenken innerer Art sind die, daß ich nicht wüßte, welche Auswahl ich für die Schweiz treffen sollte. Vielleicht wissen Sie da einen Rat. Finden Sie auch, – seien Sie ehrlich, – die Gedichte der letzten Jahre formal qualitativ so abfallend gegen die stürmischen jugendlichen. Herr Maraun findet das nicht und einige andere auch nicht. Sagen Sie mir bitte Ihr Urteil. Wäre es wohl möglich den Gedanken zu erwägen, Herrn Goverts, wenn er in der Schweiz lebt, für das Zustandekommen dieses Bandes zu interessieren, wenn nur in dem Sinne, daß er sagen könnte, ob Arche-Verlag und „Neue Schweizer Rundschau“ überhaupt nennenswerte Unternehmungen sind.
Dieser Brief ist einer fremden Person diktiert, daher anders in der Diction, als unsere sonstigen Briefe sind. Aber ich wollte Sie zunächst nur kurz orientieren. Vielleicht bald mehr.
Der anliegende Abdruck kann, bitte, dort bleiben. Vielleicht interessiert er Dr. Cl.?
Tausend Grüsse! Wenn Sie herkämen, wäre es fein. Ich könnte Ihnen vielleicht ein primitives Unterkommen hier in der Nähe beschaffen u. zu essen würden wir auch genug haben. Meine Frau hat bereits Sorge, ob die Gardinen auch weiss genug gewaschen sein würden in den Zimmern.

Herzlichen Gruss

Immer Ihr

Benn.

Nr. 333 25 V 47.

Lieber Herr Oelze, in Ergänzung meines gestrigen langen Schreibmaschinenbriefes bitte ich Folgendes hinzufügen zu dürfen: Betrifft: Dr. Cl. Ich habe mich öfter gefragt, warum er nicht einen Mittelweg eingeschlagen hat u mit mir eine Art von Präliminarvertrag geschlossen hat z B. für einige Jahre, der beide Teile in gewisser Weise verpflichtet hätte. Ich meine: er hätte z B. die *italienische* Sache übernehmen können, die ich der D.V.A. in Stuttgart nicht überlassen hatte. Er hätte mit diesem italienischen Verlag verhandeln u. den Abschluss des Essaybandes tätigen können. Bitte sagen Sie mir, warum er das nicht in Betracht gezogen hat. Brauchte er dazu auch eine Lizenz? Jetzt sitze ich nun ohne jede verlegerische Verbindung da. –
Mich beschäftigt einigermassen die ablehnende Kritik an meinen neuen Gedichten von Seiten der „Weltwoche". Es ist ja richtig: auch ich sage, der *frühe* Hofmannsthal war die Erfüllung u der spätere überflüssig. Aber man kann den Schmetterlingen nicht sagen, sie sollen entweder Raupen oder Falter sein, sie müssten sich entscheiden. Sie sind eben schicksalsmässig *beides*. Natürlich kann der Eine nur die Raupen u der Andere nur die Falter goutieren.
Allerlei Gedanken durchziehn mich. Es schrumpft alles von einem u. in einem zu einer kleinen Handvoll Schaum zusammen, wenn man sich einmal so synoptisch in toto übersehn u. beurteilt sieht. Allerlei neue Beleuchtungen rücken plötzlich heran. Also weiter: on verra..
Hinsichtlich Heym: ich wäre nie darauf gekommen, ihn mit Lenau in Beziehung zu bringen.
Seien Sie nicht böse, wenn ich Sie mit soviel persönlichen Lappalien belästige.
Dies also ist Pfingsten. Ich habe beide Nächte Nachtdienst u. man wird mich belästigen u. stören.

Ihre Gattin soll, bitte, nicht böse sein, wenn Sie durch mich soviel in Anspruch genommen werden.

Tausend Grüsse.

Ihr

Benn.

Nr. 334 23 VI 47.

Lieber Herr Oelze,
ich bekam heute Ihre Karte mit Anlage vom 17. VI, vielen Dank. Mir scheint, Sie haben meinen langen, schreibmaschinengeschriebenen Brief vom 30. V mit dem Aufsatz aus der „Züricher Weltwoche" nicht erhalten, ebenso wie den am nächsten Tag nachgesandten Ergänzungsbrief. Das wäre merkwürdig. Von Ihnen war die letzte Nachricht vom 11. V, die in meinen Besitz gelangte. Inzwischen ist auch der Aufsatz aus der „Neuen Rundschau" (Bermann - Fischer Verlag, Stockholm) via U.SA bei mir eingegangen, ein langer, sehr bemerkenswerter Aufsatz (aus Emigrantenfeder u. in dem Emigrantenblatt erschienen!), im Ganzen äusserst interessant u tief, u. politisch nicht unangenehm, eine der besten Sachen über mich u dies nach 11 Jahren Schweigen von meiner Seite. Aber ich sende Ihnen nichts, ehe ich nicht weiss, ob die beiden letzten Briefe bei Ihnen ankamen. Bitte Antwort!
Mit herzlichem Gruss Ihr

Benn.

Ihre Gattin erhielt wohl meinen Dank.

Nr. 335 23 VI 47

Lieber Herr Oelze, in Ergänzung meines vorhin abgesandten Briefbogens korrigiere ich mich: die beiden Briefe an Sie gingen schon 1 Woche früher ab: am 24. V u. 25. V 47 – also werden sie wohl verloren sein – oder eine Antwort von Ihnen kam bei mir nicht an.
Tausend Grüsse!
Ihr
Benn

Nr. 336 B. 13. VII 47.

Lieber Herr Oelze, wie ich Ihnen am 7. VII. telegrafierte, kamen alle Ihre Briefe an, auch der vom 11. VI, auch Ihr Telegramm (am 30. VI.) Haben Sie für Alles herzlichen Dank. Die beiden Schreiben von Dr. Cl. an Sie folgen anbei zurück.
Ich beginne mit meinem aufrichtigsten Dank für Ihre wiederholt so liebenswürdig geäusserten Aufforderungen, Ihnen einen Besuch zu machen, mich zu überzeugen, wie u. wo Sie leben, einen Blick auf Ihre Blumen zu werfen u. vor allem Ihre Gattin kennen zu lernen –: dies Letztere würde Zeit, finde ich, nachdem wir beide uns so lange kennen, und sie immer nur als Phantom, Aurora und Schutzgöttin für mich am Horizonte blieb. Es ist eigentlich sehr ungezogen von mir, gesellschaftlich nicht comme il faut, dass ich nicht es möglich machen konnte, bei ihr meine Karte abzugeben, aber ich werde auch in Zukunft es wohl nicht mehr tun können. Ich werde nicht reisen. Es ist zu beschwerlich; jetzt nicht mehr innerlich, aber äusserlich „zerrüttend“, wie es seinerzeit die Reise nach Antwerpen war. Aber ich bedanke mich sehr für Ihre freundlichen Worte der Einladung. –

Zu den Briefen von Dr. Cl. habe ich zu bemerken, dass ich das Alles nicht mehr verfolge. Eine Spruchkammer usw. käme ja natürlich an sich garnicht in Frage, mich ihr stellen, hiesse ja, sie als existent betrachten, sie u. das ganze Pack, das dazu gehört, – das werden Sie nicht von mir erwarten. Wozu? Immer mehr habe ich mich in den letzten Wochen von allem Zeitlichen distanziert; eine teils schmerzliche, teils aber auch sich leicht tragende Müdigkeit ist über mich gekommen, ich will sie nicht als Wert u. Fortschritt für mich betrachten, aber sie erleichtert mir den Abschied von der Gegenwart sehr u. bildet vielleicht meine letzten Sätze und Formulierungen noch etwas weiter. Für mich selbst werde ich vielleicht noch nicht unmittelbar die Flöte auf den Tisch legen oder die Harfe in die Weide hängen, aber der Bezug auf die Umwelt schränkt sich völlig ein. Selbst die Frage des Schweizer Gedichtbandes habe ich nahezu vergessen, nichts darin getan –, verzeihen Sie es mir, gestatten Sie mir bitte, nicht mehr an Hervortreten u. Bemerktwerden zu denken, gewähren Sie mir, den letzten Zerfall nur in mir selber schweigend zu erleben. Es ist nicht das Grausige der geistigen Umwelt, das Abgrundsichere der allgemeinen europäischen Lage, das dahinter steht; auch nicht allein das Gefühl der völligen Verlorenheit u. Isoliertheit meines Postens, auch nicht die Überzeugung meines *Geschmacks*, dass sich Typen meiner encephalitischen Art nicht zeigen dürfen, – es ist auch sehr viel körperliche Erschöpfung dabei, Monotonie des Lebens, Arbeiten, um den Betrieb zu halten und nicht mehr wissen, warum u wozu –, kurz: es wird das Alter sein, und auch die Feststellung, die ich aus Zeitungen u. Zeitschriften mache, dass sehr vieles von dem, was ich in meiner 35-jährigen literarischen Tätigkeit auszudrücken versuchte, schon an vielen Stellen da ist, an anderen Stellen, in anderen Ländern, in anderen Sprachen, sodass es überflüssig ist, noch weiter zu gehn. Kennen Sie die französische Wendung: „mettre les petits pots dans les grands" –, also, nun ist es

soweit, die kleinen Töpfe setzen sich in die grösseren u. übernehmen deren Brei.
In diesem Sinne schicke ich Ihnen auch den Stockholmer Aufsatz. Ich las ihn einmal durch, als er kam, er schien mir interessant. Wenn Sie ihn mir *gelegentlich* zurücksenden wollen, – aber eigentlich brauche ich ihn nicht, es interessiert sich niemand hier dafür, während ich für meine Anträge auf 200000. Oxfordeinheiten Penicillin wenigstens immer einige gonorrhoische Interessenten hier finde. Leben Sie wohl! Meine Augen verlangen sehr nach Rosen und Rittersporn, sie lechzen geradezu danach, aber sie blicken nur auf die bewussten Trümmer des Bayrischen Platzes.
An dem Ihrer gedenkt, durch die oft die Erinnerung an Sie trägt:

Ihr G. B.

Nr. 337 B. 3. 8. 47.

Lieber Herr Oelze, vielen Dank für Ihren letzten Brief, vom 21. VII, und Ihre darin entwickelten freundlichen Pläne in Richtung „Neue Rundschau". Wenn Sie von sich aus an den Autor des Aufsatzes schreiben wollen, würde mich der Verlauf sehr interessieren, ich selber möchte allerdings nicht wesentlich dabei hervortreten. Aber falls Sie schreiben würden, dass ich Ihnen den Artikel sandte, ihn ungemein interessant und gerecht fände u. mich freute, durch Sie mit diesem bedeutenden Autor in Verbindung zu treten, wäre ich sehr zufrieden u. Ihnen dankbar. Schreiben Sie ihm doch, dass Sie alle Arbeiten von mir anvertraut bekommen hätten u. äussern Sie sich darüber, wie Sie es für richtig finden, aber bitte offerieren Sie weder ihm noch der N.R. im Entferntesten etwas zum Abdruck. Ich hätte grosse Bedenken, einzelne Sachen, Bruchstücke, erscheinen zu lassen. Nur ein

Buch als Ganzes möchte ich zur Beurteilung vorlegen, alles andere kann selbst von Wohlwollenden missverstanden werden. Herr Bermann-Fischer, den ich von früher kenne, war inzwischen mehrere Wochen in Berlin, ohne dass ich ihn sah bezw. er mich. Sein hiesiger Kooperator, Herr Suhrkamp, ist nicht mein Fall u ich habe ihm 1945 etwas die kalte Schulter gezeigt, als er sich um mich bemühte.
Inzwischen war auch Herr Rowohlt bei mir u hat sich 3 Stunden lang an starkem Café u. Apfeleierkuchen gelabt. Da meine Frau wegen einer Blinddarmoperation 3 Wochen im Krankenhaus lag, waren wir alleine u. haben uns ganz freundschaftlich unterhalten, allerdings auf meine Produktion bin ich garnicht eingegangen u. auf Verlagspläne mit ihm auch nicht. „Wir bleiben in Verbindung", waren unsere nichtssagenden Abschiedsworte u. dass ich zu keinem anderen Verleger gehen dürfe, war seine abschliessende Bemerkung. Also, das übliche. Mein Urteil über ihn hat sich nicht verändert; er ist ein Hans in allen Gassen, u wo er Sensation oder Aktuelles wittert, ist er bei der Hand, ein reiner Opportunist.
An Verträge denke ich nicht mehr, auch nicht Präliminarverträge; das war nur eine betrachtende rückblickende Idee von mir in Richtung Dr. Cl. Möge er schön braungebrannt zurückkehren u. weiter seine zeitdeutenden Werke produzieren.
Vielleicht schicke ich Ihnen demnächst das II. Kapitel von Lotosland, – die alte Leierkastenmelodie meiner Walze, zur Aufbewahrung. Ich glaube zwar nicht, dass die Völker so bald wieder auf einanderschlagen, wie es hier vielfach geglaubt wird, aber neue Schwierigkeiten und Verwicklungen sind natürlich möglich, es liegt ja etwas Unaufhaltsames in dem Verlauf der Dinge.
Herzliche Grüsse. Immer Ihr

G. B. Vielen Dank für Alles!

Nr. 338 17 VIII 47

Lieber Herr Oelze, anbei das II Kapitel von „Lotosland", ein *zweites* Kapitel, nämlich nicht so eruptiv u. einiges nachholend. Ich freue mich, wenn Sie Zeit finden, es zu lesen, aber ich erwarte es nicht, es wird ja alles langweilig. (Übrigens setzt sich wohl jede Lektüre zusammen aus Erstaunen u. Enttäuschung.) Nachdem ich mir diese 14 Seiten nochmals durchgelesen habe, glaube ich, dass sie ein III u. letztes Kapitel erfordern. Ich werde ihm wohl nicht ausweichen können, aber ich schwöre Ihnen, dass der Frisör dann abtritt.

Vielen Dank für Ihren mich glücklich machenden Brief vom 8. VIII. Ich hoffe, Ihnen geht es gut. Hier wird das Leben entschieden schwieriger, weniger Nahrungsmittel u die Praxis lässt nach, da niemand mehr Geld hat. Aber wir schlagen uns noch durch. Meine Frau hat sich von der Operation erholt u. arbeitet wieder. Alles in Allem geht es uns natürlich noch besser als den allermeisten.

Bei Ernst R. ist die Rede erschienen, die Herr Kurt Hiller im Mai in Hamburg hielt bei dem Journalistenkongress u. bei dem er Ohrfeigen von einem Berliner Kollegen erhielt. Übles Machwerk, Pamphlet, wie alle seine Sachen. Dass R. das bringt, ist bezeichnend für ihn. – Was tun Sie? Lesen Sie? Und was?

Viele herzliche Grüsse

von

Ihrem GB

Nr. 339 22 VIII 47.

Lieber Herr Oelze, vielen Dank für den Brief vom 17. ds Ms. Zuerst mein Beileid zu dem Brand in Häcklingen. Das fehlte noch! Auch die Elemente: Feuer, Frost, Dürre – alles gegen

uns; man braucht garnicht mehr soviel über die Überschwemmungen des gelben Flusses und die Pest in Indien zu referieren, wir haben Alles zu Hause.
Dann meinen Dank für den Brief nach Stockholm. Aber erwarten wir nicht zuviel hinsichtlich der Antwort. Sie wird sowohl nach der formalen wie inhaltlichen Seite nicht sehr befriedigend ausfallen, – ich kenne das. Ein wohlwollendes Auf-die-Schulterklopfen wird die Nuance sein. Herr Döblin hat mir kürzlich in einem Aufsatz auch so auf die Schulter geklopft: „formal sicher ein Neuerer, aber schwerer Nietzscheaner und unsicherer Moralist –": (Letzteres natürlich beleidigend für einen so sicheren Unmoralisten wie ich.) Tut ja alles nichts, weiter eisern schweigen ist das Einzige!
Zu meinem Briefstück 1933, das Sie beilegen: ich bin aufs Tiefste bestürzt, auch heute nichts weiter zu wissen als das Damalige; es ist ja eigentlich wörtlich das Gleiche wie im „Glasbläser". Nie enden können u nie beginnen – in den roten Tagen des Sommers wie in den jetzigen grauen des Herbstbeginnes – das ist bitter.

Herzlichen Gruss u Dank.

Ihr Be.

G. B. VIII/47.
(Passphoto für den neuen „Arztausweis")
Ich trage jetzt bei mir:
– 1 Registrierschein vom Arbeitsamt,
– 1ne Tätigkeitsbescheinigung vom Gesundheitsamt,
– 1 Personalausweis vom Polizeirevier,
– 2 Typhusschutzimpfscheine für die Kartenstelle,
und nun noch:
– 1 „Arztausweis"
Alles dies braucht man, um bei Razzien nicht sofort aufgeladen zu werden. Überschrift: der Collectivbürger 1947.

G. B.

Nr. 340 11. 9. 47.

Liebster Herr Oelze, dies interessante Dokument wollen wir bitte zu den Akten nehmen. Wenn ich Sie nicht hätte – nicht nur wegen des einzigen Verständnisses, sondern auch wegen der Druckfehler. Isoton hat mir schon Kummer gemacht, natürlich: Isoto*p*. In Allem haben Sie Recht. Bitte stellen Sie im Manuscript richtig. In allem Englischen bin ich ja Laie, leider. (Zwei Dinge bedaure ich: dass ich kein Englisch lernte u. dass ich nie in Budapest war).
Peden, Kartoffelpeden, vermutlich ein Platt aus meiner Heimatsgegend, das Kartoffelkraut, das man im Herbst verbrannte, alle Dorfstrassen rochen nach dem Rauch. Meine Frau, die aus meiner Heimatsgegend stammt, kennt den Ausdruck, sonst niemand. In einem (allerdings kleinen) Lexikon fand ich das Wort nicht, – also Slang.
Balboa, pazifische Station des Panamakanals, 10 000 Einwohner.
Colt – aber, Herr Oelze! Lesen Sie keine Kriminalromane? Ich ständig, wöchentlich 6, Radiergummi für's Gehirn, – ein berühmter amerikan. *Revolver*, ohne den kein Scotland Yardmann auftritt. Samuel Colt, 1814-1862, Waffenfabrikant, 1842 Herstellung des Revolvers, – empfehle Wallace, Agatha Christie, van Dine, Sven Elvestadt.

Tausend Grüsse! Ihr

Benn

Nr. 341 16/9 47.

L. H. Oe.
– von Dr. C. überaus nett! Herr E R. zeigt sich in seiner ganzen Niedrigkeit. Ich schreibe bald ausführlicher.

Heute nur herzl. Gruss von

Ihrem Be

Nr. 342 B. 21/9 47.

Lieber Herr Oelze, denken Sie bitte nicht, dass ich Ihre tiefsinnigen Briefe mit ihren glänzenden Bemerkungen und Gedanken nicht gebührend schätzte, weil ich etwa nicht acurat im nächsten Schreiben darauf eingehe, – ich nehme sie gebührend in mich auf u. zolle ihnen meine Bewunderung. Ich denke sie weiter u. irgendwo tauchen sie dann bei Glasbläsern oder ähnlichen Handwerkern auf. Demnächst sende ich den Abschluss der Arbeit, die dann als Ganzes den Titel des letzten Stückes tragen soll, – „Lotosland" ist mir zu romantisch u. gerade etwas Romantisches soll das Ganze nicht sein.
Falls wieder eine Besprechung mit Dr. Cl. zu Stande kommt, bitte erst, nachdem Sie alle 3 Stücke noch einmal auf sich haben wirken lassen, weil ich an Sie die Bitte richten möchte, sich darüber ein Urteil zu bilden, ob es ein Werkchen für sich ist. Ich hätte auch nichts dagegen, wenn Sie Herrn C. die Lektüre zur Verfügung stellten zu seiner persönlichen Unterhaltung als mein Dank für seine freundliche Bemerkung im „Uhlenspiegel", den Sie wohl von mir inzwischen erhielten.
Nun wirkt dieser junge Schweizer seit einigen Wochen hier herum u. will die Schweizer Arche-Verlag-Sache starten. Er würde auch diese Prosasache haben wollen, die er allerdings bisher nicht kennt ausser aus meinen sehr spärlichen u. zurückhaltenden Bemerkungen darüber. Wie erschiene Ihnen dieser Plan? Im Arche-Verlag ist jetzt eine JüngerSache erschienen: Sprache u Körperbau, ich finde es langweilig, J. versteht meiner Meinung nach weder von Sprache noch von Körper viel, sondern operiert immer unentwegt mit „humanistischen" u. „göttlichen" Mächten, immerhin einige Sätze mögen einigen Lesern gefallen, – also diesem Buch von etwa 60 Seiten könnte „der Ptolemäer" – so heisst mein neuer Versuch, an die Seite treten; das soll der Titel der

ganzen Sache sein, tritt also neben den „Phänotyp", – beides Betagte der Rönne u. Pameelen ....
Dank für die Sache aus der Schweizer Wochenschrift, – ich sehe dass Sie die „Weltwoche" aus Zürich bekommen. Ich lese sie auch meistens, manches regt mich an.
Und die Allgemeine Lage – Flushing Meadows bei New York?? Ob doch etwas passiert? Ich glaube immer noch: nein.
Bitte haben Sie die Güte u. schreiben Sie mir noch einmal etwas über das *graue Rosenbild*, Ihrer Gattin Geschenk. Neulich sah es ein Fachmann, Rosenabmalerspezialist, er nannte einen französischen Namen, aus dessen Schule es nach seiner Meinung stammte, etwa 150 Jahre zurück. Trifft das zu?
In der Hoffnung, dass es Ihnen und Ihrer Gattin gut geht, dass man Sie nicht auch noch aus Ihrem jetzigen Heim verjagt u. dass Sie in Bequemlichkeit Ihre Öfen in Ordnung bringen

Immer Ihr
dankbarer
G. B.

Nr. 343 25. IX 47.

Lieber Herr Oelze, die Bremer Briefe kommen jetzt angenehm schnell, Ihrer vom 22. IX. kam gestern schon an, haben Sie vielen Dank. Budapest wollte ich genau aus den von Ihnen geschilderten Eigenschaften gerne sehn: polymorph, altösterreichisch und halbasiatisch, dazu Paprika u. Pussta u. den Wein vom Plattensee, jetzt allerdings das reorganisierte des Herrn Dinnyés stelle ich mir weniger zauberhaft vor. – Die Ihnen zugesandte Zeitschrift lese ich nicht, man hatte sie mir zugeschickt, armseliges neudeutsches Gewinsel.

Mit allgemeiner Lage, die Sie plastisch schildern, meinte ich in meinem Brief mehr die aktuelle Situation in Bezug auf den „Vater aller Dinge", an dessen unmittelbaren Besuch ich trotz aller Eventualitäten doch noch nicht recht glaube.
Den Vortrag von Th. M. habe ich nicht zu Gesicht bekommen; allen *allgemeinen* Erörterungen u. Wahrheitsaussprechungen und Deutungen weiche ich ja aus. In Bonn tagen die Psychologen u. in Garmisch die Philosophen u. in Berlin werden die Schriftsteller tagen, alles muss sich zusammenrotten u. aussprechen und wirken u. so tun, als ob überhaupt noch etwas vorläge u. vorhanden wäre, was doch ganz offensichtlich durchaus nicht mehr der Fall ist.
Einen Schock hat mir Ihre neue Bemerkung über das „fatal Berlinische" versetzt, ich fürchte, dass ich reichlich viel davon assimiliert habe u. mir ist das Schnoddrige u. Kaltschnäuzige nicht so desagréable wie Ihnen. Es ist eine Nuance der grossen Desillusionierung, die ich selber ja so gerne betreibe u. die, wie ich glaube, mich stilistisch erzogen hat. In einer Almhütte bilden sich Geschwülste u. am Steinhuder Meer kein Stil, aber in diesem gemeinen Berlin streift sich manches Sentimentale ab, es macht fit u. sec.
Schwer wird mir der Abschied des Sommers, es war ein langer schöner Sommer, ein wirklicher Sommer ohne Regenwochen u. Kälte u. selbst hier in einer Parterrewohnung nie lästig mit seiner Hitze. Nun steht der Winter mit seinen Sperrstunden und der Aussicht auf kalte Zimmer u. rauchende Öfen mir grausig vor der Seele.

Viele herzliche Grüsse

von Ihrem

G. B.

Nr. 344 29. IX 47

Lieber Herr Oelze, um die Angelegenheit zu beenden: hier ist der Abschluss der Sache. Recht abwegig u. mit einer Wendung ins Positive, die hoffentlich nicht Ihre Missstimmung erregt, aber ich wollte doch auf keinen Fall den Verdacht aufkommen lassen, zu den weinerlichen Kreisen der Existentialisten, Idealisten, Kulturphilosophen u. dem ganzen deutschen Biedermannskonsortium zu gehören.
Alles in Allem: ganz ohne Schatten ist das Alles für mich nicht, wenn ich die Sinnlosigkeit bedenke, zu sitzen, zu schreiben, ein Tippfräulein inkommodieren zu müssen u. das herrliche Vaterland will das garnicht wissen.
Nun wende ich mich also wieder an Sie mit dem Anliegen, alle 3 Stücke nochmals zu bedenken u dem Titel „*Der Ptolemäer*“ beizustimmen.
Bewahren Sie mir trotz meiner Behelligungen u Bitten Ihr Wohlwollen.

Immer

Ihr

G. B.

Papier aus London, von Frau Breysig mir geschickt.

Nr. 345 2 X 47.

Lieber Herr Oelze, anliegend erlaube ich mir, Ihnen einen Brief von Herrn Maraun zu senden, in dem er Sie erwähnt. Ich antwortete, dass ich ohne Herrn Claassen nicht mit anderen Verlägen verhandeln könnte. Ich bitte Sie aber nochmals, in keiner Weise in Dr. Cl. zu dringen, lassen wir die Sache treiben.
Zu meiner Ptolemäer-sendung hätte ich noch zu bemerken, dass selbst ein luzider Intellectueller, der genau über sich

wacht, oft nicht weiss, warum er gerade in diesem Augenblick gerade diesen Inhalt gerade in diesen Ausdruck bringt u. keine innere Ruhe verspürt, bevor nicht jene Formulierung gefunden ist, die offenbar gewissermassen praeformiert in einem vorhanden war. Womit ich aber nicht sagen will, dass „etwas" aus einem spräche, so mystisch möchte ich das nicht ausdrücken, es ist wohl etwas sehr Reales u. gehört zu den vielen Unbekanntheiten des menschlichen Erlebens.
Ich denke oft darüber nach, auf einem wie schmalen Grat wir, Sie u. ich, uns begegnen, ich weiss nicht, ob Sie zu essen haben u. ob Sie schon heizen, u. Sie wissen nicht, wie meine Praxis geht u. wieviel ich jetzt wiege – nun, jetzt 40–50 Pfund weniger als in Hannover, im Weinhaus Wolf! Ein schmaler Grat, aber er übersieht einige Breiten.

Mit herzlichem Gruss Ihr

G. B.

Nr. 346 12 X 47. Berlin.

Lieber Herr Oelze, Dank für Ihren Brief vom 8. X., gestern angekommen. Ich ersehe, dass der „Ptolemäer" nicht angekommen ist, – nun vielleicht kommt er noch, u wenn nicht, ist es auch kein Schade, ich habe einen Durchschlag hierbehalten. Ich sandte das Manuscript am 29. IX. an Sie ab u. nur in Bezug auf die bereits gestartete Sendung ist der Ausdruck „Ptolemäersendung" erklärlich, er ist keineswegs die Überschrift oder Titelbezeichnung.
Das Aussen-Innenproblem ist zweifellos für unsere Generation sehr aktuell gewesen u. es durchzieht ja auch meine letzten Manuscripte sowohl sichtbar wie unsichtbar. Aber vielleicht war es nur ein historisch stigmatisiertes Problem für uns insofern, als die triumphal aufgezogene Beleuchtung des *Aussen*, seine Abtastung durch die Naturwissenschaften

unseres 19. Jahrhunderts den latenten Zwiespalt – der soviele Jahrtausende nicht acut geworden war – deutlich machte. In Goethe gab es ja diesen Zwiespalt nicht, in jeder Kunst von Rang war er ja immer aufgehoben oder nur als produktives autolytisches Mittel angewendet worden. Im „Ptolemäer“ ist eine Redewendung vorhanden, auf die ich erst zum Schluss kam, die mir aber verfolgungswert erschien, nur hatte ich keine Lust mehr, zu verfolgen: „*unbestimmbar* sich verhalten“ – also eine neue Floskel für die *Ambivalenz*, von der ich ja öfter handelte, auch hier wäre das Innen u. Aussen irrelevant geworden. Kurz: ein *primäres* Problem wäre es ja nicht, sondern nur ein historisches, ein Kulturkreisproblem, wenn meine Einstellungen stimmen. In diesen Zusammenhang gehört auch die Frage des *Realen*, das ein rein *körperliches* Substrat ist, –: die „Sicherheit des Körperlichen u. die Schemenhaftigkeit des Geistes“, wie mein Frisör sinniert.
Ich nahm kürzlich aus einer meiner 3 Leihbibliotheken ein Buch mit, weil auf einer seiner ersten Seiten mir „*Oberneuland*“ entgegenleuchtete, eine Autobiographie eines Bremer Societysprösslings, dessen Name mir bis dahin unbekannt war: Herr Fritz Schumacher: „Stufen des Lebens“, ein Architekt u. Baumeister, geb. 1869, der in Ihrer Vaterstadt das Franziusdenkmal (1907) schuf u. die Villa Iken (1900), – Ihnen sicher ein Begriff. Kein unsympathischer Mann, ich verzeihe ihm seine im Anhang angefügte „Skizze zu einem Nietzsche-Denkmal“ (18*98*! – also immerhin war N. damals schon mausoleumreif), eine schauerliche Marmorbombasterei im Fidus-Toteninsel-stil, das Gottseidank nie zur Ausführung kam. Darin ist eine Schilderung von N.'s Totenfeier in Weimar, bei offenem Sarg, 20 Personen anwesend, darunter Herr Schumacher, u. Kurt Breysig, (dessen Witwe mir öfter aus London schreibt, u die beide zu meinem Verehrerkreis gehörten) hielt eine unerträglich lange, schwülstige, äusserst gutgemeinte, aber auch äusserst deplazierte

Weiherede, die jedes Gefühl für die Situation vermissen liess. Diese Schilderung hat mich sehr interessiert, da man wenig über diese konkreten Interna zu lesen bekommt.
Aber nicht deswegen erwähne ich das Buch hier. Sondern weil ich gerade auch ein 2. Buch ähnlicher Färbung studierte, die Autobiographie von Karl *Schuchhardt* aus Hannover, massgeblicher Mann bei den Pergamonausgrabungen, Archäologe, Entzifferer, Vorzeitforscher, Museumsdirector usw. –: beide Männer zusammen u. ihre Darstellung von Leben u Zeit (etwa 1890-1930) haben mir die Frage nach den Männern 2. u. 3. Ranges nahegebracht, den eigentlichen *Kultur*trägern, Vermittlern, Propagatoren neuer, besser: gerade schon gängiger Gedanken u. Erfahrungen –, die die Zeit u. ihre Tendenzen in sich tragen, verbreiten, öffentlich machen u. den Humus der Nation, ihrer Zukunft u. ihres gegenwärtigen Glanzes bilden. Interessant zu sehn, wie sie die Ströme des Jahrhunderts in ihrem Kreis sammeln, national u. international wirken und arbeiten, zu erklärter Anerkennung gelangen, natürlich auch ihre lokalen Kämpfe u. Reibereien haben, ihre Konkurrenzrivalitäten, ihre Fehlschläge, aber im Ganzen doch ungetrübt sozial u. gesellschaftlich positiv ihre 70 Jahre vollenden. Nichts gegen sie! Und dennoch, wenn man sieht, wie sie für Empfänge u. Kostümfeste und Preiskomitésitzungen und Herrenessen nicht nur soviel Zeit, sondern auch soviel Sinn u. Raum haben, kommt man doch zu dem Schluss, die armen Hunde von Anangke-gehirnen wie Nietzsche oder Kleist oder von Marées oder Mallarmé für repräsentativer u. beauftragter zu halten. Es trennen sich eben doch – worauf ich ja schon mehrfach hingewiesen habe – die beiden Typen der Kultur- u der Kunstträger sehr scharf von einander u., wenn man die Wahrheit sagen will, haben sie nicht viel mit einander zu tun, sie unterstehn beide, getrennt, anderen psychologischen u. gesellschaftlichen Gesetzen. – – – Sie sehen, wohin mich das Wort „Oberneuland“ geführt hat – hat Herr

Schumacher vielleicht auch die Horner Heerstrasse 7 entworfen u. gebaut? Aber das ist wohl älteren Datums?
Mein Geschäft geht garnicht so schlecht; die fraglichen Krankheiten blühen, namentlich die Lues, die Gonorrhoe heilt in der Tat in 24 Stunden durch Penicillin; übrigens war es nach dem 1. Weltkrieg derselbe Überfluss an derartigen Krankheiten, nur wird heute durch die Besatzungsarmeen mehr davon hergemacht. Sie haben völlig Recht: die *Moral* war nach 1918 weit libertiner, heute ist alles muckerisch u. selbst der coitus der Jugend stumpfsinniger u. phantasieärmer als in jenen Jahren; die Mechanisierung des Sozialdaseins hat auch diese Sphäre völlig maschinell gemacht.
Langer Brief, – wie ihn nur ein Sonntag möglich macht, ein grauer, regnerischer Blätterfallsonntag!
(Dies Briefpapier ist aus New-York; hier giebt es auch nichts mehr davon, – aber Streichhölzer giebt es ad libitum, die Schachtel 2,50 M.)

Herzlichen Gruss!

Ihr G. B.

12 X 47.
Bitte noch 2 Bemerkungen:
1) das Wort für den Schumacher-Schuchhardt-Typ wäre wohl: „aufgeschlossen“, während es für den andern: gänzlich unaufgeschlossen wäre, sogar völlig *verschlossen.* Was bedeutet das? Käme das nicht auch auf den Typ mit dem „Platanengedächtnis“ im Sinne des „Glasbläsers“ heraus?
2) „Zarathustra“ ist sicher das fragwürdigste, zeitbedingteste, der Kritik am meisten zugängige Werk von N., dasjenige, bei dem man heute am meisten stutzt, u. dennoch: N. ohne „Zar.“ wäre nur 20 % N., – dies Fehlwerk erst ergiebt die 80 % dazu –, heute, für seine Mythe, für seinen Gesamteindruck. Merkwürdig!

Be.

Nr. 347 B. 7/XI. 47.

Lieber Herr Oelze, ich habe lange nichts von Ihnen gehört, wahrscheinlich sind Sie auf Reisen. Sicher keine schöne Sache, hoffentlich kommen Sie gut heim. Ihr letzter Brief war vom 13. X. – vielen Dank!

Inzwischen, vorige Woche, habe ich die Bekanntschaft von Dr. Cl. aus Hamburg gemacht, der uns besuchte. Ich habe selten jemanden kennen gelernt, von dem so stark der Eindruck einer völligen Eindruckslosigkeit ausgeht, wie von ihm. Ein netter Mensch, aber er zieht wie ein Nebelstreif vorüber, eine Stunde später weiss man nichts mehr von ihm. Er ist nicht stumpfsinnig, aber auch nicht interessant; nicht ermüdend, aber auch nicht anregend; nicht ohne Urteil und Stellungnahme, aber auch nicht produktiv; auch äusserlich hat er zwei Gesichter: nämlich je nachdem, ob mit oder ohne Brille, also eigentlich hat er gar kein Gesicht; auch die Kleidung: Pullover, Wildlederschuhe u. keine Manschetten, also weder Herr noch Bohémien. Wahrscheinlich ist sein Eindruck von mir der gleiche, ich bin ja äusserst konventionell u. gehe mit keinem Wort aus mir heraus. Er fühlte sich offenbar sehr wohl hier, blieb fast 4 Stunden u. labte sich ausgiebig. Bei Allem fragte er: „aber das ist doch wohl aus einem Paket –" z. B. Honig. Nein, das ist schwarz gekauft. Und er staunte, dass sich ein Geistesmensch (für den er mich wohl hält), das kaufen konnte. Über Verlagsdinge u. meine Produktion haben wir kaum gesprochen, ich gehe ja auf sowas nicht recht ein. Hatte auch den Eindruck, dass er kaum etwas Ernstliches von mir gelesen hatte oder wenigstens verarbeitet hätte. So bleibt Alles beim Alten, fragwürdig u. unbestimmt. Ihr Name fiel natürlich oft. Nun waren also im Laufe der Zeit Herr Suhrkamp u Herr Rowohlt u Herr Cl. bei mir u. einige kleinere Verlagsgeister u. einige weitere waren schriftlich um mich bemüht u. es ist nichts zu erreichen. Wahrscheinlich liegt doch alles bei mir, da ich inner-

lich ja garnicht in die Öffentlichkeit will, sondern für mich meine Netze u. Gewebe spinnen. Das Lebensschicksal ist ja nichts Äusseres u. kommt nicht aus der Umwelt auf uns zu, sondern es steigt aus uns selber auf, wir ziehen es heran, selbst Tod, Schicksalsschläge, naturalistischer Wirrwarr sind unsere eigenen Materialisationen u was wir Lebenslauf u. Biographie nennen, ist die Aura, die Oddschicht unseres inneren Seins, das sich Geltung u. Gestaltung schafft. So gesehn, passt auch mein jetziges, nun 11 Jahre währendes Schweigen u. Verdecktsein in meinen Stil u. meine angeborenen Linien. „Es giebt Existenzen, in die greift das Schicksal nicht ein –", schon öfter von mir erwähnt.
Ptolemäer – um Ihre Frage zu beantworten – hat mit den Pharaonen nichts zu tun, sondern allein mit dem Philosophen, der das ptolemäische Weltbild schuf, das bis Galilei galt. Schlimm, dass Sie fragen müssen! Ich dachte, dass das aus der antiphysikalischen Haltung, namentlich des 1. Abschnitts, „Lotosland", klar wäre. Könnte natürlich im 3. Teil noch einige klärende Sätze einfügen. Aber wozu erklären, verdeutlichen, nahe bringen bei so deutlicher Tendenz, nur zu verdichten, zu verschliessen u. nichts gelten zu lassen als den Satz, das Wort, die Zusammenstellung, die gerade sich ergeben hat.
Schwer haben Sie es mit dem Autor G. B.!
Armer, verehrter Herr Oelze!

Ihr
G. B.

Nr. 348 B. 24/11/47

Lieber Herr Oelze, Dank für Ihren Brief vom 12. XI. Aus ihm spricht Depression u. das erfüllt mich mit Kummer. Ich ahne, aus welcher Richtung die Belastung für Sie kommt,

– aus der üblichen von heute, nehme ich an, politisch-geschäftlich. Sind Sie noch allein oder ist Ihre Gattin zurück? Sie waren in Holland, vermutlich trug auch das nicht zur Erheiterung bei.
Waren Sie in Hamburg? Wenn noch nicht, lassen wir Herrn Cl. auf sich beruhn, besuchen Sie ihn garnicht. Als er damals fortging von uns, sagte ich zu meiner Frau, ich bin nun gespannt, ob er irgendwas von sich hören lässt, –: eine Blume an Dich, noch ein Anruf oder eine Karte. Nichts erfolgte bis heute. Sowas ist mir immer interessant; das gesellschaftliche Wesen eines Mannes enthüllt ja viel von seiner Gestalt. Ich sandte ihm dann den Aufsatz von Maraun u. blieb auch ohne Antwort.
Nun hat sich inzwischen der Schweizer Archeverlag bei mir gemeldet mit einem wirklich ungemein netten Brief. Die Sache geht in Ordnung. Ich werde dort einen Gedichtband erscheinen lassen, 40-50 Gedichte. Die neueren. Titel bleibt wohl: „Statische Gedichte". Ich sende Ihnen Abschrift des Briefes. Das ist also dann mein Come bak –, wie es abläuft, bleibt abzuwarten. Auf viel Interesse kann ich nicht rechnen, mein Bild wird das der Jahre 1912-1930 bleiben, u. Alles Spätere wird man als Nachlese bezeichnen. Herr Maraun, der jetzt wieder hier ist, ist zwar vom „Ptolemäer", das er nun als Ganzes las, *hingerissen*, wie er liebenswürdiger Weise sagt, ein Massiv, einsam u. unübersehbar, wie er weiter meint, aber ich bleibe skeptisch. Ich bin gerade dabei, wieder zu ganz neuen Wertungen meiner Selbst zu kommen u. die sind nicht rosig. Aber darüber heute nicht mehr.
Ich komme heute mit einer Bitte, die eine neue Belästigung Ihrer Person u. Zeit darstellt: würden Sie die Güte haben, mir zu senden: 1) den Originalaufsatz aus der „Neuen Rundschau" mit dem Aufsatz von Gürster über mich 2) das Gedicht „Nasse Zäune" aus den Stat. Ged., ich habe keine Abschrift u. möchte es noch einmal ansehn, ob ich es auf-

nehmen will 3) den Band: „Nach dem Nihilismus", den Sie von Dr. Cl. zurück erhielten.
Wie soll man dies Letztere aber senden? Es ist das einzige u. letzte Exemplar, das ich erreichen kann. Ich möchte es einsehn für die Zusammenstellung des Essaybandes für Italien, auf den Maraun sehr drängt. Kann man es „eingeschrieben" schicken, ohne Verlust für wahrscheinlich halten zu müssen (s. Jean Paulband)? Giebt es eigentlich schon „Wertbriefe"? Aber wahrscheinlich sind diese noch diebstahlsgefährdeter als gewöhnliche Sendungen. Sind Sie böse, dass ich Sie vor soviele Fragen stelle –, bitte seien Sie es nicht!
Dank u. Grüsse u. Wohlergehen!

Ihr

G. B.

Nr. 349 B. 25/XI/47.

Lieber Herr Oelze, vielen Dank für Zusendung vom 22 XI. Den Brief von G. anbei mit Dank zurück. Ich wäre dafür, dass Sie ihm nur höflich für den Brief dankten, *nichts* schickten von meinen Sachen u. Sie sich mehr für *seine* Produktion interessiert zeigten. Sein Brief lenkt ja deutlich in die Richtung, er hat nun von mir im Augenblick genug. Vielleicht fügen Sie, bitte, orakelhaft hinzu, dass voraussichtlich in absehbarer Zeit von mir im Ausland neue Bücher erscheinen würden, die ich ihm zusenden lassen würde. Ich pflege mit diesen Leuten immer konventionell zu bleiben u. nur in besonderen Verhältnissen persönlich zu werden. Es ist besser.
„Rätsel Deutschland" – lassen wir sie rätseln! Wir haben einigen Sphinxen mehr u. näher ins Auge geblickt als jene u. wir verstehen uns doch nicht mehr. Wir müssen mit diesem Leben hier fertig werden u. da helfen uns die andern

nicht, nur wir, nicht sie, haben erlebt u. erfahren, dass Politik die Sabotage der Kunst ist, weiter nichts, u. der Journalismus der Spulwurm des Geistes. Das werden u können die andern nicht begreifen, sie kauen weiter am geliebten N.S. herum, das wird ihr Inhalt bleiben. Sie können nicht wissen, dass diese Dinge völlig ausserhalb der moralischen Sphäre stehn u. betrachtet werden müssen u das definitive Urteil über sie ganz entschieden aus dieser amoralischen Revue sich bilden wird. Sie sind, mit einem Wort, vieux jeu.
Dann der nette Schweizer Brief, hoffentlich erfreut er Sie. Schliesslich müssen wir uns überlegen, ob wir nicht alle meine Manuscripte wieder an mich zurückgelangen lassen wollen, sie sind für Sie nur Ballast u. ich kann Ihnen die fortwährenden Störungen ihrerhalb nicht zumuten. Wie bewerkstelligen wir das?
In der Hoffnung, dass es Ihnen einigermassen erträglich geht,

immer Ihr

G. B.

Gestern Brief an Sie abgesandt.

Nr. 350 B. 4. XII 47.

Lieber Herr Oelze, ich habe heute eine ärztliche Alcoholzuteilung bekommen, sofort zu Schnaps verarbeitet u. bin im Augenblick etwas blau, trotzdem wage ich, an Sie zu schreiben, um Ihnen mitzuteilen, dass ich Ihre Einschreibsendung mit Gürsteraufsatz u. nassen Zäunen erhielt. Tausend Dank! Nasse Zäune kommt nicht in Frage, banal. Das Schweizer Manuscript ist abgeschlossen, 44 Gedichte. Natürlich die von Ihnen erwähnten darin („September" – findet bei den wenigen, die es kennen, kein Verständniss, ich finde es – mit Ihnen – ganz konzentriert u. tragbar.). Ich habe auch ältere Gedichte aufgenommen, da die Schweiz

doch vermutlich nicht daran interessiert ist, nur *neue* Gedichte kennenzulernen. Ich bin der Meinung, ein Gedichtband soll auch *interessant* sein, nicht nur auf einen – erhaben-melancholischen – Ton gestimmt sein. Die Zusendung des Manuscripts, die über Frankreich geht, erleidet einige Schwierigkeiten durch die dortigen Verhältnisse.
Ihre Schreiben vom 28 XI. 47 u vom 29 XI. gelangten an mich. Ich habe viel über Sie nachgedacht. Ich frage natürlich nicht nach persönlichen Dingen. Aber beruhigen Sie mich: Ihre Sorgen liegen *nicht* auf aerztlichem Gebiet, fachaerztlichem, *meinem* Gebiet? Dies wären übrigens keine ernsthaften Sorgen! Ist leicht zu bewerkstelligen! Kommen Sie her u. in wenigen Tagen ist alles in Ordnung! Seien Sie nicht böse über diese Bemerkung.
Ich bekomme z. Z. erstaunlich viel Briefe, merkwürdigen Inhalts. Als ob eine Art metaphysischen Bebens z Z. meinen Namen oder meine Erscheinung an vielen Orten in Erinnerung bringt. Interessant, – meine Tochter konferierte in K. mit Klaus Mann! Er hält mich für den grössten lebenden Lyriker, aber ich hätte bisher nicht bereut u. zurückgenommen!! Meine Tochter, sehr im Sinne der ausserdeutschen Literaten denkend, glaubt mir diese bedeutungsvolle Bemerkung übermitteln zu müssen im Sinne meiner Metanoeite, Pater peccavi usw. Ich antwortete ihr, dass sie schief gewickelt sei u. dass mir niemand Herrn Kl. M. anempfehlen könne.
Herr Dr. Cl. aus Hamburg hat inzwischen einen seiner dürftigen Briefe an mich gelangen lassen. Bin nicht sehr für ihn eingenommen.
Was Manuscripte angeht, so war mir der Gedanke, sie bei Ihnen aufbewahrt zu wissen, immer eine grosse Tröstung u. Genugtuung. Doch ich hätte in der Tat einiges gerne hier zur Hand. Z B. überlege ich, ob „Kunst im 3. Reich" oder „Pallas" oder „Provoziertes Leben" für die italienische Sache in Frage käme. Ich hoffe, dass Herr Hürsch, der junge

Schweizer Autor, – nebenbei: ein ziemlicher Lackel – sein Wort wahr macht, Sie in Bremen auf einer Autoreise aufzusuchen u. die Manuscripte mitzunehmen. Auf die Weise lernen Sie diesen Jüngling, der immer ohne Hut herumläuft, – kennen. Sein Vater besitzt in Winterthur Zeitung, Verlag u.sw. – Schweizer Mittelstand.
Gelänge das mit dem Arche-Verlag, wäre es das grosse Los für mich. 10 %-15 % Honorar des Exemplars, selbst bei nur 2000 Auflage, wären 900 Franken = 18 000 M. in Nahrungsmittelpaketen zu zahlen, wie ich dem Verleger vorschlug – u ich wäre gerettet von Café- u. Cigarettensorgen! Kaum zu glauben! Jetzt wacht man nachts auf u. fragt sich, was musst Du nun wieder ranschaffen: Kohlen u. Zucker u. Fett u Schuhsohlen u. Rasierseife – u. kann nicht wieder einschlafen. Das wäre dann für einige Zeit vorbei!
Ich schreibe Ihnen so vulgär u. banal, verzeihen Sie. Aber so ist das Leben: man denkt universalistisch u. ist angeblich ein europäischer Lyriker, aber zankt sich mit seinem Hauswirt um eine Mietserhöhung von M. 4. monatlich u. lässt sich von einer Kokotte eine Cigarette in den Mund stecken, wenn sie ihre Untersuchung bezahlt. (Das ist natürlich auch wieder sehr schön u. agréable).
Ich lese ein Buch über das Sclavenleben in Südkarolina, wo die Nigger von Baumwollsamen leben; dann sehe ich mir Ihre Photographieen von Hartwigstrasse an, Bibliothek, Sessel, Schale auf dem Tisch, Büsten auf dem Bord – u ich versinke in Träume –; wie gesagt: etwas Alcohol, leichtes Stimulans u. die Bilder kommen u gehn.
Eine neue Idee literarischer Art habe ich auch, mit der vielleicht etwas *herauszuholen* geht!

Tausend Grüsse!
Ihr
G. B.

Nr. 351 18 XII 47.

Lieber Herr Oelze, Dank für Ihre Schreiben vom 8. u. 9. XII. Hoffentlich sind Sie gut aus Häcklingen zurückgekommen u. konnten Ihren Bau dort fördern.
Ich wäre Ihnen also sehr dankbar, wenn Sie „Nach d. Nihilismus" als „eingeschrieben" an mich sendeten, wenn Sie soviel Porto daran wenden wollen. Herr Hürsch, ein etwas unzuverlässiger Jüngling, wird erst später nach Hamburg fahren, ich teile Ihnen Näheres noch mit. Dank für schönes Bild von Horner Heerstr., aber ich besitze es schon, doch es ist so hübsch, dass man es doppelt besitzen kann. Und nun wünsche ich Ihnen gute Feiertage, Ihnen u. Ihrer Gattin, Ruhe u. wenig Besuch u. etwas Schnee im Garten. Viele herzliche Grüsse

von Ihrem G. B.

Nr. 352 B. 27 XII 47.

Lieber Herr Oelze, Ihr Weihnachtspaket hat mich entzückt, aber auch beunruhigt und bedrückt. Heute, wo es kein Bremer Rum- u. Café-Kontor mehr giebt, ist soviel Café ein unermessliches Geschenk und, da Ihre Gattin, wie ich weiss, selber so leidenschaftlich raucht, sind 20 Chesterfields ein grosses Opfer. Ich bedanke mich sehr u meine Frau ebenso, auch für die freundlichen Grüsse u. Weihnachtsglückwünsche. Wir hoffen, dass Sie die Tage in guter Stimmung verbrachten. Ich meinerseits hatte in der „Heiligen Nacht" Nachtdienst für den Bezirk Schöneberg u. war auf Tour. Mir nicht unangenehm, ich liebe ja diese weltberühmten Stunden nicht allzusehr.
Was Sie über die Herkunft von Dr. Cl. schreiben, interessiert mich sehr u. klärt mir manches auf –: also östliche Einschläge, – nun wird sein Bild deutlicher. Dr. Cl. muss ja eine

schreckliche Schilderung von unserer hiesigen Existenz gegeben haben, was das Wohnen u. Hausen angeht. Ich empfinde ja dieses Steinerne des äusseren Milieus nicht so sehr, was nicht hindert, dass mich Ihre vorgezauberte Vision Ihrer Landschaft geradezu erregt. Ich bin ja *kein Städter*, ich hänge an Dörfern u. am Land; Lyrik kann u konnte ich immer nur machen mit Landschaft um mich oder wenigstens in unmittelbarer Nähe, aber ich bekämpfe diese Neigung, sowie es sich um Gedankliches u Prosa handelt, für diese verdichtet u. erhärtet die „Metropole" die Sätze mehr. Soweit ich; meine Frau allerdings wird die Trümmer auf die Dauer nicht aushalten, sie lebte u. practizierte die letzten 4 Jahre vor Kriegsende in Bad Gastein u. kann ohne Landschaft u. Berge nicht existieren. Ich rette meine brüchige u. anfällige Person ja vor allem solchen inneren Unheil in meine „Laboratoriumsarbeiten", – es giebt vielleicht keine treffendere Formel für meine Existenz als die aus der letzten Seite des Ptolemäers: „– das Geschäft u. die Halluzinationen", das sind die beiden Pole, zwischen denen ich meine Müdigkeit u. meinen Lebensüberdruss immer noch hin u. her jongliere, – ich wünschte, nicht mehr allzulange! –
Ich las in diesen Weihnachtstagen das jetzt erschienene Buch von H. Mann: „Ein Zeitalter wird besichtigt", eine Art Biographie. Äusserst zwiespältige Eindrücke! Sehr oberflächlich, sehr billig, daneben zauberhafte Sachen. Politisch im bekannten Sinne, aber auch schon sehr überholt. Der heutige politische Journalismus in Deutschland kann das Alles auch. Überraschend seine uneingeschränkte (neue) Bewunderung für Bismarck! Auch Rich. Wagner besteht vor ihm. Schrankenlos ist seine Liebe zu Puccini! Einer Mimi ist er durch halb Italien nachgereist, um immer wieder eine Arie aus Bohème zu hören. Alles in Allem aber weiss man meistens überhaupt nicht mehr, was er eigentlich meint u will, so herum redet u. faselt er über Alles in einem Stil, so maniriert, dass einem übel wird. Eine Erkenntnis ist mir dabei

aufgegangen: hier endet alles in *Psychologie* u. *Soziologie*, also im 19. Jahrhundert; die Rückführung der Dinge ins *Existentielle* ist ihm versagt, also das, was wir heute fordern u. müssen. –
Cher Monsieur Oelze, und nun kommt mein Glückwunsch zum 3. I 48. Meine Gedanken werden um Sie sein. Immer in Freundschaft u in Dank,

Ihr G. B.

Ein Sonderblatt (alten Papiers) mit meinem Dank für das Bild der Hände (und „des gebogenen Knie's", – Zusatz meiner Frau). Wer sowas aufzuweisen hat! Was Hände angeht, ihre Betrachtung u. ihre Deutung, bin ich etwas empfindlich, da ja die meinen nur zum Verstecken hässlich u. rein handwerksbestimmt sind, ihre niedrige Herkunft verratend. Aber die Ihren! Die eine aus Oxford, die andere aus Athen! Wir haben die Photographie an ein Bild gesteckt, das vor meinem alten kleinen Schreibtisch hängt, die Bucht von Nizza oder San Remo, neben eine Photographie aus dem Britischen Museum: „Hypnos", (Perugia 4 th. century), ein wunderbarer Kopf mit Flügeln, ein Kopf mit einem unaussprechlichen Ausdruck von Versunkenheit u. Ernst, – daneben also nun Ihre sublimen durchäderten Hände. Unter der Bucht von Nizza hängt die graue Rose Ihrer Gattin –, dies Alles also sehe ich vor mir, wenn ich sitze u. die Feder eintauche (oder den bevorzugten weichen Kopierstift ansetze). Kommen Sie u. betrachten Sie das Idyll. Dank!

Ihr G. B.

Nr. 353 B. 7. I 48.

Lieber Herr Oelze, haben Sie Dank für Ihren freundlichen Kartengruss, und ich beeile mich, Ihnen zu antworten, dass Herr Maraun den „Phänotyp" bekommen hat. Dass er sich nicht für die Zusendung bedankt hat, ist unrecht von ihm, ich hole es hiermit nach u. ich werde ihn belehren, dass er sich besser benehmen soll, wenn ich ihn das nächste Mal sehe. Er hat ihn sogar gelesen u. zwar mit dem Erfolg, dass er meint, dass ich in 3 Jahren den Nobelpreis erhalten müsste, da ich die literarische Repräsentation Germanys darstellte. Der gute Junge –, das liegt auf der Linie von Edschmid u. Herrn Thiess, die beide sich nicht zu beunruhigen brauchen, ich werde zu Lebzeiten nicht mehr zu Worte kommen, Herr Zuckmayer u Herr Kästner u. Herr Becher werden weiter die gedankliche Tiefe des Landes zum Ausdruck bringen u. das wird mich nicht einmal stören. Herr Sartre wird sie begleiten, die Zeitungen sind bis zur Hälfte ihres Umfangs seit Wochen mit Analysen u. Feuilletons über ihn gefüllt u. eine brachte gestern sogar den garnicht schlechten Ausdruck: „Atrideninflation", – in der Tat erstaunlich, wie sehr die Franzosen die Antike ausweiden u. auf Bühnenbretter u. Rotationsmaschinen bringen. Aber das eigentliche Land des Klassizismus war ja seit je nicht Deutschland, sondern Frankreich, es scheint hier eine echte Tradition u. Renaissance des Hellenischen immer vorgelegen zu haben. Ich las kürzlich wieder im Taine, – da wird das auch sehr deutlich. Aber zurück nach Preussisch-Berlin: mein grösster Triumph bei Jahresende war, dass Herr Hürsch, der Schweizer, mir erklärte, seit er den „Ptolemäer" u. „Kunst u. 3. Reich" von mir gelesen habe, könne er nicht mehr lesen den, wegen dessen er nach Deutschland gekommen sei, den er jährlich mehrmals in seinem Wigwam aufsucht, den er mit Paketen überschüttet .. nun? – wen? .. Ernst *Jünger!* Da ich immer wieder mit dem zusammen genannt werde, interessierte er mich allmählich u. ich las die mir von Herrn Hürsch übergebene Einleitung zu seinen neuen Büchern, eine lange Einleitung, das ganze Oeuvre heisst: „Strahlungen". Ich las Satz für Satz, fing mit kameradschaftlichen Gefühlen an, las die ganze Sylvesternacht,

während meine Frau mit Hürsch in die Nähe tanzen gegangen war, u. ich muss sagen: *katastrophal!* Weichlich, eingebildet, wichtigtuerisch u. stillos. Sprachlich unsicher, charakterlich unbedeutend. Manchmal nahe an Erkenntnissen, manchmal vor gewissen Tiefen stehend, aber nirgends Durchbruch, Haltung, Flammen. Er hat ja offenbar viel Zulauf u. viele Bewunderer, gilt als unterdrücktes u. verkanntes Genie, aber das ist hierzulande, wo immer auf das falsche Pferd gesetzt wird, nichts Besonderes. Er hat in genügender Menge das Mulmige, ohne das die Deutschen den Geist nicht ertragen, das Gedrückte, leicht religiös Gefärbte, das den Autor so angenehm harmlos u. achtenswert macht, die Klarheit u Schärfe des durchbrechenden Genies mangelt ihm völlig, jede Latinität: – kurz: Timmendorfer Strand contra Portofino.
Die *Miscellen* zur Lektüre!

Mit herzlichem Gruss, in der Hoffnung, Sie erhielten Telegramm zu Ihrem Wiegenfest –

„Im Tierkreis des Steinbock geboren,
Im Lichtkreis Apollo's genährt,
Bestimmt u. dann erkoren,
Geprüft u. dann bewährt,

Die Meere, die Moore, die Mahre
Durchflügelte sein Schuh –
Und nun das alte Wahre:
Sweet home, – *Charlotten*-ruh."

Ihr

G. B.

Miscellen:
(wird Sie als Hanseat vielleicht interessieren)
I) „Tjadens Erfahrungen, die er in Bremen in der Helenenstrasse bis zum Jahre 1922 gesammelt hatte, verdienen in diesem Zusammenhang zitiert zu werden.

Nach seinen Berechnungen kamen auf 160 000 Geschlechtsakte 60 Infektionen, d. h. eine Ansteckung auf 2700 Möglichkeiten. Dagegen kann aus der von Wennecke geführten Statistik des Jahres 1942 entnommen werden, dass in den 5 Hamburger Bordellstrassen von annähernd 660 Prostituierten über 2 500 000 Geschlechtsakte ausgeführt wurden. Diese beachtliche Zahl wird heute nicht mehr erreicht. Es übersteigt den Rahmen dieser Abhandlung auf die Gründe einzugehn. Die Zahl der zur Zeit unter Kontrolle stehenden Prostituierten mit 700 angenommen, errechnen die Sittenpolizei und die Bordellwirte den täglichen Durchschnitt von nur 3 Geschlechtsakten pro Tag und Prostituierte, während die Wenneckesche Statistik 11 Akte pro Tag und Prostituierte ergab."
(Aus der „Zeitschrift für Haut- u. Geschlechtskrankheiten und deren Grenzgebiete", August 1947.)
2) In der Beratungsstelle für Geschl.kranke in Schöneberg, in der ich jede Woche mehrere Stunden tätig sein muss, legte mir heute ein bisheriger Friseurlehrling, um seine Impotenz und damit seine Bestreitung als Infektionsquelle glaubhaft zu machen, folgendes Attest vor, ausgestellt vom Institut für Konstitutionsforschung in der Charité, unterschrieben von Prof Dr. *Jaentsch* – mehrfach erwähnt in der „Ausdruckswelt" von G. B. – vom Jahre 1942:
„Herr H. zeigt ein mangelhaftes Herabsteigen beider Hoden, ferner ist sein Penis ungewöhnlich klein. Da er weiter an ausgesprochener Antriebsschwäche leidet und weiteren Charaktermängeln, wird seine Umschulung in einen *freien künstlerischen Beruf* beim Arbeitsamt befürwortet."

(„Die Kunst als die letzte metaphysische Tätigkeit Europas —")
F. N.

Nr. 354 17. I 48.

Lieber Herr Oelze, Dank für Ihren Brief vom 10. ds Ms u. die eingeschriebene Sendung vom 12. Dank für die Abschrift von W. W! Aber nun muss ich Ihnen sagen, dass ich sehr böse bin! Das mit Herrn Dr. Göpel scheint mir nicht gut. Ein verhinderter Autor ist immer eine peinliche u. komische Sache; ihn vorlesen, sieht nach Propaganda aus. Ich bitte Sie sehr, meine Manuscripte an *niemanden* zu geben, damit habe ich nicht gerechnet. Ich muss Ihnen versichern, wie sehr mir meine Anonymität ans Herz gewachsen ist u. wie gemäss sie meiner inneren Stimmung ist. Ich möchte alleine bestimmen, wem gegenüber ich sie aufhebe und mit welchen Arbeiten. Bitte lassen Sie auch sonstige Sie umgebende Literaten keinen Einblick in meine Arbeiten nehmen –, ich bitte Sie sehr. Bitte geben Sie nichts aus der Hand, das ist mein ausdrücklicher Wunsch.
Den Vertrag mit dem Arche-Verlag habe ich jetzt abgeschlossen, der Gedichtband erscheint dort; auch die Rechte für Deutschland habe ich ihm übergeben, Dr. Claassen kommt also mit seinem angeblich beabsichtigten Präliminarvertrag zu spät. Ich habe ihm genügend lange Zeit gelassen.
Über Ihre Aussen- Innenproblematik demnächst.

Tausend Grüsse,
herzlich
Ihr
Benn

Nr. 355 22 I 48.

Lieber Herr Oelze, Dank für beide Briefe vom 20. ds Ms. Die Sache ist erledigt. Ich hatte einen schweren Schock bekommen, als ich den „Phänotyp" nochmal las, nach 3 ½ Jahren. Unmögliches Etwas! Darf niemand sehn, sonst bin ich

mit Recht gestrichen u. geliefert! Eine reine Materialanhäufung, ungegliedert u. inkohärent. Einzelheiten ganz brauchbar, aber dringend der Überarbeitung bedürftig. Vielleicht gestalte ich ihn um, streiche viel, setze viel hinzu, – wenn ich Conzentration u. Zeit dafür finde. Dies also war ein grausiger Schock an jenem Tage gerade, als ich hörte, dass vor 12 Herren W. W. vorgelesen war, dessen ich mich auch garnicht mehr erinnere. Aber bitte lassen Sie uns aus dieser Gelegenheit daran festhalten, keinen in unsere Gespräche einzuweihn. – Wenn ich die Wahl habe zwischen Theodor P. u. R. A. Sch. würde ich wohl doch den letzteren bevorzugen, wenn ich mich für einen von beiden entscheiden müsste. Gehn Sie also am Montag ruhig hin u. machen Sie die „Huldigungen unter Blattpflanzen" mit, ich persönlich sauge mir immer Honig aus solchen Événements. Übrigens frage ich mich manchmal, ob nicht der Ruhm unter seinen Zeitgenossen etwas viel Vernünftigeres ist als das transcendente Schweben in imaginären absoluten Räumen u. Zeiten. Es ist eines so tragisch wie das andere u. aus beidem fällt schliesslich ein einheitlicher irredentistischer Schein gegen einander.
Hinsichtlich der „Statischen Gedichte" habe ich einige Konzessionen an die Stimmung der Eidgenossenschaft machen müssen. Der Verleger bat mich abzusehn von: Chopin. / Monolog. / Clemenceau. / St. Petersburg / 1886. / u dafür 3 frühere einzusetzen nämlich: 1) Ach, das Erhabene / 2) Astern / 3) Tag, der den Sommer endet – Gegen die Ablehnung von *Chopin* habe ich auf das Bestimmteste protestiert u. ich glaube, dass es mit erscheinen wird. Mit dem übrigen bin ich einverstanden. Sie machen also einen Sanften Heinrich aus dem Ganzen, aber je m'en fiche. Sie zahlen in Lebensmittelpaketen, 12 % vom Exemplar von zunächst 3000. Exemplaren. Wenn das Exemplar etwa 4 Frs. kostet, wie ich annehme (mindestens), kommen eine ganze Reihe Kalorieen u. Reizstoffe zusammen. (A propos: ich verstehe

nicht ganz, dass das erlaubt u. zulässig ist, da doch alle Auslandsverdienste Reparationszahlungen sind. Aber da der Verlag das offeriert, muss es ja gehn.)
In einer Hamburger Auslandskorrespondenz soll ein sehr schmeichelhafter Aufsatz über mich an erster Stelle stehn, erzählte mir ein Journalist.
Während im Sonntagsblatt des hiesigen Kulturbundes (Joh. R. Becher) ein Stück Tagebuch von *Thomas M.* aus dem Jahre 1933 veröffentlicht ist, in dem ich (mit Spranger, Bäumler, Binding) als in die Geschichte der geistigen Prostitution eingegangen genannt werde. Da kann man nichts machen; ich selber sage mir, dass ich vielleicht politisch sehr dow war, aber prostituiert gewiss niemals. Ferner sieht man ein Bild der geräumigen Villa von Th. M. in München, die durch die weltgeschichtlichen Ereignisse beschädigt wurde, worüber ein grosses Lamento erhoben wird. Die Herren Epiker!
Eine Büste von mir von dem Bildhauer G. H. Wolff (†) aus dem Jahre 1927 stand in dem Hamburger Museum für moderne Kunst – bis 1933, wo sie jetzt sein mag, weiss ich nicht. Das 2. Exemplar ist bei mir, eine Kolossalbüste, halb Kaligula halb japanischer Ringer, ist hier bei mir auf der Rumpelkammer, 1936 sandte ich sie auf Bitte u. auf Kosten der Edinburger Königl. Akademie dorthin zu einer Kunstausstellung, erhielt sie auch zurück aus England. Mir kein angenehmer Anblick.
Ein Bild, auf dem Balkon Bozenerstr 20 im Sommer 47 von Herrn Hürsch gemacht, anbei. (auch kein angenehmer Anblick – „Bartstoppelfluidum um Herz u Auge").

Herzlichen Gruss.

Ihr

Benn.

Dr. Cl. würde ich zunächst garnichts sagen, er zögert ja doch immer weiter.

Lieber Herr Oelze, Ihre Schilderung der Geburtstagsfeier Ihres Landmanns ist ausgezeichnet. Hoffentlich sind Sie auf dem Rückweg nicht aus Erschöpfung u. zum Abreagieren in die Helenenstrasse abgeirrt. A propos, im letzten Heft der genannten Zeitschrift ist wieder etwas, das den Hanseaten interessieren müsste, ich werde sehen, es Ihnen zukommen zu lassen.

Wenn Sie in dies harmlose Bild von mir schon so Abgründiges hineindeuten, ist es gut, dass ich Ihnen nicht ein anderes sandte, ebenfalls von Herrn Hürsch auf dem gleichen Balkon aufgenommen. *Das* ist wirklich fatal! Nur Risse u. Falten, keine Augen mehr, eine reine Mondlandschaft u. zwar von bösartigem Charakter. –

Anbei die Hamburger Notiz. Angepriesen u. angeboten werde ich ja wirklich meinem Vaterland zur Genüge, aber keine Gegenliebe –, nun, es ist besser so; es giebt gewisse Dinge, die dürfen nur von Toten stammen. – Den Ph. habe ich in Überarbeitung. Vor allem gruppiere ich ihn um: z. B. das ganze Feuilleton über das „*Jahrhundert*“ muss raus, ist ja reines journalistisches Gemähre [könnte höchstens zum Schluss als *Anhang* („Studien zur Genealogie des Ph.“) gebracht werden. Im übrigen ist es ja völlig uninteressant, woher der Ph. soziologisch u. historisch stammt; die Hauptsache: er ist da u. vertieft sich in sich selbst. Das „Jahrhundert“ sieht schon wieder nach Kausalität u. Analyse aus, während Ph. auf Präsens u. Blossstellung aus ist.]

Ich erhielt aus Chicago einen Fragebogen über mich u. mein Oeuvre zur Aufnahme in *Who's Who in America*. Werde es beantworten, wenn ich einen Übersetzer finde.

Herr Hürsch will in 2 Wochen nach Kopenhagen (zu meiner Tochter) u nach Hamburg u. dann zu Ihnen nach Bremen, – wenn er darf. (Harmloses stumpfsinniges Bürschchen, immer ohne Hut.) Aber seine Pläne sind immer unsicher. Ich wäre Ihnen dankbar, wenn Sie von den Essays einige mir „eingeschrieben“ senden würden, z. B. „Provoziertes Leben“, „Pallas“, wenn es Ihnen keine Schwierigkeiten macht.

Tausend Dank, herzlichen Gruss!

Immer Ihr

Benn.

Nr. 357 12 II 48.

L. H. Oe. ich beeile mich, Ihnen zu antworten, dass die Zusendung der Essay-M.S. garnicht eilt. Ausserdem scheint sich die Reise von Herrn Hürsch zu verwirklichen u. er dürfte – wenn er darf – Ende des Monats bei Ihnen sein, dann ist es ja das Gegebene, dass er das ganze M.S. mitbringt.

Sehr leid tut mir, dass Sie unwohl sind. Schonen Sie sich! Nehmen Sie von den widerlichen Sulfonamiden 5 x tgl. 1 Tabl. ein (Eleudron oder Cibazol) – u. *geben Sie sich der Krankheit hin*, dann geht sie fort. –

Die von Ihnen erwähnten Zeitschriften sind mir ebenso zuwider. Merkwürdig, denn die einzelnen Aufsätze sind recht gut. Aber dahinter steht etwas, das eine bodenlose Übelkeit in einem erzeugt: die Automatik dieser Art von Denken, die panische Angst der Autoren, bei sich selbst ins Leere zu blicken – mit einem Wort: *das Unvermögen zu schweigen.* –

Der berühmte Roman, von dem der „Welt“aufsatz, für den ich danke, handelt, liegt in corpore vor mir (via Hürsch). Ich bin sicher, dass ich ihn nicht lesen kann. Unendlich anmassend in Stil u. Haltung. – Anbei „Miscellen“ – das ist reellere Lektüre.

Verfasser des Hamburger Aufsatzes mir unbekannt. Werckshagen wohl sicher nicht, habe 1 ½ Jahre nichts von ihm gehört.

Gute Besserung! Herzlich
Ihr
Benn

Miscellen 3:
Zeitschrift für Haut- und Geschlechtskrankheiten und deren Grenzgebiete.
Nr. 1/2 JG. 1948 Bd. IV Berlin, 15. Januar 1948.

Seite 32/34

Zur Prostitutionsfrage
von
Dr. Hermann Roeschmann.

„. . . . . Wenn man diese Frage richtig beurteilen will, muß man auch in Betracht ziehen, wie sich das Leben in den Bordellen und Bordellstraßen abspielt; dazu geben die Hamburger Verhältnisse die beste Gelegenheit, da sich das Treiben in der im Zentrum der Stadt gelegenen Winckelstraße, die als eine der vornehmsten Bordellstraßen gilt, in aller Öffentlichkeit abspielt. In diesem Zusammenhange dürfte die Tatsache nicht uninteressant sein, daß es für jede Frau im allgemeinen, mag ihre Anwesenheit für ihre Familie oder aus sonstigen Gründen noch so dringend erwünscht sein, fast unmöglich ist, eine Zuzugsgenehmigung zu bekommen; Dirnen jedoch werden ohne weiteres zugelassen. Darin liegt die Gefahr, daß Männer ihre Frauen oder Geliebten, um sie nach Hamburg zu bekommen, zunächst im Bordell eintragen lassen in der Hoffnung, sie bald wieder herausnehmen zu können, sich dann aber davon überzeugen, daß darin eine außergewöhnlich gute Einnahmequelle liegt, die auch ihnen zugute kommt, es werden also nicht nur neue Prostituierte, sondern auch neue Zuhälter geschaffen. Einkommen der

Dirnen von 12.000 RM monatlich sollen keine Seltenheit sein, ein Beweis dafür, wie sehr die Perversitäten in Blüte stehen." (– u. innen waltet die züchtige Hausfrau ...)
auf der nächsten Seite:
„Daß in den Perversitäten die Haupteinnahmequelle der Prostitution liegt, ist wohl allgemein bekannt; man darf behaupten, daß es keine Prostituierte in den Bordellen gibt, die sich nicht darauf einläßt."

– – –

(– auf *was* einlässt? Es steht zu hoffen, dass wir im nächsten Heft erfahren, was die Wissenschaft eigentlich unter „Perversität" versteht. Es könnten sich Laien finden, die auch den gutbürgerlichen Akt als ein Panorama von Perversitäten u. Kriminalitäten empfinden. Ich werde dann darüber weiter berichten.

B.)
5 II 48.

Nr. 358 19. II 48.

Lieber Herr Oelze, schon wieder muss ich mir herausnehmen, Sie wegen dieser lächerlichen Manuscripte, die Sie gütigerweise seinerzeit annahmen u. bis heute bewahrten, anzugehn. Nämlich: Herr Hürsch fährt zwar nächste Woche hier los u. will auf dem Rückweg von Kopenhagen von Hamburg aus nach Bremen fahren u. Sie aufsuchen. Ich habe aber inzwischen beschlossen, ihn nicht zu bitten, etwa meinetwegen diesen Abstecher zu machen, ich möchte ihm keine Mühe u. Kosten durch meine Person auferlegen. Wenn er von sich aus trotzdem fährt u. Bremen u. Sie kennen lernen will, soll er es tun, aber er soll nicht dazu sich verpflichtet fühlen, falls er unterwegs seine Pläne ändern möchte. Es bleibt mir also nichts übrig, als Sie zu bitten, doch per Post

mir die Essays zuzusenden, – die Sendung geht völlig auf mein Risiko. Geht sie verloren, ist es auch noch so; ich kann doch nicht damit rechnen, dass je etwas davon gedruckt wird oder dass es jemanden interessiert; wenn es in bescheidenem Umfang Ihr Interesse finden konnte, hat es seinen Zweck erfüllt. Es erscheint mir Alles so völlig sinnlos, was ich zusammengeschrieben habe u. an diesem Vaterland möchte ich auch nicht mit einer Zeile mitwirken u. prägen; auch nicht mehr an dem von der Unesco zwangsverwalteten geistigen Europa, hinsichtlich dessen man doch nur hoffen kann, dass baldigst ein Kosackenhacken vorstösst u. es rechts in den Atlantik u. links ins Mittelmeer verfrachtet, – dann ist es gewesen u. endlich ist Ruhe. Also: wenn Sie wieder gesund sind u. das Manuscript wieder haben, bitte ich Sie, im Sinne obiger Zeilen an mich zu expedieren.
„Anrüchige Gestalten wie Hanns Heinz Ewers u. Benn ..“ – las ich in einem neueren Buch, 1948 in Berlin erschienen, das mir mein Buchhändler, bei dem ich meine Kriminalromane entleihe, warm empfahl. Der Autor, mir unbekannt, soll jetzt viel gelesen werden. Da es sich am Bayrischen Platz abspielte, also in unmittelbarer Umgebung meiner Praxis, u. der Buchhändler mich bedeutungsvoll darauf hinwies, muss es mir wohl oder übel unangenehm sein. Schade, dass ich nicht die Auflagen u. das Honorar von „Alraune“ je bezogen habe, – das gliche manches aus.
„Vom ‚Schwarzen Korps‘ bis heute:
Dieselben lausigen Leute –“
womit ich verbleibe, Sie herzlich grüssend
Ihr
Benn.

Lieber Herr Oelze, da ich mir zu schmeicheln wage, ein gewisses Interesse bei Ihnen für den „Phänotyp“ anzusetzen, erlaube ich mir, Ihnen ihn in der etwas veränderten Gestalt – umstehend – vorzulegen. Ich habe wenig geändert, nur in „Statische Metaphysik“ etwa 1 ½ Seiten neu eingesetzt; einiges, wie Sie sehen, ganz entfernt; in „Zusammenfassung“ einiges geändert – u. den historischen Teil als Anhang gebracht. Viel kommt ja bei Umarbeitungen nicht heraus, darum liess ich im Wesentlichen die einzelnen Stücke, wie sie waren. (In „Borussisch“ auch einiges herausgenommen). Es ist ein Fragment u das soll es bleiben. Es ist „Existentialismus“, – bevor er so berühmt wurde... ich sah kürzlich die weltberühmten „Fliegen“ hier in der weltberühmten Inszenierung von Fehling – mein Gott, wie banal muss alles werden, um der Masse u. der Presse einzugehn u. als tief zu gelten! Ich verstehe nicht, wieso hier überhaupt von Existentialismus geredet werden kann, das Stück ist ein Oberlehrerdrama, u. Orest läuft vom tumben August über Heydrich bis Prometheus u. lässt Sie in allen Masken kalt.

Herzlich Ihr

Be

ROMAN DES PHÄNOTYP.

(Landsberger Fragment, 1944).

Inhalt:

1. Der Stundengott
2. Gestützt auf Pascal
3. Ambivalenz
4. Statische Metaphysik
5. Die Verneinung
6. Blicke
7. Dialectik

8. Bedenken gegen Nietzsche
9. Völliger Gegensatz zu Schifferkreisen
10. Summarisches Überblicken
11. Geographische Details
12. Der Stadtpark
13. Die Geschichte
14. Libellen
15. Pilger, Bettler, Affenscharen
16. Bordeaux
17. Blöcke
18. Zusammenfassung

– – –

Anhang (Studien zur Vorgeschichte des Phänotyp).

A Cotroceni (Maria von Rumänien)
B Cisleithanisch
C Aspasiatisch
D Borussisch

– – –

Nr. 360 B. 27 II 48.

Lieber Herr Oelze, Dank für Brief vom 24. II. u. M.S. „W.W" u. Ph. Sogar das wasserdichte Umschlagtuch – heute sehr wertvoll – kehrt zurück. Meinen tiefsten Dank, dass Sie das Alles annahmen u. bewahrten. Ihr Name u. Ihre Person ist mit dem M.S. substantiell verbunden.
Den H.M.-Band werde ich Ihnen übersenden. Den Ewers-B. Band nicht, den müsste ich kaufen u. dafür gebe ich kein Geld aus, – Sie werden mir verzeihen, wenn ich Ihrem Wunsch nicht entspreche.
Herr Hürsch ante Portas. Er möchte Sie kennen lernen u. Worpswede sehn. Wollen Sie ihn nicht in seinem Wagen begleiten? Zur Person: 27 Jahre alt; Vater Chefredacteur an grosser Winterthurer Zeitung u. Präsident des „liberalen

Vereins" Zürich! Das Jüngelchen dichtet, hat Gedichtband „Das Gestirn" kürzlich in schöner Aufmachung in einem Schweizer Verlag erscheinen lassen, halb Hölderlin, halb Mombert, halb Spitteler u sehr wenig oder garnichts Eigenes. Alles strophisch, ungereimt. Lebte die letzte Zeit in Paris, jetzt hier bei den Franzosen, angeblich Journalist, schreibt für die väterliche Zeitung alle 2 Monate ein Feuilleton, poussiert hier herum, wird nach seiner Meinung überaus geliebt, er weiss in seiner Naivität noch nicht, was Tracouts u. Chokolade heutzutage in Berlin bedeuten. Als Ganzes noch äusserst unreif, aber ganz gut erzogen. Voilà. – Das Chopingedicht wird in meinem neuen Band stehn, wie mir der Verlag mitteilt. –
Was Sie über Handeln u. Schweigen u. Gruppenwahrheiten schreiben, ist ungewöhnlich treffend u. erkenntnisreich. Man hüte sich davor, Persönlichkeit im bürgerlichen Sinne zu werden, – die Ausdruckslosigkeit bietet mehr Möglichkeiten zum inneren Weiterkommen. *Verwandelbar* bleiben, – das ist das Geheimnis. *Verwandelbar* – hat zur Voraussetzung: äusseres Spiessertum u. inneres Wachsein; daher ist der Künstler, wie Sie mit tiefem Blick bemerken, eigentlich erlebnislos, seelisch unergiebig, als Mensch ganz stumpfsinnig, er heftet ja seine Erlebnisse nicht an sein Leben an, sondern an sein Oeuvre, er hält sich fern vom Leben, u. ein gütiges Geschick ist es, das ihn zum Schluss immer Alles als eine Art abrückbares u. abbrechbares Spiel erfahren lässt. Stimmungen, diese u. jene u. dahinter immer das Wort; Eindrücke, von Innen u von Aussen, doch über ihnen immer das Reflectieren bis zur Abhärmung –: da bleibt nicht viel übrig, zum „Leben" anzusetzen u. auch noch eine Persönlichkeit in sich privat auszugestalten.
Ich vermute, dass Herr Hürsch Mitte nächster Woche sich bei Ihnen meldet.
Bitte empfehlen Sie mich angelegentlichst Ihrer Gattin.

Ihr G. B.

Nr. 361 29 II 48.

Lieber Herr Oelze,
ich beeile mich, Ihnen mitzuteilen, dass das M.S. „Ausdruckswelt“ gestern wohlbehalten bei mir ankam. Haben Sie vielen Dank. Nunmehr sind die Belastungen Ihrer Zeit durch meine Belange hoffentlich für Lange beendet.
Dank auch für Ihre Karte aus Rhodesia – aber dafür dankte ich wohl schon im Freitagbrief. Was Sie darauf wieder über meine Kritzeleien schrieben, kann ich leider nach Lektüre von „Ausdruckswelt“ nicht bestätigen. Vielmehr: zum Kotzen, das Alles. Ich mag nichts mehr von mir sehen u. hören. Und Gottseidank werden die Schlammfluten, um Sie zu zitieren, nicht ablaufen u kein Land sich heben u keine Wenigen noch irgendwo zu Hause sein. Die Stadt an der Moldau u. das Land der grossen Seen u Wälder im Norden zeigt, wohin es geht. Und man muss ja schon sagen: *dort*: eine Methodik von imposanter Sicherheit, die Realität anzugehn u. zu bewältigen u. *hier*: „Beobachtungen“, Proteste, lächerliche Entschliessungen, Lamentos, kurz das weinerliche Verfahren einer ausgelaugten Ideologie. Es ist ja geradezu interessant zu sehen, dass in der Politik genau wie in der Wissenschaft die Methode das Entscheidende ist, ja wie sie zum Inhalt wird u. Substanz bildet –: ein bemerkenswerter Beitrag zum Thema vom Ausdruck u. seiner beherrschenden Stellung im Rahmen der heutigen anthropologischen Situation. Wir sehen die Bildung von: *Wahrheiten* innerhalb der geschichtlichen Welt, die Umformung des schon lange lächerlichen Begriffs der *Freiheit*, der nur noch Inhalt bekommt auf dem Hintergrund von Begrenzungen u. mit dem Ziel auf bestimmte Situationen. Eine allgemeine Freiheit giebt es nicht, der geschichtliche Mensch hatte sie nie u. wüsste auch garnichts mit ihr anzufangen.
Furchtbar Alles, furchtbar, furchtbar! Wenn man kein Faschist ist u kein Antifaschist, kein Westlicher u. kein Öst-

licher, kein Abendländer u kein Asiate – was ist man dann? Lächerlich ist man, für andere peinlich u. für sich selbst bizarr. Jeder Standpunkt ist unerträglich, aber gar keinen Standpunkt haben, ist noch unerträglicher. Der Astrophysiker ist unmöglich, aber der Ptolemäer ebenso. Kein Ausweg, lieber Herr Oelze! Treten wir ab!

Ihr
G. B.

Nr. 362 13. III 48.

Lieber Herr Oelze, umstehender Brief kam vor 14 Tagen u. heute kam tatsächlich das Geld. Das 1. Honorar literarischer Herkunft seit 1936 – also ein Ereignis. Bei Herrn Claassen muss es aber eingeschlagen haben, dass er jetzt nach 2 Jahren das Geld sendet, es stammt aus dem Essayabschnitt Mai 1946 in einer Hamburger Zeitung. Selbstverständlich habe ich Herrn Schifferli auch die Rechte für Deutschland übertragen, 1) wünschte er es 2) Herr Cl. kann sie ja doch nicht herausbringen u. andererseits in dem Augenblick, wo ich hier freigegeben bin, bekomme ich doch vermutlich jeden Verlag, den ich mir wünsche. Immerhin will ich gerne die Beziehungen zu Dr. Cl. aufrechterhalten u in ihm meinen hiesigen Verleger sehn.
Dank für Ihren Brief vom 8. Wo Herr Hürsch steckt, weiss ich nicht. Ich bedaure, dass Sie ihn vergeblich erwarteten u. ich bitte wegen seiner Unzuverlässigkeit um Pardon.

Herzlichen Gruss Ihr G. B.

Lieber Herr Oelze, der junge Mann, Herr H., ist wieder bei mir erschienen. Abends 7 ½ bei Ihnen eintreffen, bis 11³⁰ bleiben, essen und ein Glas Madeira u. Ihre arme Gattin muss so lange aufbleiben u. seinetwegen in die Küche gehn. Ich bedanke mich sehr für Ihre Aufnahme u. Aufmerksamkeit gegen meinen Boten und bitte, auch Ihrer Gattin meine Entschuldigung und meinen Dank zu übermitteln.

Zweiter Teil: Ihre Sendung! Womit soll ich dafür danken? Dieser wahrhaft eindrucksvoll hässliche Buddha, leicht an Gewicht, zart an Tönen, breit u quellend, – der Ruhende schlechthin. Den Jadestein halte ich vorläufig nur in der Hand u. lasse ihn auf mich wirken – was ist *Jade* eigentlich, ist das eine Lotosblüte auf der einen Seite? Und was für Arbeit ist der Buddha? Von Ihrem Schreibtisch genommen, sagte H. Und werden Sie ihn nicht vermissen? – Sie selber, – nach H. –, könnten nie nach Berlin gehören, dagegen nach Zürich oder Genf. Die klassische Erscheinung des *Mäzens*, sagt er, so wirkten Sie auf ihn. Dass er Sie als *Schweizer* sehen könnte u sah, ist wahrscheinlich in seinem Vorstellungsleben das höchste Lob.

Inzwischen kam auch Ihr Brief mit Anlagen (über H. u. H. M.'s Buch). Dank dafür.

..... Und was wird nun geschehn? Kritisch. Halten Sie es für völlig unmöglich, dass die beiden Kontrahenten – kaufmännisch d. h. kriminell gesprochen – *Kippe* machen u. den Kosmos zwischen sich verteilen ohne Krieg? Unter Preisgabe *ganz Europas* an den einen Partner gegen Provisionen in den übrigen Erdteilen? Dafür spricht, dass keiner den andern besiegen kann u. dass beide das wissen. On verra.

Anbei Abschrift des wahrhaft charmanten Briefes meines neuen Verlegers! Ich gebe Herrn H, der Mittwoch abreist, mit: 1) Essay: „Kunst u III Reich" 2) Weinhaus Wolf. 3) Phänotyp (in der neuen Form) 4) Ptolemäer. Ich erwarte

nicht Verlagsübernahme, aber etwas Interesse wird es vielleicht finden, jedenfalls mehr als im Vaterland. Ich habe Alles noch einmal durchgelesen u. auf mich wirken lassen. Am interessantesten ist doch vielleicht „Phänotyp", weil fragmentarisch u. kometarisch, und einzelne ganz nette sublime Stellen, d. h. Stellen mit jener *Umschreibungstechnik*, mit der allein man heute meinem Gefühl nach an die Dinge heran kommt.
Nochmals Dank für Alles, bitte einen Handkuss für Frau Oelze. Immer Ihr G. B.
Gutes Ostern!

Nr. 364 1. IV 48.

Lieber Herr Oelze, zunächst vielen Dank für den Schreibstift des Herrn Hürsch, den ich ihm noch hier übergeben konnte. Auch das noch! Armer Herr Oelze! – Dank dann für Brief vom Charfreitag u. vom Ostertag mit Einlagen: Den „Bogen" bekam ich auch gesandt. Sehr interessieren mich diese deutschen Zeitschriften nicht, sie kommen mir alle vor wie: ferner liefen. Der Aufsatz von Milch, den Sie schickten, ist vielleicht eine Ausnahme.
Anbei eine Sache aus dem heutigen „Telegraf" über den von Ihnen erwähnten *Lüth*. In allen Zeitungen standen dieser Tage ähnliche Sachen, – offenbar zentral inspiriert. Aller Dinge Mass ist: Thomas Mann –, wer ihn lädiert, ist gerichtet. Insofern bin ich für Herrn Lüth. Der Deutsche *will* totalitär geführt werden, – so auch hier. Aber auch Döblin kann ich nicht ernst nehmen, er widerspricht sich zu oft u. ist voller Bizarrerieen.
Ein Wort, bitte, noch zu dem Honorar von Dr. Claassen. Mit 1936 hat es nichts anderes zu tun, als dass ich seitdem literarisch nichts mehr verdient habe. Das Honorar war für

den Ausschnitt aus meinem Aufsatz „Kunst u. III Reich", der anlässlich meines 60. Geburtstages in der Hamburger „Welt" stand, also 1946. Damals schrieb man mir, man habe das Honorar an den Verlag Goverts gesandt, ich glaube, Werckshagen hatte das veranlasst. Es lagerte also seit Mai 46 bei Claassen. Ist ja ganz nebensächlich, das Ganze. Ich lebe innerlich allem Literarischen gegenüber in einer Art Nirvana u. lasse mich von garnichts mehr tangieren; mein nichtswürdiges Herz beschäftigt sich mehr mit den Fliederknospen vor meinem Sprechzimmerfenster u ist erstaunt, immer noch einmal einen Frühling zu erleben, wenn es auch ein Berliner Frühling ist.
Was *Mäzen* angeht, so sind die von Ihnen angeführten Stigmata zusätzlich, Supplément. Sie sind ein luxuriöser Mäzen für mich gewesen, Ströme von Gaben haben Sie an mich gerichtet, ohne die ich vermutlich mich aufgegeben hätte, Sie sind die 3 Gebrüder Reinhardt aus Winterthur in einer Person .... „La Brioche" kenne ich leider nicht, was soll das heissen: Brioche? Hörnchen? – Ein neuer Jünger u. Anbeter ist aufgetaucht, 29jährig. Als er das erste Mal an der Tür klingelte, öffnete ich die Tür nur eine Spalte u. schlug ihm vor mich anzurufen. Das tat er. Kam dann eines Abends. Brachte eine grosse Flasche Schnaps mit, war nach 1 Stunde blau. Fasste immer nach mir u. wollte mich berühren, obschon meine Frau da war. Aber die grüne Chartreuse war gut, wir bissen auch ordentlich ab, u. da er nicht erwartete, ernstgenommen zu werden u ich das für meine Person ja auch in keiner Weise wünsche, amüsierten wir uns alle. Begabter junger Mann, berufslos, urteilsfähig, viel Beziehungen zu Verlägen, Zeitschriften, auch den Amis. Er verkündete mir, dass mein Durchbruch zu einer der grossen Erscheinungen des Jahrhunderts unmittelbar bevorstünde, er wüsste das. Dann stellte er die sonderbare Frage: „und wie werden Sie sich dann verhalten?" Ich beruhigte ihn; ich sagte, ich würde nicht vergessen, dass ich an meinem 60. Ge-

burtstag allein mit meinem Dienstmädchen in der Küche Mehlsuppe gegessen habe u. sie mich dabei über ihr neues Kostüm unterhalten habe, an dem der Rücken noch zu ändern sei. Eine meiner liebsten Erinnerungen. Das befriedigte ihn. –

Anbei ein Brief, dessen Absender Ihnen meines Wissens bekannt ist – mit was für Crapule ich Sie zusammen führe! Ein feiner reeller Mann kann sich mit Kunst garnicht einlassen, denke ich öfter, – natürlich auch keine produzieren, es bleibt Demimonde. Tausend Grüsse!

Immer Ihr G. B.

Nr. 365 14. IV 48

Lieber Herr Oelze, vielen Dank für den Brief vom 9. IV, der gestern ankam –, die Herkunft der Post ist also im Moment noch nicht wesentlich verzögert. Dank für die schöne Schilderung von „La Brioche". Der Vers des Altmeisters: „über Rosen lässt sich dichten, in die Äpfel muss man beissen" – trifft also doch nicht ganz zu, ein Hörnchen kann allen Rausch u. alle Poesie entfesseln u. übertragen.

Ihre Frage nach den Verhältnissen in Berlin lässt sich selbst von hier aus nicht beantworten. Eine völlig undurchsichtige, mysteriöse Lage. Die äusseren Ereignisse, Eingriffe, Schikanen sind so direkt u. so infantil, dass sie doch kaum die eigentlichen Tatsachen sein können – wenigstens nach unseren europäischen Begriffen nicht. Wenn aber etwas anderes dahintersteckte – warum marschieren die Östlichen dann nicht einfach los? In der Biologie giebt es den Begriff der *Sensibilisierung* d. h. der Leistungs- u. Abwehrsteigerung des Organismus durch kleinste Giftdosen – was hier geschieht, ist doch Sensibilisierung u. was in Bogota geschah, doch ebenso. Eine riesige allgemeine Reaction der Welt-

öffentlichkeit ist doch garnicht zu verkennen, die aber hinderte doch nun wieder die im Dunkel mit Gift arbeitende Hand u. widerspräche ihren Absichten. Also, was ist los? Dass U.SA. nicht unsertwillen hier bleibt, ist klar. Aber würde ihr Verlassen von Berlin nicht Persien, Türkei usw. äusserst stutzig machen u. zum Umkippen bringen? Und das würde es doch wohl nicht gerne sehn. Also meine ich persönlich, dass sie hierbleiben – bis zum Krieg. Andererseits ist gerade heute wieder eine so allgemeine Panik hier u. fluchtartiges Verlassen der Stadt (auch von ganz vernünftigen Leuten), dass doch wohl grosse Gefahr besteht, dass wir eines Morgens allein dastehn. Nun, mir ist es gleich. Ich kann nicht fort, aber jeder Brief an Sie kann der Letzte sein.
Hier nochmals Herr *Lüth*. Er hat mir inzwischen – sensibilisiert durch Ihre Bekanntschaft, wie ich annehme, – von seinem Limes Verlag ein neues Buch senden lassen: „Gedanke u. Dichtung", 136 Seiten. Soweit ich darin blätterte, nicht unbegabt, nur sehr standpunktlos. Ein „Wurstbuch", nämlich vollgestopft, – vollgestopft mit Namen u. Zitaten, aber kein eigener Gedanke. Soweit ich sehe, hat er auch mich mehrfach hineingestopft. Mehr interessiert mich, dass er aus Perleberg ist, – meine Heimats- resp. Geburtsgegend.
Das Buch von Stefan Zweig kenne ich nicht. Ich lese zur Zeit nicht viel. Gedanken habe ich alleine genug, mehr als ich verbrauchen kann u so mannigfaltige, dass kein Sinn mehr darin zu finden ist. Umso erfreulicher ist es für mich, dass Sie viel lesen u. ich durch Sie als meinen Orchideenfilter gelegentlich etwas auf mein Haupt geträufelt bekomme.

Nehmen Sie viele herzliche Grüsse.

Immer Ihr

G. B.

Nr. 366 20. IV 48.

Lieber Herr Oelze, gestern Nachmittag überfiel mich Herr Lüth u brachte Grüsse von Ihnen, er erzählte von Ihrem Zusammentreffen in Bremen. Ich nahm ihn also, aus Ihrer Richtung kommend, auf, u. er war kein unangenehmer Besuch, hat wenigstens gute Formen u. ist beweglich. Sehr aus mir herausgegangen bin ich natürlich nicht, meine 30jährige Erfahrung mit Literaten hat mich eine gewisse Vorsicht gelehrt. Er klappert offenbar die gesamte Literatur persönlich ab. Nicht-besucht-werden ist mir natürlich weit angenehmer; aber wenn man ein Geschäft hat, wo jeder in die Wohnung gelassen werden muss, der klingelt, ist man wehrlos gegen solche Jünglinge. Falls Sie sein Buch „Dichtung u. Gedanke" interessiert, teilen Sie es mir bitte mit, dann sende ich es Ihnen zu. Heute nur dies u. den anliegenden Zettel. – Dr. Claassen habe ich in diesen Tagen endlich auf seinen Brief vom Februar geantwortet. Herr L. nannte ihn eine dunkle Existenz mit sehr gewagten geschäftlichen Manieren u. fragwürdiger Vergangenheit. Nun, mir ist es gleich, ich habe ihn ja nie mit Ansprüchen oder Erwartungen überschüttet. Wenn ich an meinem, äusserlich ja immer etwas schwierigen Leben etwas segne, so ist es der Umstand, dass ich einen soliden Beruf erlernt habe, der mir die innere Freiheit mir zu erhalten, weitgehend ermöglichte.

Herzliche Grüsse Ihr

G. B

Nr. 367 2. V 48.

Lieber Herr Oelze, – eine Ihrer Chesterfields im Mund, Ihren Lyons Coffee in der Tasse, einen Strauss Rosen u. drei königliche Callas neben mir, also leichtsinnig u. üppig wie in

den jungen Jahren, beginne ich diesen auch noch von der Sonne beschienenen Tag. Im Herzen ein Gefühl tieferen Dankes gegen meine wenigen mir verbliebenen Genossen, ja Freunde, – gegen Sie u. meine nette Frau, die mir diese Herrlichkeiten schenkten. Haben Sie Dank, Verehrter, für Ihre Sendung u. die sie ausdrückende Freundschaft!
Umstehender Brief wird Ihnen hoffentlich eine angenehme Überraschung sein, wie sie es auch für mich war. Also wieder ein Schritt weiter. Ganz klar ist mir die Lage nicht, z. B. ob die Militär-Regierung diesen Verlag bestimmt oder ob es eine Geschäftsbeziehung von Herrn Schifferli ist, – aber das ist ja auch nicht wichtig.
Dagegen bestürzt mich, dass Herr Hürsch offenbar verloren gegangen ist u. mit ihm die Manuscripte: er fuhr am 24. III. mit Auto hier ab, wollte am 26 III. bei Schifferli sein – wo ist er geblieben? Verunglückt, verhaftet, verschollen.? Also eine Panne für mich, – ich hoffte, dass Schifferli die Arbeiten bald sähe u. in das Verlags- u. Zukunftsbild unserer Beziehungen einkalkulierte. Nun, ich werde ja bald Näheres hören; dumm, dass man nicht telegrafieren u. telefonieren kann.
Heute nur dies, meinen Dankesgruss an Sie, auch von meiner Frau. Bitte erlauben Sie mir, auch an Ihre Gattin Dank u. Grüsse zu richten. Ihr

G. B.

Nr. 368 7. V. 48.

Lieber Herr Oelze, in der Anlage erlaube ich mir Ihnen zwei Briefe an mich zu senden, in deren jedem Ihr Name vorkommt. Herrn Lüth habe ich sehr freundlich geantwortet. Was sagen Sie zu seinem Vorschlag? Dieser junge Mann, was er sich Alles herausnimmt – Ihnen gegenüber! Ich wäre

natürlich hingerissen davon, wenngleich ich mir praktisch die Idee nicht recht vorstellen kann. Wenn Sie mir gelegentlich die Schreiben wiedergäben, wäre es nett von Ihnen.
Aus der Schweiz keine neue Nachricht, auch von diesem unmöglichen Hürsch nicht. Aber meine Tochter, die mich am 2. V. aus Koph. anrief, erzählte, er habe ihr aus der Schweiz Cigaretten geschickt. Also angekommen ist er.
Ich denke oft an Sie. – Morgen verheirate ich Herrn Maraun mit einer Dame, von der er 2 vierjährige Zwillinge hat, eine Chefredaktörin einer hiesigen Damenzeitschrift.
Herzliche Grüsse, gute Tage! Ihr

G. B.

Nr. 369 13 V 48.

Lieber Herr Oelze,
Vielen Dank für den Brief vom 7. V. mit Brief von Lüth, der anbei zurückgeht, u. „Merkur"beilage. Interessant. Dann beifolgend neuer Brief von Lüth u. neuer Angriff auf ihn aus dem „Kurier", der französ. lizenzierten Berliner Zeitung, die sonst eigentlich das beste Niveau von allen diesen Gazetten hier hat. Allmählich etwas viel Lüth. Aber er wird mir durch die Anpöbeleien nur sympathischer. Ich finde, fremde kluge Gedanken weitergeben u. weiterverwenden besser als eigene thörichte zu produzieren, wie es das Feuilletonisten-Geschmeiss im Allgemeinen macht. Wir schreiben doch alle irgendwann u. in irgendeiner Weise ab, u. Pannen erlebt jeder in seiner Tätigkeit. *Sich irren u doch sich weiter Glauben schenken müssen –: das ist der Mensch.* Vor allem ist es so lächerlich, so zu tun, als ob hinter literarischen Arbeiten, Kritik oder Feuilletons eine lautere objective Wahrheit stünde, zu der alle streben u. der sie alle dienen –: jeder weiss, dass es sich in diesem Milieu um reine Prostitution

handelt u. zwar eine unreglementierte, der gegenüber Tripper behandeln, wie ich beispielsweise tue, ein geradezu jungfräuliches Gewerbe darstellt. Dies zum Thema u zur Person von Herrn Rilla. Was nun wieder Herr Döblin gegen mich losgelassen hat, habe ich noch nicht eruiert, aber es wird mich wohl auch nicht umwerfen.

Übrigens so schofel u. jahrmarktähnlich wie Herr L. in seinem Brief an Sie unser Milieu hier in der Bozener Str. 20 pt. darstellt, ist es doch nicht. Ich gebe zu, dass ich mein Leben u. meine Wohnung nicht auf Bucharateppichen u. Kerzenbeleuchtung einstellen u. zelebrieren kann, aber wir versuchen doch, uns gesittet zu verhalten. Das Hinterzimmer ist natürlich schlimm u. meine Frau will durchaus in eine andere grössere Wohnung ziehn, aber für die Unterhosen im Hof können wir nichts. Ich persönlich bin ja völlig unabhängig von solchen Exterieuren u. liebe Parterre- u. Dunkelheitsräume.

Nun zum Thema Durchbruch u. Ruhm: erwarten wir beide, Sie und ich, nicht zuviel davon! Ich bleibe äusserst skeptisch, u. was die Schweiz angeht, interessiert mich in dieser Richtung die Bemerkung von Herrn v. Brentano. Sie wird zutreffen. Überhaupt, alle die Bestrebungen, wieder zu Wort zu kommen, um, wenn es dann soweit ist, dann erst die Schläge der Kritik nach der literarischen u. intellectuellen Seite hin über sich ergehn zu lassen, die Anpöbeleien, die Denunziationen usw, – eigentlich ein unsinniges Unterfangen das Ganze. –

Ich muss die grosse Bitte an Sie richten, mir „N. d. N." noch zu lassen. Ich besitze kein Exemplar u. weiss auch niemanden, der eines hätte. Hatte ich übrigens nicht Dr. Claassen ein Exemplar seiner Zeit gesandt? Eines von hier aus, – nicht Ihres? Mir ist so, als ob das geschehen wäre. Was nun Dr. Cl. angeht, so habe ich dem Arche Verlag nur die deutschen Rechte für diesen einen Gedichtband „Statische Gedichte" überlassen. Selbstverständlich liegt ein regulärer

Vertrag vor, ein Exemplar ist bei mir, ich werde mir erlauben, Ihnen eine Abschrift zuzusenden. Dass für den Nymphenburger Verlag ein neuer Vertrag gemacht werden soll, wie Schifferli schrieb, überraschte mich, da ja im ersten Vertrag das Recht für Deutschland ihm schon von mir übertragen war. Ich muss die Ankunft von Hürsch abwarten, der mir aus Baden-Baden seine Rückkehr anzeigte, um zu hören, was eigentlich bei Schifferli los ist. Natürlich wäre ein Deutscher Verlag wohl wirkungsvoller, aber der Sperling in der Hand –, u. Dr. Cl. wird für mich ebensowenig Devisen auszugeben bereit u in der Lage sein, wie er nicht geneigt war, mit mir einen Vorvertrag zu machen. Aber ich lasse die Dinge treiben. Die D. V. A. Stuttgart tritt neuerdings auch wieder als Interessent bei mir auf, aber auch hier verhalte ich mich passiv.

Ein pikantes Intermezzo ist, dass Ina Seidel, die mir 1936 einen wahren Eselstritt versetzte, obschon unsere Beziehungen eine so intime Äusserung garnicht rechtfertigten oder nötig machten, (Anlass: „Schwarzes Korps"), sich plötzlich einstellt u. brieflich „Vergessen der Missverständnisse, verursacht durch die Krampfzustände der tötlichen Jahre" erbittet. Ich habe sehr höflich, aber sehr verschlossen geantwortet. Sie ist keine üble Person, aber ich mag nicht mehr.

Zu Pfingsten meine Grüsse an Sie. Sie wirkten „wie ein grosser Verleger", sagte Herr Lüth! Vielleicht liegt da Ihre Zukunft? Dieser L. ist ein begabter u. beweglicher Bursche, ich schrieb ihm: „jenseits von Sieg u. Niederlage beginnt der Ruhm".

Dank für Alles!

Immer Ihr

G. B.

Lieber Herr Oelze, Ihr Geburtstagsbrief ist inzwischen eingetroffen. Herzlichen Dank. Vermutlich hatte ein Ortskommandant irgendwo an dem Postwagen etwas Verdächtiges bemerkt u ihn für eine Weile abgestellt. – Auch für Ihren Brief vom 14. d. Ms. meinen Dank mit den Rückeinlagen.
Zum Thema Hürsch: er traf ein u. es ergab sich Folgendes. Zu Hause angelangt, öffnete er den verschlossenen Brief mit den Manuscripten an Herrn Schifferli, las Alles, schrieb Alles ab, verteilte es an seine Freunde u. konnte sich erst nach 3 Wochen von dem trennen. Grund: Hingerissenheit u. Erregung über die Sachen, namentlich „Phänotyp". Was soll man dazu sagen? Er sitzt im Stuhl u. schaut mich schuldbewusst an u. ist so stumpfsinnig, dass man ihm kaum grollen kann. Jedenfalls sind die Ms. Ende April bei Schifferli gelandet. Inzwischen erhielt ich Korrektur von „Stat. Gedichte" u. sandte sie zurück. Nicht mein Fall. Halte nichts davon. On verra. Nur eine Art Anstand gegen mich u. meine Existenz hält mich davon ab, sie zu kassieren. Sie beugen sich über Stellen u. Flecke von Abspannung u Trauer meines Lebens u das will ich nicht verleugnen. Gehalten an die Prosa des entschieden potenteren u. störrigen neueren Prosagehirn fallen sie als Produktion ab.
Zum *Thema Lüth:* er sandte die neueste Nr. des „Bogen". Sehr mässig! 3. Klasse! Alles reproduktiv u. sogar anmassend. Nur eine Seite Reclame darin erregte mein Nachdenken. Ich bitte sehr: kein Wort von den unveröffentlichten Sachen an ihn.
Zum *Thema Claassen:* gestern Abend rief eine mir unbekannte Dame an, die aus Wiesbaden zurückkam u. teilte mir namens Herrn von Brentano mit, dass Cl. u. Gov. jetzt mein Oeuvre herausbrächte. Mir etwas unverständlich, da ich v. Brent. seit etwa 18 Jahren nicht mehr sah u. sprach. Of-

fenbar ist bei Lüth u. Umgebung jetzt centrale Autoren- u. Lizenzbörse.
Zum *Thema „Durchbruch“:* Pfingstsonntag kam ein 29jähriger Amerikanischer Schriftsteller (wohl Franzose, namens Bosquet); gut deutsch sprechend (also wohl Emigrant), hüftwiegend u. dicklich (also wohl homoerotisch) u. besuchte mich. Er ist in zentraler literarischer Stellung hier bei der Mil. Reg. der U.S.A. Wir unterhielten uns, da ich guter Laune war, brillant, internationaler Stil. Herr Hürsch war auch da, konnte aber nicht recht mit. Ich träufte aus meiner Altersweisheit einige Brocken: „streichen Sie aus Ihren Arbeiten alle Adjective“ –, „keine Farbbezeichnungen in Lyrik (purpurn, opalen, fliederfarben)“, – „Faschismus – Antifaschismus – je m'en fou“ –, „setzen Sie auf meinen Grabstein: der Liebhaber der Substantive“ – usw. Er war offenbar sehr angetan vor soviel Technischem u. Weltanschauungslosem u. lud mich dringend zu grösserem Kreis zu sich ein (was ich jedoch nicht tun werde). Was er bei mir wollte, weiss ich nicht.
Zum *Thema Uno:* nachdem der Krieg nun glücklich ausgebrochen, konnte sich der betr. Ausschuss in seiner letzten Sitzung nicht über die Form des *Fragebogens* einigen, der an die Kriegführenden versendet werden soll.
und schliesslich: Herr von Ascot würde sagen, wie wahr u. folgerichtig, dass Herr v. U., dieser notorische Schwätzer u. Blubberer, die Rede in der Paulskirche hielt u. die Hohlheit u. Leere seiner Worte noch durch eine zehnminütliche Ohnmacht unterstrich –, u wie wahr u. folgerichtig wird es sein, wenn diese Rede dann bei Herrn RoRoRo in Hamburg im Druck erscheinen würde . . . . .

Und damit Schluss u.
herzliche Grüsse
von Ihrem
G. B.

Nr. 371 4. VI 48.

Lieber Herr Oelze,
Dank für Zeitungsausschnitt („Welt") – Autor: Sanden mir unbekannt, er meint mich wohl auch garnicht – oder ist es vielleicht ein Pseudonym von unserm Meister Lüth? Er schrieb schon wieder mehrmals. Er zeigt immer mehr die Züge eines geistigen Hochstaplers, eines Marvelli der Literatur und das ist gut, denn in diesem korrupten Milieu kann man sich nur so bewegen. Zu diesem Thema: ein Herr *Seelig* aus Zürich (Herausgeber der Heym-Biographie im „Arche-Verlag") schreibt an mich wegen eines Beitrags zu einer neuen Anthologie u. schreibt: „Ihr Name im Arche-Verlag? Unbegreiflich! Dieser rein katholische Verlag kann Sie nicht starten." Herr von Brentano schreibt: „Sie in der Schweiz? Unmöglich in dieser engen muckerischen Welt – allerdings den grössten Hetzer, Herrn *Seelig*, haben Sie offenbar gewonnen ...". Herr Lüth nun schreibt wieder gegen v. Brentano, der aber bei ihm aus u eingeht. – Also: eine schmierige Welt, charakterlos, nur mit Brechstange zu betreten.
Dann Dank für Ihren Brief vom 23 V. Vor einigen Wochen schrieb ich an Sie etwas betr. die allgemeine Lage u. sagte: sie werden Kippe machen –: sieht nicht Manches (Botschafter Smith's Auftrag in Moskau, Reise von Frau Clay nach Moskau) doch danach aus? Warten wir ab. Eines Tages wird Berlin gegen freie Durchfahrt durch Gibraltar u. London gegen Indonesien kompensiert; Berlin kann mit eingleisigen Bahnen u. 6 Personenzügen am Tag als Industriezentrum doch nicht gehalten werden, dies 10 Jahre durchgeführt u es ist versteppt.
Ich erlaube mir eine Frage: Kommt Ihnen folgender Satz bekannt vor: „wenn die alten Adler ihre grauen Köpfe träumerisch zwischen die Flügel stecken, müssen die Fledermäuse das Leben durch die Nacht tragen": ist das von mir? Ein Unbekannter aus Düsseldorf zitiert das in einem Brief aus

Düsseldorf an mich, – ich kann nicht darauf kommen, ob oder wo ich es schrieb. Wissen Sie es zufällig? Entschuldigen Sie die dummdreiste Frage.
Wie geht es Ihnen, wie verläuft bei Ihnen dieser wenig ansprechende Sommer? Mir ist er zu kühl. Können Sie auf Ihrer Terrasse sitzen? Haben Sie Verreisungspläne? Ein Autobus fährt angeblich von Berlin nach Bremen – eine Verlockung, aber sicher ist er nur für Bonzen u. Hochgestellte des Magistratslebens zugängig. Schon ein Interzonenpass ist hier kaum erhältlich. Wir werden nicht verreisen u. die Bitterkeit der Ruinen u. der kleinen Staubgärten auf unseren kurzen Spaziergängen schmecken.
Die anliegende Notiz wollte ich Ihnen nicht vorenthalten.

Herzliche Grüsse
Ihr
G. Be.

Nr. 372 15 VI 48.

Lieber Herr Oelze, Dank für Brief vom 9. VI. Dass meine letzten Briefe bei Ihnen ankamen, freut mich. Man las ja in den Zeitungen, dass wieder einige Postzüge an der Zonengrenze „abgestellt" waren, – sofern man diesen westlichen Propagandanotizen Glauben schenken kann, was mir allmählich auch zweifelhaft wird.
Dank für den Gruss von Willy Haas. Ist ja nett von ihm. Als ich las, dass er jetzt in Hbg. wirkt, ahnte mir zunächst nichts Gutes – tschechischer Israelit, mit dem ich allerdings bis 33 ganz gut stand. Auch der Name Italiaander kommt mir bekannt vor. Ich erwidere also diesen Gruss ehrerbietigst. –
Sie fragten kürzlich nach Herrn von Brentano. Man las vor einigen Monaten viel über ihn: er war von 1933 an in der Schweiz, gehörte hier zur Gruppe Bronnen, Brecht, war Kor-

respondent der „Frankfurter Ztg“ usw. u. nun in der Schweiz war er jetzt von einem anderen Literaten Schweizer Nationalität als „Naziagent“ bezeichnet worden. Beleidigungsprocess in Zürich. Grosser Aufmarsch von Zeugen, sehr bekannten, für u. gegen u. der Erfolg, der Beleidiger wurde zu 10 frs. Strafe wegen *formaler* Beleidigung verurteilt, also sachlich freigesprochen. v B. war früher in der Bellealliancestr. öfter bei mir, immer mit recht ansehnlichen u. gepflegten Freundinnen, denen ich aerztlich mehrfach behilflich war. Daher seine gute Erinnerung an mich. Produktiv ist nicht viel mit ihm los. Immerhin hat er mir jetzt ein Drama „Phädra“ – auch im Limes-Verlag – zugeschickt, das nicht uneben ist. –

Inzwischen ist von Schifferli ein langer, handschriftlicher Brief bei mir angelangt, kaum lesbar, eine unmögliche Schrift. Inhaltlich etwas beklommen, bewundernd u. ängstlich. Durchaus das, was ich erwartet hatte. Ich sehe nicht klar, was eigentlich der Verlag beabsichtigt. Mich nützt es ja nichts, dass sich Gottweiss was für Leute für mich interessieren u. den Gedichtband brennend erwarten, das alles habe ich genug vernommen, – ich erwarte, dass er *erscheint*. Nicht weil ich mir viel davon verspräche oder meinem nicht mehr vorhandenen Ehrgeiz fröhnen möchte, sondern aus Ordnungssinn u. Korrektheit. Wann das aber sein wird, darüber spricht er sich nicht aus. Herr Hürsch ist heute schon wieder mit 2 Autos u. einer Gräfin, in die er verknallt ist, nach Zürich abgebraust, aber ich bediene mich seiner Vermittlung nicht mehr. Ich lasse Alles treiben. Ich komme mir vor wie jemand, der seinen Fuss zwischen eine Tür gestellt u. geklemmt hat, aber die Tür geht nicht auf. Der Raum, in den sie führt, ist ja schliesslich auch imaginär u. langweilig u. von anderen besetzt. Die deutsche, die abendländische Öffentlichkeit ist doch nur noch eine Latrine, auf der die politisch Privilegierten publizistisch unter sich lassen. Der Raum ist eng u. sein Aroma ist schlecht. Das Abendland geht ja

garnicht an Totalitarismus u. S.S. zu Grunde, auch nicht an materieller Verarmung und den Gottwalds u. Molotows, sondern an dem hündischen Kriechen seiner Intelligenz vor den politischen Begriffen. Das ist das Versagen, seine Schwäche, seine Schuld. Dies deckt sich mit dem, was Sie im letzten Brief schreiben. Es ist völlig vergeblich, das zu verkennen, aber es ist auch völlig vergeblich, das zu bekämpfen. Es soll nicht sein. Sich dies ohne Bitterkeit einzugestehn, sich trotzdem für sich allein eine gewisse begrenzte Höhe innerer Art und gedanklichen Ausdrucks zu erkämpfen – für niemanden u. nichts, weder für Zukunft noch für irgendeinen Erben – dies ist das täglich neu zu haltende Gesetz der Einzelnen, die das Andere nicht können, dieser Versunkenen, dieser Fakire u. Schlangenbeschwörer in ihrem eigenen Natternest.
Ich zog kürzlich aus meiner Bibliothek einen mir wenig bekannten Band über *Eckermann* heraus, las darin u. sah in dieser Beleuchtung von Neuem den unfasslichen grandiosen rätselhaften kalten G. Es giebt ja keine Bemerkung über ihn, die nicht erregend wäre. Ein Satz hat mich ganz frappiert. E. kommt 1830 nach Weimar zurück, nachdem August v. G. in Italien umgekommen war, der Alte hing ja unendlich an ihm. E. in seiner Treuherzigkeit erwartet, einen gebrochenen alten Greis zu finden, aber er tritt ihm heiter u. gefasst entgegen, E. ist betroffen u. nun kommt der Satz: *„denn wir dachten, er empfände wie wir“* .. Aber im Gegenteil, „wir sprachen sogleich von gescheidten Dingen, er zeigte mir zwey angefangene Briefe u.s.w..“ Wobei noch besonders bemerkenswert ist, dass E. den Sohn ja nach Italien begleitet hatte, also der Letzte war, der ihn gesehn hatte. Aber: „seines Sohnes ward mit keiner Silbe gedacht..“

Entschieden seltsam, nicht?

Herzlichen Gruss Ihr G. B.

Nr. 373 21. VI 48.

Lieber Herr Oelze, heute kostet der Brief noch 24 Pf, ich benutze die Gelegenheit, um Ihnen zu sagen, dass ich nicht erwarte, Sie könnten von den Ihnen durch die weise Anordnung zugebilligten M. 40 im Monat noch weiteres Porto für unsere Korrespondenz ausgeben. Auch ich werde es kaum können, ganz abgesehen davon, dass wohl die Postzüge ebensowenig noch weitergehen werden wie die Personen- u. Güterzüge. Das Klirren des Eisernen Vorhangs durchzieht diesen kühlen Junitag der Sommersonnenwende, u. ich bin von Interesse erfüllt, mit welcher moralischen Publizistik die Westgruppe die Übereignung Berlins an die Steppenwährung begründen wird.
Zum Schluss noch einen Gruss aus Ihrer alten Alma mater.
Da mir Herr Schifferli wieder einen schönen Brief geschrieben hat mit der Mitteilung u. a., dass er den Goetheaufsatz in Hinblick auf das Goethejahr verlegen möchte (u. überhaupt „Phänotyp" u. „Ptolemäer" in mehreren Sprachen drucken möchte u. der Gedichtband für Österreich lizenziert im nächsten Frühjahr dort erscheinen solle, ... aber technische u „mautmässige" Schwierigkeiten noch zu überwinden seien .... [maut ist wohl Zoll?]) – also in Anbetracht dessen werde ich wohl dem Kieler nichts schicken, da er ja doch vermutlich nur abschreiben will.
Lieber Herr Oelze, meine Stimmung ist nicht die beste, obschon mir natürlich das Finanzielle auch wiederum völlig gleichgiltig ist –, aber ich gedenke Ihrer noch mehr als sonst, denn Sie werden stärker von Allem betroffen werden als ich. Das Leben, das hinter uns liegt, ist ja wirklich unausdrückbar, unerfassbar mit Worten u. Gedanken, nacktes Chaos, Ausguss einer inferioren Küchenorganisation, Ausfluss.

Tausend Grüsse Ihr

G B.

Nr. 374 Berlin 3. VII 48.

Lieber Herr Oelze, Ihr Telegramm vom 2. VII u. Ihre beiden Briefe kamen zusammen heute an, nehmen Sie meinen herzlichsten Dank für Ihre Teilnahme, Ihre Gedanken nach hier und Ihre hohen Unkosten, die Ihnen Ihre Beziehung in die Bozenerstrasse bereiten. Ich habe in der Melancholie dieser Tage natürlich immer besonders traurig empfunden, dass nun auch unsere schriftliche Kommunikation behindert ist u. das Letzte an freundlicher Vergangenheit u. Gegenwart für mich zu Ende sein könnte. Ein Vivat also auf Herrn Clay, der die Flugbeförderung der Post uns zugestanden hat. Trotzdem kann wohl jeder Brief jetzt der Letzte sein, denn innerhalb von 2 Wochen wird doch wohl die Entscheidung fallen darüber, was aus uns wird.

Von Innen, von Berlin aus, sieht die Sache natürlich doch verhältnismässig nicht so dramatisch aus. Wenn man, wie ich, seit Langem nur im Bereich weniger Strassenzüge lebt, nicht unmittelbar an den Ostsector grenzt, nie ihn betritt, lebt man ziemlich unverändert weiter; das Einzige ist, dass der Schwarzhandel, von dem man lebte, völlig eingeschlafen ist u. soweit vorhanden, seine Preise relativ höher liegen als vorher, also zunächst unerschwinglich ist. Immerhin hat Berlin durch seine Situation eine günstigere Position in Bezug auf die Währungsreform gehabt: in den ersten 2 Tagen konnte im Ostsector, wo es drunter u. drüber ging, ziemlich mühelos altes Geld gegen Ostgeld 1:1, später auch noch 1:10 getauscht werden. Wer clever genug war, zur Stelle zu sein, konnte einige Tausender Ostgeld nach Hause bringen. Davon fliesst nun bereits einiges in Nebenströmungen hier herum u. macht die Lage etwas flüssiger. Echtes Berlin! Sein Shanghaicharakter u. seine Charbinzukunft kündigt sich an. Trotzdem ist es recht schwierig, denn Geldabnehmen ist Wegelagerei u. meinen Patienten gegenüber bringe ich es vorläufig nicht recht fertig. Aber es berührt mich Alles nicht

mehr sehr. Die Zukunft ist wohl klar: 1) es giebt einen *Weststaat* einschl. West Berlin mit Korridor, zweigleisiger Bahn u. Autostrasse nach dem Westen – und einen *Ost*staat einschl. der russischen Sectoren von Berlin. Also 2 Länder, verzahnt in Berlin, eine tragbare Lösung, dort Wodka u. Kaviar, hier Pampelmusen u. Stepp. Wird eine interessante Stadt werden. Oder: 2) es giebt Krieg, u ich vermute, dass die 400 Flugzeuge u. Skymaster etwas anderes herbringen als Schmalz u. Kartoffelsalat. Ich persönlich glaube an das Letztere, USA soll ihn *wollen*.
Nun zu Schifferli. Ich habe mich wohl falsch ausgedrückt. Vielleicht giebt auch meine innere Gleichgiltigkeit meiner Schilderung eine negative Nüance. Nein, der Gedichtband ist schon im Umbruch u. eine Licenz für Österreich für das nächste Frühjahr liegt nach dem letzten Brief von Sch. auch schon vor. Ferner will er den *Goetheaufsatz* im Hinblick auf das nächste Jahr herausbringen u. *Phänotyp* u. *Ptolemäer*, sobald er kann. Aber alle diese Zukunftsschalmeien ennuyieren mich u ich antworte garnicht mehr. Man soll sich mit so jungen Leuten überhaupt nicht einlassen.
Heute, lieber Herr Oelze, nur dieses mühselige Lebenszeichen. Ein Brief von mir mit einer Einlage aus Kiel ist noch zu Ihnen auf dem Weg, etwa vom 23 VI.
Dank u. Grüsse, auch an Ihre verehrte Gattin.

Immer Ihr
Benn

Nr. 375 8 VII 48.

Lieber Herr Oelze, da ich noch Strom habe (mein Haus ist zufällig angeschlossen an das Kabel vom Rundfunk im A. Sector, genannt: Rias); u da das Thermometer noch nicht unter 0° ist u. die Finger noch nicht steif; und die Sprengungen in der Nachbarstrasse tatsächlich nur die geplanten

Trümmerhäuser umlegen nicht auch die heilgebliebenen der Umgegend; u da der unaufhörliche Regen zwar unerträglich ist, aber immer noch nicht zum unmittelbaren Selbstmord treibt; da wir zwar allmählich Hunger leiden, aber die Feder noch von der Hand gehalten werden kann, – einen neuen Gruss aus dem Thermopylae 1948 –, nur dass der Sieg dieser Griechen mir unwahrscheinlich erscheint.
Meine Tochter, die mich gestern Abend anrief, antwortete auf meine Frage, dass man doch *nicht* an sofortigen Krieg glaube. Dasselbe meint Herr Hürsch, der unbegreiflicherweise vor einigen Tagen hier wieder aufkreuzte – mit Hilfe eines französischen Flugzeugs, auf das er in Baden-Baden allerdings 8 Tage warten musste, ehe ihn eines mitnahm. Auch in Zürich meint man, die Russen gäben nach. Demgegenüber ist hier seit 4-5 Tagen die Spannung sehr gestiegen. Die finanziellen Doppelwährungsverhältnisse sind ebenso unmöglich wie die ernährungsmässigen oder gar die Stromlage. Man hat das Gefühl, das kann nur wenige Tage dauern, dann ist der Sturm da. Revolutionäre Ereignisse scheinen mir nicht völlig ausgeschlossen. Die S.P.D. hat mit Franz Neumann u. Madame Schröder meine volle Sympathie, aber sie wird daran auch nichts ändern können.
Sie haben meines Wissens in Ihrem Leben keine Begegnung mit russ. Soldaten u Behörden gehabt u nie den Eindruck dieser mephitischen Dschungelluft, das Unheimliche dieses Phänomens empfunden, das jeden Einzelnen, absolut *jeden*, umweht. Ich habe sie im Mai 45 zu spüren bekommen, war 1 Tag von der G.PU mitgenommen, dann quartierte sie sich 2 Tage mit Maschinenpistolen hier bei mir ein u. vernahm mich u. liess mich Tische u Stühle schleppen – u. allein, weil meine Wohnung – absichtlich von mir so gelassen – völlig verkommen u. verjaucht war (das ganze Haus hatte die letzte Woche bei mir kampiert), zog sie dann wieder ab. Die Eindrücke dieser Tage sind unauslöschlich u. ein zweites Mal hätte ich keine Lust es zu erleben.

Bis dahin lese ich noch Einiges, aber eigentlich ertrage ich nur Shakespeare u. Goethe. „Also sprach Zarathustra“ rührte mich zu Tränen: welche Pathetik, welche sprachliche Undichte, welche menschliche Qual, welch ungeheurer innerer Kampf um heute so vergangene Dinge. Für wen u. für was litt er so, bäumte er sich so auf, starb er, starb täglich hundert qualvolle Tode, unbekannt, völlig verlassen, arm, lächerlich für die Gegner, peinlich für die wenigen Freunde u. doch der grösste Mann dieses elenden Abendlandes. Ein furchtbares Phänomen.
A propos Eckermann. Dass Sie besser über ihn Bescheid wussten als ich, war klar. Dann kennen Sie sicher auch seine eigenverfasste Lebensgeschichte gelegentlich irgendeiner seiner vielen Bewerbungen um irgend einen erbärmlichen Posten: darin die Schilderung seiner Kindheit: sowas Rührendes kann ich mich nicht erinnern jemals in der Deutschen Literatur irgendwo gelesen zu haben. Das Buch, aus dem ich es habe, ist von H. H. *Houben:* J. P. Eckermann. Haesselverlag, Leipzig 1925; darin S. 8 u ff. Und dann griff ich zu dem einzigen Band von *Ihm* (den ganzen Goethe habe ich in Landsberg lassen müssen, einschl. der von Ihnen geschenkten Lederbände der Naturwiss. Schriften, geschenkt zu meinem 50. Geburtstag.) –, einem alten Gedichtband aus dem Jahre 1867, so klein gedruckt, dass ich ihn schwierig lesen kann, meine Brille ist überholt u. ich kann keine neuen schärferen Gläser bekommen. Also, ich las einige Gedichte, die mir unbekannt waren z. B. „Auf Miedings Tod“ u. „Die Geheimnisse“. Erschlagen war ich von Neuem von soviel Biederkeit, Behäbigkeit, Umsicht, Einfalt, diesem *sich so natürlich entfaltenden Pomp*, vor dem alles, was sonst geschrieben hat u schreibt, wie fliegende Fische wirkt, die einen Augenblick in den Aether auftauchen, um sofort wieder in das dunkle amorphe Meer zu versinken.
„Dann hat er uns bescheidentlich verschwiegen,
wie er als Kind die Otter überwand . .“

lesen Sie diese Strophe, was ist da Alles drin: der Abt, seine Schwester, seine Mutter, die Amme, die Otter u Alles in einander verschlungen, in affektive Beziehungen gebracht – u. dann liegen gelassen, Eine Episode, weiter zur nächsten Strophe, die ebenso grossartig u. einfältig ist, sich selber trägt u. doch das Ganze fortführt u. bildet. Welche *rücksichtsvolle* Grösse, denke ich immer wieder! Alle übrigen Künstler wollen zeigen, wer sie sind u. was sie können u. sie dürfen das ruhig tun, denn ihr Rang u. ihre Qualität erschlägt niemanden u. raubt keinem den Atem – *diese* Grösse aber wäre tötlich, andern voll gezeigt u. ins Gesicht gehalten, sie musste sich dämpfen, sie brachte dies Opfer aus Humanität. –

Und so vergehen die Tage, lieber Herr Oelze. Jeder Tag u. jeder Brief könnte der Letzte sein. Ihr

G. B.

Nr. 376 22 VII 48.

Lieber Herr Oelze, tausend Dank für Brief vom 10 VII., gepostet am 12. VII., eingetroffen am 17. VII. Natürlich müssen Sie wieder einsteigen. Sie werden sogar eingestiegen werden. Es soll doch im Westen Alles gut stehn, Konjunctur beginnen, grosse Industrieaufträge laufen, die Angestellten haben reichlich Geld und ein Fahrrad, funkelnagelneu, kostet 60. M, – erzählen meine Patienten. Sie werden reich u. glücklich werden; Sie wissen ja, dass es zu meinen Ansichten gehört, dass der Kapitalismus erst beginnt u. er sich sogar leisten kann, den Sozialismus, oder was sich so nennt, ganz gemütlich sein Wesen treiben zu lassen. Über ein kleines – und Alles ist wieder gut. Oder sind Sie nicht der Meinung?

Ihr Zuzug auf den Bayerischen Platz wäre ja entzückend,

aber er würde Sie enttäuschen, er besteht nur noch aus Trümmern, Lucca wird doch wohl das Richtigere sein.
Ich lockte zu früh froh, die Stromsperren haben auch uns ergriffen u. von mittags 12 an bis zum nächsten Morgen um 9 sind wir im Dunkel. Hören Sie eigentlich Radio? Und lesen Sie regelmässig eine Berliner Zeitung?
Anbei ein Briefwechsel mit „Merkur". Meine Antwort ist vielleicht zu schwer u. wichtig, aber die Erwähnung von den Namen Curtius, v. Kempski u – hélas – Moras (Herausgeber der „Europäischen Revue" von 1933-1945) veranlassten mich, meine Ablehnung zu begründen. Nicht ganz unbekümmert lehne ich ab. Meine Intransigenz ist wohl auch unproduktiv, aber sie entspricht so sehr meiner Natur, dass ich ihr folgen muss. Auch mit Schifferli habe ich Ärger. Das Gedicht „Gewisse Lebensabende" will er in den Band nicht bringen wegen „*technischer* Schwierigkeiten" (wie die Russen!) – ich kann von hier aus wenig dagegen machen. Wenn ich noch wäre wie früher, wenn es noch wäre wie früher, würde ich telegrafisch das ganze Buch stoppen, aber so werde ich es treiben lassen müssen, interessiere mich aber für die Sache nicht mehr u. werde den Band niemandem aushändigen. Auch für das Weitere werde ich Herrn Schifferli nicht mehr in Betracht ziehn.
Dann war noch ein Jüngling bei mir, Vertreter des Bühler-Verlages in Baden-Baden, um zu hören, „ob ich für den Verlag etwas hätte". Ein 26jähriger geschniegelter Junge, dem General Ganeval, Kommandant hier im französ. Sector, in Frohnau eine herrliche Villa zur Verfügung gestellt hat, wo er mit Weib u Kind wohnt, weil er, der Jüngling, ein Buch über André Gide verfasst hat, also der französ. Kulturpropaganda Vorschub leistet. So einfach ist das heute, zu was zu kommen u. bequem zu leben. Ich fragte ihn, was er denn hier eigentlich betriebe, sein Verlag wäre doch hier nicht so en vogue; er antwortete, er wäre dabei, die geistigen Strömungen hier zu sammeln, sie kämen öfter zu einander u.

wollten „*das Gespräch*“ wieder *pflegen*, die Aussprache: Von dieser Art Jünglingen sind mir nun in den letzten Monaten einige hier durch die Hände gegangen, ein seltsames Geschlecht, – ob wir auch, als wir 20 waren, so leer u. selbstbewusst waren, so geschniegelt u. behaglich, reine Spiessbürger, von Krise u. Katastrophe u. Untergang keine Spur, harmlose glatte Gehirne, die überhaupt nichts Selbständiges denken – Hermann Hesse ist ihr Idol u. Vorbild, ich werde in Zukunft keinen mehr vorlassen, denn im Grunde sind sie frech u. herablassend u. anspruchsvoll.
Mir steht die ganze Literatur überhaupt wieder mal bis zum Halse. Meine Frau redet mir zwar immer gut zu, nett zu sein u. nicht so abgeschlossen, mich mehr freihen u. aufnehmen zu lassen, aber meine inneren Widerstände sind unüberwindlich.
Und Berlin?? Die Russen sind raffinierter als man vermutete u. nehmen den Westlichen doch manchen Wind aus den Segeln, deren europäischer Teil reichlich schwach u. deren aussereuropäischer Teil reichlich plumb wirkt
Bitte schreiben Sie mir doch mal Ihre Telefonnummer, man darf ja jetzt interzonal fernsprechen, fürchten Sie aber nicht, dass ich Sie nachts oder überhaupt stören werde, nur für alle Fälle.

Herzliche Grüsse

Ihr

G. B.

Wie Recht haben Sie zu sagen, der Process ist Alles, die Resultate sind nichts. Aber selbst der Process – verträgt er ein genaues Augenmerk –? ich weiss es nicht.., ich weiss es nicht...

Lieber Herr Oelze, – erlauben Sie, dass ich Ihnen die Situation schildere, – es ist die Situation aus einem Märchen, Aschenbrödel u. der Prinz.
Am Sonnabend Nachmittag um 3 Uhr stand ich einsam in meiner Wohnung. Meine Frau war in einen anderen Stadtteil gefahren, um ihren alten u. gänzlich unvermögenden Eltern etwas Brod von uns zu bringen. Die Hausangestellte von mir, der es weit besser geht als mir, da sie ihr Gehalt unverändert u. zwar 50 % in D-Mark von mir bekommt (obschon nur 25 % Vorschrift ist), war schon auf Weekend. Zu Mittag hatten wir einen Rest von Bohnen gegessen mit Brod, – Café u Thee war längst zu Ende u. nichts Neues zu kaufen. Die Aussicht, in den russischen Sector zu müssen, um die neue 70. M. Kopfquote zu holen = 140 für meine Frau u mich, war äusserst deprimierend, denn wenn 2 Millionen Westsectoreneinwohner das innerhalb von 3 Tagen im Osten tun müssen, ist das eine Sache von 24 Stunden einschl. der Fragebogen usw. Die Abende sind schon früh dunkel; der Winter steht bevor u. natürlich gar keine Aussicht, dass es Holz u. Kohlen geben wird. Dazu die neuen larmoyanten Erklärungen der Westmächte über „Verstärkung der Lufttransporte". Die Nächte sind allmählich infolge des Motorengeräuschs ohne Schlaf, da ein Luftkorridor offenbar direct über der Bozenerstr. verläuft. Ich war müde, alt, körperlich hinfällig u. sagte mir gerade, dass nun allmählich wirklich etwas viel Haltung u. Charakter dazu nötig ist, um dem Allen entgegenzusehn u. es weiter zu ertragen. Ich war down wie noch nie, wahrhaft am Ende. Da klingelte, nein da klopfte an die klingelstumme, stromlose Korridortür etwas u. davor stand der Postbote u. *brachte mir Ihr Cafépaket.* Gestern Sonnabend den 24 VII nachmittags 3 Uhr. Ein wahrhaftes Wunder. Ein Märchen, wie gesagt. Köstlicher Café, – sofort den Kessel Wasser auf das Gas,

obschon da auch schon Gefängnis drauf steht, wenn man die Ration überschreitet, u. eine Tasse Tinto, Expresso, Mokka mir gebraut! Ich lebte auf, ging, holte mir einen Wallace aus der Leihbibliothek u. überlebte den Sonntag. Als meine Frau zurück kam, jubelte sie mit u. atmete auf. Wir danken Ihnen, – das war wirklich ein grosses Ereignis u. ein zur rechten, passenden, direct auf die Minute eingestelltes Glück. Sehr beschämt sind wir natürlich über Ihre neue Güte. Haben Sie Dank, seien Sie unserer Ergebenheit u. Hingabe versichert! Heute nur dies. Ihnen u Ihrer Gattin herzliche Grüsse.

Ihr

G. Be.

Nr. 378 29. VII 48.

Angeregt durch Ihre neulichen Bemerkungen über die klassische Walpurgisnacht, verschaffte ich mir den Faust, um den ich mich jahrelang nicht gekümmert hatte. Der Eindruck war natürlich der von etwas sehr Modernem, aber der Eindruck war zwiespältig. Der I. Teil bestürzend schön und herrlich wie am ersten Tag, der II. eigentlich vor Allem: seltsam. Natürlich erhaben, aber eigentlich doch Alles göttliche Schrulligkeiten, – Schaum, hell oder tief gefärbte Seifenblasen von Einem, der auf einem Balkon steht, selber irreal und unbeweglich, immer neue Tonpfeifen und Strohhalme hervorzaubernd, die bunten Kugeln abzublasen. Etwas zuviel Chor, Greife, Lamien, Pulcinellen, Imsen, Kraniche und Empusen denkt man manchmal, zuviel Rohrgeflüster und Gesäusel und Frühlingsblüten und Elfenkreise und Sternenkränze und selige Knaben. Es ist Alles nicht mehr ganz berührbar für unsereinen, – dies schmerzliche Gefühl entsteht. Sehr interessant Euphorion! Aber was ist eigentlich mit dem Kaiser und seinen fortgesetzten Wahlreden, und dann die S.S.-Lyrik im „Inneren Burghof", Vers 9450 ff. – „In Stahl gehüllt, vom Strahl umwittert –", höchst merkwürdige Stelle! Im ganzen II. Teil nichts mehr von Konflikt, Antithese, Drama, selbst nichts von Rede und Gegenrede, – jede Erscheinung sprudelt, murmelt, jauchzt und betet vor sich hin, treibt ihre monomane Lyrik vor, deren Inhalt allerdings immer einheitlich das gleiche dunkle, aber optimistisch gesehene, götterbewegte Universum ist. Einer der seltsamsten Vorgänge scheint mir am Schluss die nüchterne Vertreibung und Ausrottung von Philemon und Baucis im Interesse der Volksdemokratie bezw. einer Laune des Bauherrn, man könnte es unmittelbar und anschaulich amoralisch nennen.

Als Ganzes eines der geheimnisvollsten Geschenke des deutschen Geistes an unser Jahrhundert; – die Grenze zwischen Phantasie und Spiritismus scheint mir nicht überall deutlich, es hat klare Züge von Elevation. Überblickt man das Ganze, ist man verblüfft von soviel Simplizität, fast Infantilität eines Sursum corda, dem gegenüber das Irdische des Mephisto fast zuwenig existentielles Gewicht zu haben scheint, – zuviel Irrlicht und Elmsfeuer bei zu wenig Sumpf und Decomposition. Das Gigantische des Ganzen steht natürlich überhaupt nicht in Frage. Auf der anderen Seite scheint mir, dass gerade F. II. den Abstand der Goetheschen Existenz von der heutigen am klarsten zum Ausdruck bringt. In ihr ist die Antike und das Barock in einer Realität noch da, die heute, in einem echten mutativen Process erloschen, als abgelebt betrachtet werden muss. Auch die Sprachart, überall schön und rührend, wäre heute als Ausdrucksmittel kaum ansetzbar. Die Sprache scheint mir überhaupt am ehesten sich zu entspannen und zu gilben – ein Eindruck, den mir auch kürzlich Zarathustra gab, über den ich Ihnen schrieb. Aber das Ganze, wie gesagt: Geheimnis neben Geheimnis, und Abgrund u. Tiefe, Kälte und sowohl lässige wie dämonische Erfahrung auf jeder Seite – –; schleierhaft ist mir nur, dass dies Werk eingegangen ist in das Bewusstsein der Nation als seine grösste Offenbarung. Es ist doch völlig unzugänglich, nämlich eine Landschaft, die es für niemanden gab und für keinen gibt, eine Landschaft, über die sich ein riesiger Traktor wälzt, Schellen an den Rädern und Schwerter an den Füssen, und pflügt und sät und erntet, vor sich immer neue Ährenfelder und hinter sich immer neue gefüllte Scheuern, aber aus denen weder Brod noch Kuchen kommt, – doch verhält es sich wahrscheinlich bei der Divina Commedia ebenso, deren Wurzel und Ausstrahlung ich nicht beurteilen kann.

G Be

Selbst von mir getippt, damit Sie sich nicht an meiner Handschrift erzürnen müssen!

Nr. 379 8 VIII 48

Lieber Herr Oelze, gestern, wieder an einem Sonnabend, kamen Ihre 2 Sendungen: Café u. Butter an. Wir bedanken uns herzlich. Aber ich bitte, nun zu stoppen. Das geht nicht so weiter. Die Zeiten sind nicht so, dass Sie das können u. wir schlagen uns hier alleine durch. Ich schäme mich nun meines Märchenbriefes, der ja direkt eine Zudringlichkeit war u. die Situation hier schwärzer malte, als sie ist. Bitte senden Sie nichts mehr ab. Ihre Fürsorge u. Freundschaft ist tief rührend, aber nun wollen wir es lassen – ja?

Dann kam Ihr Brief. Dank! Der von Lüth anbei zurück. Ich hätte Ihnen manches zu erzählen, von Lüth, von seinem Verleger, der mich auch verlegen will, vom Radio Stuttgart, wo ich Gedichte lesen soll usw. Aber nichts fesselt mich zur Zeit. Der Brief an Herrn Paeschke wird wohl besser nicht gedruckt, abgesehen davon, dass diese Lizenzträger auch garnicht den Schneid dazu hätten.

Was wird in Moskau gebraut?? Doch „globale Kompen-

sationen“? Eine Stümperei das Ganze oder auch Absicht und Raffinesse. Wir sind recht unruhig über das Weitere.
Bald mehr –, heute nur Mitteilung u. Dank. Dank von

Ihrem G. Be.

Nr. 380 Sonntag 15 VIII 48

Lieber Herr Oelze, die Abschrift von „W.W“ seinerzeit hatte ich erhalten, vielen Dank, ich vergass es zu erwähnen.
Hinsichtlich „Merkur“: durchschlagender Erfolg. Herr Paeschke legt sich mir zu Füssen, bittet den Brief abdrucken zu dürfen u. ist bereit, *jeden* Beitrag von mir zu bringen, ich allein kann bestimmen, wie u was! Ich muss sagen, das überrascht mich. Aber nur zögernd trete ich dem näher. Den Brief kann er haben, ob mehr, weiss ich noch nicht. –
Sie erwähnen Ortega. Sein Aufsatz über Goethe steht in jenem Heft der „Neuen Rundschau“, in dem mein Aufsatz stand; er war schon damals auffällig u ich fand ihn heute, wo ich ihn nochmals las, noch fragwürdiger. Arrogant wie Alles von O. Aus Spanien habe ich eigentlich noch nie Etwas gelesen, was ich als längerer Beschäftigung wert empfunden hätte. Übrigens ist O. mehr pariserisch als spanisch u. vertritt eine Art capriciösen Europäertums, das mir nicht sehr weiterführend erscheint. –
Vom Radio Stuttgart erhielt ich eine sehr liebenswürdige Einladung, dort Lyrik vorzulesen. Wenn es noch Fern-D-züge gäbe, täte ich es vielleicht, so aber ist es mir zu anstrengend u ich habe abgeschrieben. Ich sende Ihnen in den nächsten Tagen eine kleine neue Arbeit – zu den Akten. Wenn Sie ihr Ihre Aufmerksamkeit schenken, sagen Sie sich bitte dabei, dass man mehr heutzutage nicht machen kann, als dass es vielleicht *interessant* an einigen Stellen ist, etwas Homogenes kann man nicht schaffen. –
Dass Lüths Verleger mir auch eine Verlagsofferte machte,

schrieb ich Ihnen wohl. Ich antwortete noch nicht. Mir kommt Alles in dieser Richtung so müssig vor. Eine grosse Müdigkeit durchzieht mich, teils ist es körperlich, teils sind es jene „Böen aus Nirwana", von denen mein Frisör im „Ptolemäer" spricht.
Ihre Telefonnummer ist notiert, aber ich fragte nicht nach ihr, um Ihre Hilfe anzurufen. Wahrscheinlich rufe ich Sie garnicht an, denn Telefongespräche sind ja doch etwas sehr Unvollkommenes.
Neulich brachte Herr Hürsch den Herrn Manuel Gasser mit, einen Schweizer Journalisten, Mitarbeiter der „Züricher Weltwoche" u. festbesoldeter (800 D.M.) Mitarbeiter der U.SA Zeitung „Neue Zeitung" –, ziemlich von sich eingenommen, aber wohl intelligenter als der kleine H.
Der Londoner „Wer ist's" (Who is Who?) fragte bei mir an nach Daten u. Personalien u ich antwortete.

Tausend Grüsse! Ihr

G B

Nr. 381 17 VIII 48

Lieber Herr Oelze, – anbei kleine Sache. Als Sonder- u Spezialdank für herrliche Sendungen. Soll Ihnen zugeeignet werden, im Druck, wenn Sie nichts einzuwenden haben.
Ihr Brief vom 2/3. VIII kam erst heute an, also sehr spät; ärgerlich, dass wieder so unberechenbar mit der Post. – Einen Goetheaufsatz habe ich aber bestimmt nicht vor. Kenne den Altmeister nicht gut genug, ergötze mich nur privat an ihm. Der damalige Aufsatz war im Rahmen des geplanten Heftes der „Neuen Rundschau" bei mir bestellt u in Auftrag gegeben.

Dank u. Grüsse
Ihres
G. B.

Lieber Herr Oelze, werden Sie bitte nicht ungeduldig, wenn Sie schon wieder einen Brief von mir lesen sollen, aber ich möchte Ihnen einiges sozusagen Geschäftliche mitteilen und Ihr Urteil dazu haben.
Veranlasst durch Herrn Lüth habe ich nach zunächst längerem Schweigen dem Verleger vom Limesverlag, Herrn Niedermayer, nunmehr geantwortet und zwar zögernd zustimmend in dem Sinne, dass ich bereit wäre, mit ihm über Abschlüsse zu verhandeln. Garnicht antworten konnte ich wegen Herrn Lüth nicht und eigentlich habe ich ja auch keine Veranlassung ein so spontan geäussertes Angebot nicht zu bejahen. Meine Frage an Sie lautet: was soll man eigentlich mit Herrn Claassen beginnen, der doch weiter schweigt. Mir scheint ja allmählich, dass ich garnicht mehr auf irgendwelchen schwarzen Listen bin und dass es den Verlegern freistünde, mich zu drucken, wenn sie wollten. Aber ich mag an Herrn Cl. nicht mehr herantreten. Er wäre mir als Verleger unbestritten insofern lieber, als ich und als Sie ihn nun kennen und er mehr zu unserer Generation gehört als diese mir unbekannten Leute aus Wiesbaden und Baden-Baden, die alle jung und vermutlich unseriös sind und ebenso vermutlich alle bald wieder pleite gehn werden.
Aus Herrn Schifferli werde ich weiter nicht klug. Er hat den Goetheaufsatz zum Abdruck erworben, aber ich habe ihn nur für die Schweiz freigegeben, da ich in Deutschland freie Hand über ihn haben will, falls doch ein Essayband irgendwo zu Stande kommt. Mit Schifferli habe ich nicht viel im Sinn, nachdem er das mit dem Gedicht „Gewisse Lebensabende“ sich erlaubt hat, ein Vorgehen, das doch auf grosse Ängstlichkeit und auch Mangel an Respekt vor dem Autor schliessen lässt. Bei der Schwierigkeit, mit der Schweiz postalisch zu verkehren, möchte ich nicht riskieren, dass er bei weiteren Publikationen wieder ohne Mitteilung an mich

Stellen fortlässt u.s.w. Ich mag ihm als Schweizer auch gar keine Verantwortung für meine Dinge auflegen und ihn zu Massnahmen veranlassen, die ihm Schwierigkeiten machen. Ich habe ihn also gebeten, meine Manuskripte mir zurück zu geben, ich hatte sie ihm ja auch nur ausdrücklich zu seiner Unterhaltung und Kenntnis übersandt. Er schrieb zwar in seinem letzten Brief, er beabsichtige, die Prosasachen eine nach der anderen herauszubringen, aber es klingt alles so unbestimmt und vage. Allmählich komme ich mir mit allen diesen Verlegern vor wie eine leidliche Jungfrau, um die allerlei Männer herum sind, die gerne mal ein bischen und so möchten, aber keiner will heiraten. Erst sind sie alle sehr fasciniert oder tun wenigstens so und nach drei Monaten bekommen sie alle kalte Füsse. Es liegt an der Zeit und der allgemeinen Lage, aber es ennuyiert mich und ich gehe nur noch widerstrebend auf die Projekte ein.
So auch auf den „Merkur". Ich antwortete Herrn Paeschke, er könne den Brief bringen, wenn er wolle. Gleichzeitig sandte ich ihm als Beitrag die *„3 Alten Männer"* – mit der Bemerkung, da er sich grosszügiger Weise mit mir sogar in Gefahr hätte begeben wollen, schickte ich ihm etwas, das unpolitisch und unpolemisch sei und das seine Destruktion sanft verschleiere. Ob er es haben will, bleibt abzuwarten, vielleicht erscheint es ihm auf dem Hintergrund dieses so aggressiven Briefes vom 18. 7 zu farblos und melancholisch.
Das wäre in grossen Umrissen die Lage. Für den Stuttgarter Sender hier im Rias Gedichte zu sprechen habe ich abgelehnt, Gedichte müssen gelesen werden, ihr graphisches Bild gehört dazu, ihre Länge, ihr Druck u.s.w. – die Zeit der Rhapsoden ist vorbei u. die Minnesänger sitzen jetzt an der Schreibmaschine. Als ich vor Jahren in der Akademie einmal Verse vorlas, sagte ich jedesmal: jetzt kommt eins von 6 Strophen zu acht Zeilen oder dergl, – um dem armen Zuhörer vorher ein Bild davon zu geben, was ihn erwartete, einfach in den unbegrenzten Raum zu reden und zu hören,

kann weder dem Autor noch dem Hörer zugemutet werden.
Die Lage hier wird nicht angenehmer. Eines Tages oder Abends werden doch wohl die Schüsse von Serajewo fallen. Aber ich fürchte, dass dann Oberneuland ebenso davon betroffen wird wie Schöneberg.
Wenn ich Ihnen Vorstehendes noch schreibe und so ausführlich, so ist das nicht Wichtigtuerei –, ach nein ich bin müde und meistens froh, wenn kein literarischer Brief an mich kommt, es liegt etwas so Tragisches um alle diese geistigen Dinge, die so mühsam erkauft und erlitten werden, dann so schnell verstaubt und leer wirken und nur einen üblen Nachgeschmack hinterlassen. Vier Jahrzehnte durchhalten zu sich selbst, ohne viel an sich zu glauben, ohne an die Wirkungsfähigkeit des Geistes zu glauben, aus irgendeinem Zwang dem „Gegenglück" zu leben und zu glauben wie es in dem Gedicht „Einsamer nie –" heisst – das ist kein Spiel.

Tausend Grüsse!

Sie haben sich was Schönes eingebrockt, dass Sie sich von mir zur Diskussions- u Krisenzentrale haben machen lassen. Pauvre ami! Ihr

G Be

Nr. 383 8. 9. 48.

Lieber Herr Oelze, Ihr Paket vom 25. 8. – offenbar selbst verpackt, selbst verschnürt, selbst auf die Post gebracht,: erschütternde Einzelheiten! – kam gestern an. Ihr Brief vom 28. 8. ebenfalls. Wir danken Ihnen. Dieser Herr Oelze, sagt meine Frau, er erhält uns ganz! Jedes Wort weiter wäre zuviel darüber.
Ihr Brief: sicher waren Sie in Häcklingen u. sahen nach dem Rechten. Wie leben Ihre Schwestern jetzt? Hat Sie eine alte

U.S.A Freundin, das Trudchen, besucht oder angerufen, die zwei Tage bei uns wohnte? Eine Frau, mit der ich nie eng u. nie ständig verbunden war, die seit 23 Jahren drüben verheiratet ist u. mich nicht vergessen hat, – ungewöhnlich, das.
Die 3 alten Männer sind keine Realitäten, ich habe keinen Kreis, es sind 3 Bewegungsvorwände des unglücklichen G.B, u. der junge Mann ist auch nur eine Staffage, ein Nagel in der Wand, um meine Schnitzereien daran aufzuhängen u. in Beleuchtung zu bringen. Ausser Maraun, der alle 14 Tage einmal sich blicken lässt, kommt kaum jemand zu mir. Übrigens, charakterlos wie ich bin, habe ich ihm zu Gefallen doch ½ Stunde Gedichte hier im Rias für Stuttgart auf Platte gesprochen, er will dort eine Sendung arrangieren, wenn die „Stat. Gedichte" erschienen sind. Er ist überhaupt rührend bemüht um den alten Herrn u. verspricht sich allerlei von der Zukunft. Trotzdem bleiben merkwürdigerweise weite Partieen in mir u. meiner Produktion, die ihn nicht berühren u. auf denen ich mich mit ihm nicht berühre. Seine Herkunft *vom* u. seine berufliche Beziehung *zum* Journalismus geben seinen Gedanken eine bestimmte Haltung und Richtung, die ich nicht teile. Aber ich glaube, er bereitet ein Buch über mich vor.
Keyserlings elegante u. leichte u dabei tiefe Art, Zusammenhänge zu sehen, habe ich immer bewundert u. beneidet, ich schrieb schon früher Ihnen darüber, aber Sie kennen auch meine Kritik an ihm.
Hürsch war hier, ist aber mit seiner Gräfin schon wieder in die Schweiz, ein Ritter Toggenburg u Seladon, er will Ende des Monats wieder hier sein. Wenn Sie ihm schreiben wollen, bitte, entweder über mich hier oder nach Winterthur, – aber ich sehe eben, dass ich seine Adresse in W. garnicht habe. Ein Paket an Sie – das freut u überrascht mich, an uns hat er noch nie eins gesandt u. ich hielt ihn immer für etwas rustikan.

Der Limes-Verlag drängt auf Abschluss. Will den neuen Novellenband in ½ Jahr fertig herausbringen! Ich zögere.

Tausend Dank u. Grüsse. Ihr

G. B.

Von Merkur noch keine Antwort.

Nr. 384 14/IX/48

Lieber Herr Oelze: *Trudchen*, meine alte Freundin aus U.S.A, die zwei Tage hier war, dann aber nicht nach Hamburg u. Bremen fuhr, sondern gleich zurück nach Paris, um mit der Mauretania heimzukehren, sandte von ihrer letzten deutschen Station anliegende Reisemarken an uns, die hier in Berlin nicht zu verwenden sind. Können Sie sie brauchen? Sonderbare Sendung an Sie. Wenn nein – bitte nicht zurücksenden, sondern verschenken, irgendwer muss sie ja brauchen können. Trudchen sieht *ganz düster* für Berlin, hält es für ausgeschlossen, dass die Ami's bleiben. Sie hat ihre Gründe dafür, die mich allerdings nicht überzeugen.
2 Briefe von Ihnen kamen gestern: der vom 2. 9. u der vom 4. 9. Tausend Dank. Alle die darin aufgeworfenen Fragen erfordern gesonderte Antwort. Heute nur meine grösste Freudenbekundung dazu, dass die Novemberkrise erledigt ist!
Von Prof. Ernst Curtius aus Bonn, Ordinarius für roman. Sprachen, ein überaus charmanter u. bewundernder Brief, – offenbar versendet Paeschke-Merkur bereits Abschriften von Brief u. 3. A. M. an seine Gewährsleute. Ich kenne Prof. C. nicht. Er behauptet, vor einer Seite von mir versinkt die ganze Literatur seit Hofmannsthal u. George, u er spricht von Bewegung und Bewunderung, die ihn erfüllt. Ein Ordinarius! Nun, das ist natürlich angenehm zu hören . . .

Vielleicht rufe ich Sie doch in den nächsten Tagen an zwecks Rücksprache in Verlagssachen.

Tausend Grüsse an Sie u Ihre Gattin
Ihr
G. B.

Nr. 385 20. IX 48.

Lieber Herr Oelze, bei Kerzenlicht – und zwischen 5 u 6 nachm. wird es dunkel im Parterre –, also praktisch ohne die Möglichkeit, noch zu lesen u zu schreiben, vormittags ist Strom, aber da habe ich Praxis – also allmählich aus ziemlich katastrophalen Lebensumständen diesen Gruss! Postalisch wächst die Blockade auch, eine Karte auf dem Flugplatz von Frf. a M. eingesteckt, kam 12 Tage später hier an, die von hier abgehende Post soll neuerdings aufgeweicht u. zerfleddert drüben ankommen, – also die Wüste wächst.
Als letzte literarische Handlung sandte ich heute an Limes-Verlag 1) Manuscript mit Weinhaus Wolf, Phänotyp, Ptolemäer 2) Manuscript mit ausgewählter „Ausdruckswelt", – Herrn Niedermayer, dem Verleger anheimstellend, welchen Band er bringen will. Lt schrieb mir vor einiger Zeit nochmals, dass er *sofort* in der Lage sei, einen Band erscheinen zu lassen u. ich habe mich nun entschlossen, es zu machen, ich habe keine Lust, nochmals u weiter auf den unklaren Herrn Claassen zu warten. Vielleicht ist er ganz froh darüber, vielleicht auch kommen die Manuscripte auch in Wiesbaden garnicht an u. dann wäre Alles noch einfacher. Von Merkur keine Nachricht. Von Schifferli ebenfalls keine Nachricht. Herr Maraun geht mit Familie nach Stuttgart zurück wo er herstammt. Es wird leer u es wird Winter hier.
In der „Norddeutschen Zeitung", angeblich einer Bremer

Zeitung, vom 17 VIII soll ein Aufsatz mich betreffend von einem Herrn Milch gestanden haben, erzählte mir mein Bruder, der in einer Bremer Kirche einen Vortrag hielt über den Amsterdamer Kirchenkonvent, zu dem er mit Dibelius geflogen war, auf der Rückreise verhielt er in Bremen. Er ist der erste Jurist der deutschen evangelischen Kirche, hier im Oberkirchenrat, Dr. jur. u Oberkonsistorialrat, 2 Köpfe grösser wie ich, hager, klug u. hat 4 Kinder. Ich sehe ihn alle Jahr einmal, die Kinder vermeide ich. – Leben Sie wohl. Entschuldigen Sie den Kopierstift, aber er gehört zu den Verkommenheiten des hiesigen Lebens.

Herzlichen Gruss

Ihr G B

Nr. 386 18 X 48.

Lieber Herr Oelze, tausend Dank für Ihren Anruf. Es war mir eine ganz grosse Freude, Ihre helle, accentuierte Kommandeurstimme zu vernehmen! Dank auch nochmal für das Paket, das am Sonnabend, den 2 X, seinen feierlichen Einzug bei uns hielt.

Bei Kerzen, in Hast: anbei die *Lüth*sendung. Bitte äussern Sie sich dazu in Richtung Wiesbaden –

Die „*Statischen Gedichte*“ habe ich noch nicht in Händen. Herr Hürsch soll sie anbringen, aber er kommt nicht. Die Introduktion in der „Tat“ vom 18. 9. war sehr nett. Natürlich erhalten Sie das 1. Exemplar.

An *Hahnenklee* denke ich öfter u an den 1. Weihnachtstag 1935. War auch später noch von Hannover aus öfter da, fand es immer besonders nett, der alpinste Ort im Harz.

Würde Ihnen gerne mancherlei Briefe u. Sachen senden, wenn die Post nicht so trostlos wäre z B. den von Ihnen gewünschten Curtiusbrief Verträge usw. Bitte gedulden Sie sich noch. Ich werde Abschriften machen lassen.

Halten Sie den Limesverlag für *solvent*? Beim Konkurs eines Verlages wird man nämlich keineswegs automatisch frei, sondern gehört zur Konkursmasse u. kann warten, wie das Abwicklungsverfahren verläuft . ., keine angenehme Perspective. Andererseits gefällt mir gerade das Impulsive u. Unseriöse von Herrn Niedermayer.
Seien Sie bitte des Dankes meiner Frau u von mir immer versichert. Nicht wegen des bacon u Cafés, wegen Ihrer Teilnahme u. Gemeinsamkeit.
Bitte grüssen Sie Ihre verehrte Gattin.

Ihr G. B.

Etwas Strenges geht von Ihrer Stimme aus, ich wurde ganz kleinlaut, etwas Gebieterisches –

Nr. 387 20 X 48.

Lieber Herr Oelze,
anbei. –
Herr Hürsch ist aufgetaucht u. brachte einige Exemplare mit. Sehr froh bin ich über das Ganze nicht, aber es ist ein Anfang. Die „Tat" bitte zurück. Nach Herrn H. ist sowohl der Redaktör der „Tat", Herr Max Rychner, wie der Archeverlag bereits von Emigrantenkreisen dieserhalb angepöbelt worden.
Eine „Norddeutsche Zeitung" muss es doch geben. Ich bekam eine Nummer vom 17 VIII. Der Verfasser ist ord. Professor für Literatur an der Marburger Universität, – Milch; ich kann jedoch an dem Zeitungsausschnitt nicht erkennen, wo sie erscheint. –
Eine Bitte: würden Sie die Güte haben, mir Ihre Abschrift des Aufsatzes „Provoziertes Leben" für kurze Zeit zu über-

lassen? Ich habe keine Abschrift u. brauchte es für gewisse neue Arbeiten einen Augenblick.

Dank u Gruss! Ihr

G. B.

Nr. 388 1. XI 48.

Lieber Herr Oelze, hoffentlich habe ich Sie gestern Abend nicht gestört, als ich anrief, viel verstanden habe ich auch nicht und Sie mich vermutlich ebenso wenig, ich war auch noch heiser von Erkältung, – aber ich wollte Ihnen danken für Ihr Telegramm und Ihre neue Absicht, uns zu helfen. Nun stoppt das Schicksal auch diese freundlichen Versuche – das Schicksal oder wie man diese saumässige Politik immer nennen soll. Aber das, was uns am schlimmsten fehlt, kann uns leider keine Freundschaft schicken: es sind Kohlen, die nicht da sind und nicht kommen können, es wird grausig werden, falls der Winter kalt wird.
Auch die Post deprimiert mich so. Da man nie weiss, wielange ein Brief geht, ob er ankommt, wann eine Antwort da sein kann, da schreibe ich schon garnicht mehr – obschon ich Ihnen allerlei zu erzählen hätte, – aber es wird ja alles wesenlos, wenn drei Wochen vergehn, ehe eine Erwiderung da sein kann.
Ich erlaube mir also meine Bitte zu wiederholen, dass Sie sich, soweit es Ihre Zeit zulässt, um die Korrektur der Novellen kümmern, ich werde nur die erste Fahnenkorrektur lesen, um nochmal den ganzen Inhalt auf mich wirken zu lassen, dann nicht mehr. Nun kennen Sie leider den etwas veränderten und umgruppierten auch fortgelassenen Phänotyp nicht und ich habe dummerweise Herrn Niedermayer Sonnabend am Telefon gesagt, Sie besässen das Manuscript und er brauchte es nicht mit zu schicken. Vielleicht wäre es doch angebracht, wenn Sie ihm eine Karte schickten, er soll

es mitschicken, Sie haben ja wohl keine postalischen Einschränkungen wie wir, die nur 100 gramm Brief erhalten dürfen.
Herr Lüth hält von den Essays nichts, er ärgert sich, dass ich Thomas Mann anders beurteile als er und dass ich antifaschistisch denke. Er will also den Essayband nicht so haben. Nun ich gebe ihm Recht darin, dass er ein Potpourri ist und gern durch ältere Essays ergänzt werden kann. Ich habe daher Herrn Niedermayer vorgeschlagen, als zweiten Band, den wir vertraglich abgemacht hatten, den *Gedichtband* vom Archeverlag in Lizenz zu übernehmen und sofort mit ganz wenigen Zusätzen herauszubringen. Das will er sehr gern, – wie überhaupt sein Eifer ganz bewundernswert ist. – Inzwischen habe ich eine weitere Verlagsofferte erhalten und zwar in überraschendster Form: der Marées-Verlag in Wuppertal bietet mir an, alles Vergangene Gegenwärtige und Zukünftige „in allergrösster Auflage und zu höchsten Honoraren" zu verlegen. Wäre diese Offerte vor dem Limes-vertrag gekommen, hätte ich es vielleicht gemacht, der Verlag bezieht sich auf renommierte Namen, die mich dort sehen möchten. Jedenfalls ein neues Beispiel dafür, dass Herr Claassen doch wohl absichtlich nicht mehr hervorgetreten ist, sondern aus bestimmten Gründen von mir absehn will, vermutlich hat sich eine Reihe seiner Autoren gegen mich geäussert.
Haben Sie denn nun den Gedichtband erhalten? Wie wirkt er auf Sie?
Was nützt mich das nun Alles, wir sitzen hier und verkommen und sterben ab. Brückenkopf ist schon überholt, wir sind Minsk oder Tula und versteppen, nichts kann uns retten, und auswandern geht nicht, Wohnung, Kleidung, Beruf, Bücher usw alles sitzt wie die Muschel über der Auster, und man täuscht sich, wenn man denkt, man braucht nur auszuziehn, nein, man geht zu Grunde, wenn man das Milieu noch wechseln würde.

Herr Hürsch wohnt: Berlin-Wilmersdorf, Helmstedterstr 11 III bei Freitag – falls Sie ihm schreiben wollen.

Tausend Grüsse an Sie und Ihre Gattin

Ihr herrlicher Café kam schon am 23 X (wieder Sonnabends!) u Dank erfüllte uns u erfüllt uns weiter.

Nr. 389 22 XI 48.

Lieber Herr Oelze, Ihr Brief vom 1. 11. kam am 18. 11 bei mir an, Ihre drei Päckchen mit Kerzen, Fett und Cacao ebenfalls am 18. 11, Ihr Brief vom 28. 10 am 20. 11. Somit kam Ihr erster Brief seit Hahnenklee am 18. 11. an – eine lange Zeit ohne Anregung und Nachricht von Ihrer Seite. Für Alles nehmen Sie meinen und unseren heissesten Dank.
Den Brief von Herrn Lüth, den Sie beilegten, sende ich in den nächsten Tagen an Sie zurück. Ich habe nun über den Essayband neue Pläne entworfen, die ich Herrn Niedermayer schrieb. Nämlich: ich habe zu dem ersten Gespräch der drei alten Männer ein zweites verfertigt, ein etwas längeres, in dem ich noch einmal mein gleissnerisches Pfauenrad schlage, es ist nicht so weich und wohl auch nicht so geschlossen wie das erste, aber enthält noch einmal viele Probleme der letzten Jahre. Ich schlage nun vor, den Band mit diesen beiden Gesprächen zu beginnen und den Band etwa „Gespräche und Studien“ zu nennen und nach den Gesprächen einige Stücke aus dem Ihnen bekannten Manuskript zu bringen, allerdings auch das „Kunst und Drittes Reich“, an dem ich hänge und das das Schicksal meiner Generation noch einmal entrollt. Abgesehn davon will ich eigentlich alles Politische fortlassen und mehr das Literarische und Gedankliche auswählen. Da ich die Frage des provozierten Lebens in dem zweiten Gespräch erörtere, kann der Aufsatz dann

fortbleiben, obschon Herr Lüth grade ihn als am erregendsten empfindet. Ich sende Ihnen das 2. Gespräch in den nächsten Tagen zu und bitte dann um Ihr Urteil zu meinem Plan.
Ich danke Ihnen sehr, dass Sie die Korrektur zu den Prosastücken gelesen haben und spreche nochmals die Bitte aus, dass Sie den Umbruch alleine lesen, ehe ich hier die Sendung erhalte und zurückschicke, vergeht soviel Zeit. Ich weiss, dass nur die besonderen Umstände der augenblicklichen Berliner Verhältnisse es rechtfertigen können, Ihre Zeit in so ausserordentlichem Umfang in Anspruch zu nehmen und soviele Bitten an Sie zu richten.
Sehr interessiert hat mich, was Sie über den Gedichtband schrieben. Als ich neulich im Radio von den Gedichten vorlas, bemerkte ich, dass ich überhaupt nur noch die stillen, in sich gekehrten, von denen Sie einige erwähnen, über die Lippen bekomme, alle anderen sind mir fremd und widerstehn mir.
Heute nur diesen Tatsachenbrief, um Sie zu benachrichtigen. Viele Dinge, die mich beschäftigen, werde ich ein ander Mal mit Ihnen besprechen, wenn Sie mir Ihr Ohr leihen wollen. Der Umstand, dass nun einige neue Bücher von mir wieder in die deutsche Öffentlichkeit dringen werden, erfüllt mich mit dämonischer Abneigung und mit dem Gefühl eines Abfalls von meiner Natur und meinem Sein. Von meinem zwar unfreiwillig entstandenen, dann mühsam errichteten, nun aber, wie ich merke, siegreich erkämpften Fernebleiben und Vergessensein. Warum verlasse ich eigentlich noch einmal diese Zelle und diese Höhle und diesen Hain? Welche üble Vermischung mit Allem, was man als inferior empfindet!
Vom „Merkur“ höre ich nichts. – Von anderer Seite manches Interessante, auch Radio Frankfurt will eine Sendung machen: „G. B u. die Überwindung des Nihilismus.“ Bin ich ein Überwinder? Ach, nein! Aber Näheres dazu im 2. Gespräch der alten Männer.

Nochmals – täglich sich erneuenden – Dank für Ihre Geschenke, auch von meiner Frau. Bitte grüssen Sie Ihre Gattin von uns.

Immer
Ihr
G. B.

Nr. 390 24 XI 48

Mein erlauchter Protector, –
die Bozenerstrasse verneigt sich vor Oberneuland. Und wenn Sie der Meinung sind – nach Lectüre –, dass die beiden Gespräche einen neuen Band im Sinne meines Briefes an Sie vom 22 ds Ms. eröffnen könnten, teilen Sie das bitte Herrn Niedermayer mit, dem ich die Manuscripte zusandte.
In der „Sie" (Berliner Damenzeitschrift, die viel gelesen wird, Ullstein Verlag) wird „Goethe u. d. Naturwissenschaften" unter die Arbeiten der letzten 20 Jahre gerechnet, die man nicht vergessen sollte.
Und in der Frankfurter „Neuen Woche" soll eine Sache über den Gedichtband stehn, die gut sein soll.
Ich hoffe Sie, Verehrtester, bei leidlichem Wohlbefinden u. bin mit Grüssen an Ihre verehrte Gattin

Ihr
G. B.

Nr. 391

Lieber Herr Oelze,
nur die kurze Nachricht, dass heute am 25 XI Ihr Brief vom 25 X ankam u. dazu Ihr Päckchen Café – diese wundervolle

Gabe. Nun, ist wohl alles da? Haben Sie tausend Dank! „Ein Engel“, sagt meine Frau, „Herr Oelze“.
Vielleicht bald mehr. Bin sehr trüber Stimmung, innerlich u. äusserlich. Körperlich marode, abgespannt, nicht mehr viel Mut u. Elan.
Ihrer mit Dank u. Freundschaft
gedenkend Ihr
G. B.

Bozenerstrasse:
Ein breiter Graben aus Schweigen,
Eine hohe Mauer aus Nacht
Zieht um die Stuben, die Steigen,
Wo Du gewohnt, gewacht.

In Vor- u. Nachgefühlen
Hält noch die Strophe sich:
„Auf welchen schwarzen Stühlen
woben die Parzen Dich.

Aus wo gefüllten Krügen
Erströmst Du und verrinnst,
Auf den verzehrten Zügen
Ein altes Traumgespinst,“ –

Bis sich die Reime schliessen,
Die sich der Vers erfand,
Und Stein und Graben fliessen
In das weite graue Land.

G. B.
25/XI 48.

Lieber Herr Oelze, Ihr Brief vom 28 XI kam gestern an, es ist der Brief mit der Charakterisierung von Niedermayer u Lüth. Vielen Dank. Vielen Dank dann auch für das lange Gespräch vom Sonntag, den 12 XII, – das *zu* lange Gespräch, Sie belasten Ihre Telefonrechnung zu sehr! Da die Briefe von hier im Augenblick anscheinend schneller gehn – Herr Niedermayer rief eben an u. hatte schon einen Brief von mir vom 12 XII in Händen –, hoffe ich, dass Sie dieser Gruss auch noch zu Weihnachten erreicht, falls Sie nicht in Häcklingen sind. Herr N. sendet am Montag, 20 XII, ein fertiges Exemplar der 3AM an Sie, nehmen Sie es als geringe Abstattung meines Dankes an Sie entgegen. Und ich verbinde eine Bitte an Sie damit: bitte sprechen Sie Herrn Niedermayer Ihren Dank aus. Gerade, weil er so unerfahren u. beeinflussbar ist, wird es gut sein, wenn er positive Stimmen zu seinem Entschluss, mich zu bringen, hört. Ich muss ihm doch sehr verbunden sein, dass er es wagt u. dass er es so ungeheuer energisch u. passioniert ausführt.

Etwas besorgt bin ich, dass Sie so sehr mit einem Erfolg der Sachen rechnen. Ich möchte Sie nicht enttäuschen. Ich rechne nicht damit. Es wird bestimmt einige Kontroversen geben, Ärger, Pöbeleien (u. ich hoffe nur, dass es mir meine Praxis hier nicht zerstört, die mich ernährt), aber in diesem Deutschland kann es nicht viel Ruhm geben.

Noch eine Sache, für die ich um Ihren Rat bitte: nachdem mir N. mehrmals Honorar angeboten hatte u. mir hier ein Konto von 12 000 Ostmark (Wechselkurs 1:4) zur Verfügung gestellt hatte u. eine schriftliche Ermächtigung zum Abholen davon übersandt hatte, machte sich meine Frau in den russischen Sector auf. Es ergab sich, dass das Konto bereits an eine andere Firma übertragen war u. dass Herr N. angeblich gar keine Ansprüche auf Bargeld, sondern auf Bücher hatte. Ich teilte ihm das mit u. nun soll eine andere

Firma mir auszahlen, was wir morgen versuchen werden. Mein Vertrag lautet auf 10% des Buchpreises, davon 1/3 zahlbar bei Erscheinen. Drei Bände sind jetzt also im Erscheinen u ich wollte mir 2000. Ostmark = 500 Westmark à Conto zahlen lassen. Ist das zuviel? Am liebsten zahlte ich Herrn N. noch meinerseits was zu dafür, dass er mich verlegt, statt umgekehrt; aber ich finde, zu geringe Ansprüche sind auch keine Empfehlung für einen Autor. Wie denken Sie darüber?

Ich erhielt den Prospect mit A. R Meyers Notiz. Sehr interessant u. nett von ihm. Leider wird man sofort sagen: aha, sie rotten sich wieder zusammen, AR Meyer war P. G u. Referent in der Reichsschrifttumskammer (– als ich rausflog –), jetzt entnazifiziert u. mit Schreiberlaubnis –, trotzdem werden meine Gegner damit sofort eine billige Waffe gegen mich haben. Aber schliesslich kann es mir alles gleich sein.

Zu Weihnachten sollen wir Licht!!! bekommen, Strom, dann werde ich ausführlicher an Sie schreiben.

Tausend Grüsse an
Ihre Gattin u Sie Ihr G. B.

Nr. 393 3 I 49.

Lieber Herr Oelze, heute gedenke ich sehr Ihres Geburtstages u. wünsche Ihnen ein glückliches Neues Jahr. Ein Telegramm habe ich Ihnen nicht geschickt, da ich nicht weiss, wo Sie sind, vermutlich in Häcklingen u. dessen Telegrammadresse ist mir nicht gegenwärtig.

Vielen Dank für Ihren Weihnachtsbrief vom 13 XII, der am 24 XII eintraf, u. für Ihr freundliches Weihnachtstelegramm. Es ging uns ganz gut, wir hatten Heizung u. 40%.

Schnaps und Tage ohne Eindringen von Patienten, – das Alles zusammen bedeutet für uns Feiertag.
Die Aussichten für Berlin erscheinen mir trüber wie je. Es ist doch nun wohl völlig klar, dass die Am. durch nichts die Russen bewegen können, die Blockade aufzuheben, durch keine moralischen, politischen oder militärischen Mittel. Die Russen verfolgen weiter ihre, von ihrem Standpunkt aus, völlig logische, vernünftige, richtige Politik u. gründen ihr grosses Reich, in dem Begriffe wie Europa oder Abendland gar keine Rolle spielen. Das Prestige u die moralische Lage der Am. hier wird auch immer kläglicher: sie können nicht mal mehr die von ihren Landsleuten hergesandten Care- u. sonstigen Pakete an uns gelangen lassen, die Russen u. die östlichen Postbeamten stehlen sie einfach fort u. nehmen sie den Abholern noch in Stadtbahn u Tram einfach ab –, sie kommen nämlich unbegreiflicherweise auf einem Postamt im Osten der Stadt an, die vielgerühmte Luftbrücke ist nicht im Stande u. nicht gewillt, sie herzubefördern. Die ganze Lage wird immer unhaltbarer. Z. B. die Krankenkassenzentrale, mit der wir uns zu verrechnen haben, liegt im Osten u. zahlt an die Aerzte im Westsector seit 1/4 Jahr nicht mehr aus. Das ist nur ein Beispiel. Die Westsectoren können sich nicht halten. Interessant ist in diesem Zusammenhang ja Indonesien: da fallen die Am. den Holländern in den Rükken, die den Kommunismus bekämpfen, – der Grund ist klar. An den Kongo können sie wohl im Augenblick noch nicht ran, aber die schönen Gefilde von Surabaja sind fällig. Das „globale Kompensationsgeschäft" zwischen den beiden Weltreichen, von denen wir ja schon öfter schrieben, rückt sehr greifbar in die Nähe. 1949 – on verra.
Nun, lieber Herr Oelze, dies sind keine Geburtstagsbetrachtungen, aber sie kommen ja auch verspätet an.
Herr Niedermayer hat einige Male angerufen. Das letzte Mal war meine Frau am Apparat, ich war fort, u. er erzählte, Herr Oelze hat an Herrn Lüth geschrieben, die

„3 AM" wären doch lieber nicht als erstes erschienen, – wäre seine Meinung. Falls das zutrifft, tut es mir leid. Vielleicht haben Sie aber auch ganz was anderes geschrieben. Ich selber habe noch kein Exemplar gesehn, nur in 3 Briefen die Bogen. Ich hätte lieber: *Zwei Gespräche* gesehn als: *Gespräche*, – ist konkreter. *Satzfehler:*

S. 18: Gestalten, – Materialisationen

S. 22: Schläfen, zarte, –

u: Entspa*nn*ung

Tausend Grüsse! Ihr

Benn

Nr. 394 19. I 49.

Lieber Herr Oelze, haben Sie Dank für Ihren Brief vom 11. 1. 49, der dank Ihres geopferten Zusatzluftpostportos schon am 14. bei mir ankam, – also doch eine wesentliche Beschleunigung gegen früher. Ich hoffe, Sie haben einen guten Start im neuen Jahr gehabt und weiter vor sich, was Geschäfte und Gesundheit angeht. Ich schlage vor, dass Sie Ihre so liebenswürdigen Sorgen um unsere Berliner Verhältnisse ad acta legen, es ist nicht zu ändern, man muss sich das Leben schlecht und recht einrichten, wie es eben hier geht. Eigentlich ist ja, sage ich mir, dies wirtschaftliche Auf und Ab, das das Jahrhundert uns brachte, für einen Mann meiner Art ganz günstig. Wäre es ohne diese ewigen Krisen gegangen, müsste ich in meinen Jahren, um bürgerlich reputierlich dazustehn, ein Auto aufweisen können, ein Weekendhaus und Perserbrücken, was mir aber schlechthin nie möglich gewesen wäre zu beschaffen bei meiner Facon, Geld in die linke Westentasche einzunehmen und aus der rechten sofort wieder auszugeben. Nun kann man immer sagen: die Kriege und die Inflation und die Währungsreform u.s.w. und steht nicht so belämmert da, wie es ohne dem wäre. Ich habe mich nie geschämt, mich vom Finanzamt pfänden zu lassen, sondern immer nur darüber gelacht, selbst in meinen besten Zeiten wurde mir das Honorar von der Aufführung des „Unaufhörlichen" im Berliner Rundfunk vom Finanzamt gepfändet, es war am Freitag vor Pfingsten u. am Sonnabend waren die Banken geschlossen (wo ich allerdings sowieso nichts hatte) und die Feiertage mit Ausflug und Bräuten waren dahin, aber ich habe mich immer nur darüber amüsiert und es weiter so getrieben. Demgegenüber bin ich jetzt geradezu ehrbar und lebe in geordneten Verhältnissen. Also bitte denken Sie nicht über meine äussere Lage nach. Ich laufe mit obigen Konfessionen Gefahr, von Ihnen als Citymann und vornehmem Aristokraten geringer geschätzt zu werden, aber ich schreibe es, um Sie zu überzeugen, dass an mich die äusseren Dinge kaum herankönnen.

Was die Literatur angeht, so habe ich einige Briefe erhalten, die recht interessant sind. Einen, von Herrn Ernst Kreuder, über dessen Bücher man jetzt viel liest (ich persönlich schätze sie nicht so uneingeschränkt) sende ich Ihnen mit der Bitte um gelegentliche Rückgabe. Bemerkenswert an dem Brief ist für mich, dass ich dem Autor auf die Zusendung von zweien seiner Bücher und mehreren Briefen, die um Äusserung baten, nicht geantwortet hatte und er trotzdem so nett über mich an Herrn N. schreibt.

Äusserst interessant ist eine Karte, die mir Herr N. zusandte – –: von wem? Generaloberst Halder, ehemaliger Chef des Deutschen Generalstabs, dem N. die 3AM offenbar zugeschickt hatte. Dass ein Mann sowas liest, ist überraschend. Dass er sogar immerhin von „sehr guten, sogar mitreissend formulierten Gedanken" spricht, erschüttert mich, dass er auf die bewährten Begriffe wahren Menschentums verweist, ist selbstverständlich. Falls Sie das Schreiben interessiert, bitten Sie vielleicht Herrn N. um Abschrift, ich sollte ihm die Karte zurückschicken und habe das getan, kann sie also Ihnen nicht zugänglich machen.

Im *Merkur*, der noch in diesem Monat herauskommt, erscheint der berüchtigte Brief vom Juli 48, ferner Stellen aus dem „Phänotyp" und eine Besprechung der 3AM aus der Feder von Max Bense. Vielleicht bestellen Sie sich das Heft, ob ich es erhalte, weiss ich nicht (100 gramm)! Von Maraun erschien im Schwäbischen Tageblatt ein ganz wunderbarer Aufsatz über den Gedichtband, – besser als ich verdiene. Adresse: Frank Maraun, Stuttgart-Bad Cannstatt, Rippoldsauerstr. 2 –, falls Sie bei ihm bestellen wollen. Maraun schreibt mir über 3AM: „Hexenmilch aus Klingsors Garten, in Athen wäre Ihnen der Schierlingsbecher sicher, gut, dass wir in einem diffusen Staatswesen leben".
Ein Professor Hans Heinrich Schaeder, früher hier Ordinarius für Orientalistik, jetzt das Gleiche in Göttingen hat sich bei N. nach Ihrer Adresse erkundigt, wird also wohl mit Ihnen in Verbindung treten (ich ziehe Sie in den Mahlstrom meiner Existenz hinab!)
Und so bringt jetzt jeder Tag allerhand Neues, ohne mich im Geringsten zu berühren. Es lebe der eiserne Vorhang.

Immer Ihr G. B

Bitte lassen Sie sich nicht von Lüth gegen N. einnehmen. Er hetzte in 2 Briefen heftig gegen ihn u. möchte mich schon wieder bei anderem Verlag haben.

Be.

Nr. 395 — 23 I 49

Missratenes Briefpapier! Kann nur schmale Bogen beschreiben
Herr Oelze –, was für neue Töne in Ihrem Brief vom 17. 1., der am 21 bei mir eintraf: Täuschung – Hochmut – Abseitigkeit –: Sie entlarven mich ja völlig, Sie luchsäugiger Spürer

und Jäger in den produktiven Dschungeln! In der Tat: Sie zielen hier in ein Centrum, das ich verschleiert glaubte, Sie kommen mir auf die Spur: ce qui vous amuse –: wahrhaftig: aufschreiben, was Ihnen einfällt, auffällt, Sie amüsiert, dann diese Amüsements zusammenstellen und dann haben Sie die Kunst. Pas de pensum – ist das nächste Prinzip –: laufen lassen, spielen, fädeln nur nichts vorhaben, sich verdünnen eher als sich verdicken – und wieder sind Sie einen Schritt weiter! Mit „Täuschung" können Sie es dann abschliessen, – nämlich nicht mehr wissen, wer Sie selber eigentlich sind im Sinne des Ptolemäerwortes: „unbestimmbar sich verhalten". Ein altes Lied bei mir, – schon in der ersten Rönneskizze des Jahres 1914 steht der Satz: „wer glaubt, dass man mit Worten lügen könne, könnte meinen, dass es hier geschähe" –, aber man kann ja mit Worten nicht lügen, sie ergeben sich ja von selbst, dem, der mit ihnen lebt und spielt.

Ihre beiden Citate, das von Strawinsky und das von Manet bestätigen mir eine alte Beobachtung, nämlich, dass die Maler intellektueller sind als die Musiker, die Maler sind die Physiker in der Académie des Arts, die Musiker die Botaniker. In meinem inneren Arsenal befinden sich seit Langem mehrere Citate von Malern, die mich beruhigen und manches erklären („ich rechne nur mit der Erregung bestimmter Augenblicke", – „ich ziehe es vor, zu schweigen statt mich schwach auszudrücken", – „il faut décourager les arts", – „nicht modellieren: modulieren" –), während ich von Musikern keinen entsprechenden Spruch anzuführen wüsste, der mich interessiert, – die Maler arbeiten offenbar bewusster u. transcendenter, die Musiker pflanzlich, man kann auch sagen: naiv. So finde ich auch jetzt die Manet'schen Sätze präciser und werkmännischer als die des Komponisten, die auch von Valéry sein könnten.

Ihre Bemerkungen über das englische Jahrhundert sind sehr treffend. Der Schritt von Shakespeare und Wordsworth zu

Comte und Darwin ist ebenso unbegreiflich wie der bei uns von Herder und Goethe zu du Bois Reymond und Wundt. Aber was ist der Mensch, wir wissen es ja nicht, immer nur gestirnt und gläubig wäre er ja auch nicht angenehm.
Herr Hürsch – mit seiner jetzigen Angebeteten auf Tour, übrigens eine ganz charmante Landsmännin von ihm und eine der erfolgreichsten Cembalistinnen, hier Professor an der Hochschule für Musik, die ein Konzert in Bonn gab – geht als mein Kulturattaché in West- und Süddeutschland um, besuchte Herrn Niedermayer, von dem er mir telefonisch sagte: „eine äusserst elegante Sporterscheinung" (finde ich nicht schlecht für einen Verleger!) und Prof Curtius in Bonn „ein vornehmer Gelehrter", – lesen Sie den Monat, diese neueste amerik. Kulturmonatszeitschrift, besorgen Sie sich doch vielleicht die Dezembernummer, in der Eliot eingehend dargestellt ist, u. a. auch von Curtius, und schreiben Sie mir bitte als Englischkenner, welchen Eindruck Sie von Eliot haben, ich werde nicht ganz klug aus ihm.

Im Dunkeln getippt. Herzlichen Gruss Ihr

G B

Nr. 396 3 II 49.

Lieber Herr Oelze, Ihr Brief mit Caféeinlage vom 23. 1. kam am 29. hier an und wir danken Ihnen herzlich. Ihr Brief vom 21. 1. kam am gleichen Tage an und der vom 31. heute am 3. 2. Ich bestätige gleichzeitig die Rückgabe von dem Kreuderbrief und den beigelegten Liebesbrief nach Berlin – aus unserem Elend entsteht anderen ihr Honorar – so schliesst sich der Reigen, aber ich weiss zufällig, dass die unter anderen apostrophierte Cornelia, das junge Malweib, das in U.S.A einen reichen Vater hat, aber Berlin nicht ver-

lässt, weil sie es nicht verlassen kann, längst über Mexico in Manhattan gelandet ist.
Ärgern Sie sich nicht über Herrn Kesten, er ist ein Spezi von Lüth, der schon öfter über ihn schrieb. Ich kenne ihn kaum, er war ein oder zweimal in der Bellealliancestr. bei mir, beehrte mich auch mit einigen Büchern mit verehrungsvollen Widmungen, ich weiss nicht, was ihn befugt, so sonderlich seinen Hass gegen mich zu äussern. Was Sie dazu über N. und seinen psychologischen Instinkt schreiben, ist zutreffend und ich wäre Ihnen sogar sehr dankbar, wenn Sie ihm Ihre Meinung dazu schrieben. Ich war schon entsetzt, als ich im Vertrag las, dass er sich vorbehält, 200 Exemplare ohne Verrechnung mit mir zu versenden – und ich fürchte hinsichtlich des Ptolemäers noch mehr in dieser Richtung. Aber ich stehe innerlich so ausserhalb dieses literarischen Krakehls, dass ich nicht dagegen protestiere. Wer heutzutage die Emigranten noch ernst nimmt, der soll ruhig dabei bleiben, ich habe das Herrn Lüth auch schon geschrieben, nämlich, dass ich ihr Gegeifer nur possierlich finde. Sie hatten vier Jahre lang Zeit; alles lag ihnen zu Füssen, die Verläge, die Theater, die Zeitungen hofierten sie, es brauchte nur jemand den Wilsonbahnhof in Prag oder den Popokatepetl in Mexico im Traum gestreift zu haben, so hatte er jede Chance, jetzt hier hochzukommen, aber per saldo ist doch effektiv garnichts dabei zu Tage gekommen, kein Vers, kein Stück, kein Bild, das wirklich von Rang wäre. Mir wenigstens ist nichts bekannt geworden. Manchmal denke ich, ich nehme diese Dinge und diese Gegnerschaften zu leicht und ich sollte mehr aus ihnen lernen. Aber ich fürchte, ich kann es nicht mehr.
Lasen Sie das Buch von Gisevius? Ich habe den ersten Band in Händen. Der Vorspruch, zu dem der Verlag C. u. G gezwungen war, sieht schon recht übel aus und die Figur des Autors ist auch keine günstige, ein Vorzimmerhorcher, ein Schlüssellochvoyeur, etwas Lakaienwichtigkeit und offenbar

grosse gesellschaftliche Wendigkeit ist sein Zeichen. Trotzdem ist das Buch beunruhigend fesselnd in seinen Tatsachen, der Röhmputsch und die Fritschkrise sind aus der Nähe gesehn und dargestellt. Vielleicht blättern Sie gelegentlich einmal darin. Mich würde Ihr Urteil interessieren.
Ihre Bemerkung: „wie die Bienen Sechsecke bauen" ist wahrhaft glänzend in Ihrem letzten Brief, geradezu verblüffend! Sie gemahnt mich, Ihnen eine Bemerkung von Lüth aus einem seiner letzten Briefe mitzuteilen: „Herrn Ö.'s Briefe sind immer wahre Kostbarkeiten und Kunstwerke, wenn man denkt, dass sie von einem Kaufmann stammen, muss jeder Schriftsteller erröten." Ein echt Lüth'scher Satz auch im Hinblick auf seine leichte Inkohärenz (Bei ihm hapert es ja manchmal mit der Grammatik). Was Sie zu H. H. Jahnn sagen werden, möchte ich auch erfahren, ich kann mir nicht viel bei ihm denken, bezw. er liegt mir nicht, (während ich über Herrn Kasack mir selbst ein Urteil bilden kann: Stumpfsinn, langgezogen.)
Ich habe den Eindruck, dass ausländische Bekannte, denen ich die 3AM zusenden liess, betroffen sind von dem Umstand, dass weder Schuld noch Sühne, Umerziehung und Besserungsversicherungen aus Deutschland in dem Band zu finden sind. Offenbar ist für sie alle, einschliesslich meiner Tochter, das Problem Deutschland ganz allein auf diesen Fragenkomplex abgestellt und sie rechnen mit Innehaltung dieses ihres Programms. Andere Sphären stehn uns nicht zu, es ist für uns hybrid, allgemein oder metaphysisch oder ästhetisch zu denken. Sie wünschen *ihre* deutsche Frage dargestellt, nicht unsere Weiterentwicklung anzuhören. Nicht zu ändern. Übrigens entsteht in mir die Frage, ob vielleicht in USA in Parallele mit den Fällen Furtwängler und Gieseking und dem Boxer ten Hoff auch für Bücher eine Art Fehmezollkontrolle vorhanden ist, die Bücher diskriminierter Autoren nicht aushändigen lässt. Denn unter dem 23. I. hörte ich von 2 Bekannten aus New York, dass

die am 22. XII 48 vom Verlag an sie abgesandten 3 AM noch nicht angekommen waren, während sie bei Herrn Kesten doch offenbar schon längst waren, vielleicht giebt es in Gottes freiestem Land derartige Verfahren sei es der Einwanderungs- oder der Zensurbehörden.
Es tut mir unendlich leid aus Ihrem Brief zu hören, dass Sie in kritischen Situationen stehn. Wer wie ich alle Scalen von Missstimmungen, inneren und äusseren Dyspepsieen, Verfallslagen, Gebrochenheiten, tiefsten Depressionen, unsagbaren Zerstörtheiten kennt (und sie vor einer so viel jüngeren Gattin verborgen halten muss, um sie nicht zu erschrekken), der kann mitfühlen, glauben Sie mir! Hoffentlich kommen Sie bald wieder heraus. (Je älter ich werde, umso rätselhafter wird mir, was der Mensch als zoologische Erscheinung eigentlich bedeutet. Er ist kein Tier, aber was er ist, ist so unheimlich und heimtückisch, dass ich tagelang in kein Gesicht mehr sehen kann.) Nebenbei geht es mir seit einigen Monaten gesundheitlich schlecht, ich weiss nicht was los ist, aber wohl etwas Gutes nicht. Das Leben hier ist ja auch ganz unerträglich in seiner Aussichtslosigkeit und in seinem materiellen Stumpfsinn (ab 6 Uhr abends keine Bahn mehr, keine Strassenbeleuchtung, kein Cafe, kein Restaurant, nur Trümmer und Armut und Räuber.
Zum Schluss noch ein Wort über die „Kälte des Gefühls", von der Sie in Ihrem Brief vom 17. I im Zusammmenhang von Geist und Kunst schreiben. Alle Fragen, die den Geist betreffen, soll man, meine ich, auf die Spitze treiben nicht aus Artistik, sondern um zu klären, was er eigentlich ist und wie weit er die Situation beherrscht, man kann auch sagen, ob und wo seine Herrschaft endet. Daher lasse ich ihn gern das Menschliche herausfordern, um zu erfahren, wie es antwortet. Aber es kommt bisher, finde ich, nirgends zum Kampf, die Öffentlichkeit sieht die Antithese noch nicht einmal, sie redet drüber hin. Es wird aber das Problem der Zukunft bleiben.

Einige Beilagen für das Ölze-Benn-Archiv. Die Bemerkung aus der Zeitung von Hürsch père ist nicht von Hürsch fils, sondern von fremder Hand.
Ist nun der „Ptolemäer" eigentlich erschienen? Und der *Merkur*? Auf letzteren bin ich gespannt, aber ich rechne mit Enttäuschung. Tausend Grüsse!

Ihr sehr alter GB

Nr. 397 17 II 49

Lieber Herr Oelze,
wegen Hawaiabfall hatte Herr N. vor einiger Zeit bei mir angerufen und ich hatte selbstverständlich zugestimmt; da Hawai der 44. Bundesstaat einer Occupationsmacht ist, giebt es dort natürlich keinen Abfall, sondern nur Lichtgestalten (was ich allerdings hier bei einer Hawaibesatzungsdivision sah, entsprach mehr meiner Bezeichnung.)
Ihr Brief vom 11. 2 kam am 15. an, vielen Dank. Ihre Firma und Sie – was für Arten von Geschäften betreiben Sie jetzt eigentlich, wenn es nicht indiskret ist, danach zu fragen. Beteiligen Sie sich schon an der unlauteren und unfairen Exportkonkurrenz, über die sich die Engländer so bitter beklagen?
Herr Maraun liegt seit einigen Wochen in Stuttgart im Krankenhaus, wo er sich seinen Amputationsstumpf reparieren lässt. Sein Artikel anbei, Sie mögen ihn wegwerfen oder behalten, wie Sie wollen.
Ich beende anbei meine blauen Bogen, an denen ich sehr hing, sie waren noch von meiner verstorbenen Frau gekauft, an deren Schicksal ich unentwegt denke mit unveränderter Trauer, eigentlich jede Stunde, – aber wir wollen das in unseren Briefen nicht weiter erwähnen. Meine jetzige Frau hat für diese Art Lyrik nicht viel übrig, immer nur Grab und

Untergang, sagt sie, ich soll was Neues erfinden. Frauen haben ja aber zum Tod überhaupt keine andere direkte Beziehung als einen kurzen Strom Tränen – und dann weiter; und das ist gut, das passt zu ihnen, die trauernde Witwe, die etwa gar das Werk ihres toten Mannes betreut, ist immer eine fatale Erscheinung, ich habe einige in meiner Umgebung (Frau Breysig, Frau Ringelnatz, Frau Wedekind, Frau Moeller van den Bruck) und ihr Mangel an Mass und sachlicher Beurteilung tritt einem dabei immer so peinlich entgegen. Also für das Archiv, bitte!
Den Aufsatz von Milch finde ich unverschämt, da er sich mit dem Gedichtband überhaupt nicht beschäftigt, sondern einen Aufguss eines älteren langen Essays giebt, der vor Jahren in den „Preussischen Jahrbüchern" stand. Wenn ich ihn finde, lege ich ihn bei.
Vom „Ptolemäer" habe ich ein Exemplar auf Umwegen bekommen, aber kaum angesehn. Schlug ihn auf, sah auf Seite 86 einen Fehler, nämlich statt: „*als* Tiefe", der Tiefe, ärgerte mich und warf ihn fort. Abwarten, was draus wird. – Der Gedichtband erscheint noch in diesem Monat, sagte Herr N. am Sonntag am Telefon.
Herr Lüth wirft mir vor, dass ich mit Herrn N. zu chevaleresk umginge, nur 10 % Honorar vereinbart hätte, während Kesten und Döblin garnicht verhandelten, wenn nicht 15 % ausser Diskussion stünden. Ferner schreibt er, Herr N. sei ein reiner und skrupelloser Moneymaker, zu ihren Soiréen und intimen geistigen Konvertikeln hätten sie ihm jeden Zutritt verweigert. Wer ist diese Soirée, frage ich mich, und dieser Konvertikel? Vielleicht Herr Kesten oder Herr Kasack –, nun dann soll mich Gott vor der Zuziehung zu ihnen bewahren, dann gehe ich lieber mit der Sportgestalt von Herrn N. um und trinke einen Gin mit ihm. Faul würde es nur mit ihm, wenn er mich jetzt wieder mit Ostmark durch eine hiesige Firma bezahlen will, denn die Ostmark soll plötzlich von den Russen ausser Kurs gesetzt und durch

neues Geld ersetzt werden, wobei die Westsektoren ganz abfielen. Jedenfalls fiel der Kurs der Ostmark in den letzten zwei Tagen enorm, sie war eigentlich garnicht mehr unterzubringen. Nun, on verra.
Herr Gisevius hat mir weiter die Zeit vertrieben, diese üble Spitzelfigur! Hitler mag ein Schwein oder ein Dämon gewesen sein, aber diese Kreise um Herrn Gis., die seit 33 putschen wollten, konspirierten, tuschelten, Konferenzen vermittelten, Besprechungen arrangierten und dann nichts weiter zu Stande brachten als diesen dilettantischen 20. Juli, – die sind die eigentliche Blamage Deutschlands vor der Welt. Völlig unbegreiflich, dass diese Generalstäbler, Bankmagnaten, Industriefürsten, die ihre eigenen Projekte eiskalt kalkulieren und durchführen, an diesem Punkt rein kindisch blieben, ohne Energie und ohne Ernst. Im Grunde wollte überhaupt keiner wirklich handgreiflich putschen, sie wollten alle nur nach dem Putsch für die Stellenbesetzung parat stehn.
Hat Ihnen Herr Werckshagen, den Sie freundlicherweise vor 2 Jahren bei sich aufgenommen hatten, auch seine Gedichte geschickt, die er als Privatdruck hat erscheinen lassen? Falls nein und falls es Sie interessiert, sende ich sie Ihnen. Ich finde sie mässig und epigonal. Dass alle Welt dichten muss – was für ein Drang ist das eigentlich?
Von Ernst Kreuder erhielt ich einen neuen Brief, diesmal an mich gerichtet. Sehr kluge Sachen drin, er findet die richtigen Stellen, die offengebliebenen Fragen, die wunden Punkte. Antworten kann man kaum drauf, es sei denn, man wiese darauf hin, dass ein moderner Geist nicht nach den letzten Dingen fragt, er wird schon mit den vorletzten nicht fertig. Aber das Apokalyptische *weltmännisch* zu empfinden und auszudrücken, das scheint mir ein Zeichen sublimer Gegenwärtigkeit zu sein und eine Pflicht für den écrivain und poète.
Ich muss meine Frau rehabilitieren: sie hat ein erstaunlich

gutes Urteil über Gut und Böse in der Kunst, fast eine geniale Art sich sicher zu entscheiden. Dies als Ergänzung zu Seite 1.

1) Wissen Sie, was in 3AM *Palais Grimaldi* S. 30 bedeutet? Es ist das Schloss, das sich Picasso gekauft und ausgemalt hat und das als moderner Wallfahrtsort in den interessierten Kreisen gilt. 2) Wissen Sie, was Muskel heisst: musculus = Mäuschen (wegen der entsprechenden Bewegung unter der Haut) – dies zu S. 40.

Leben Sie wohl u Dank für Wohlwollen u Teilnahme.

An Ihre Gattin einen Handkuss. Ihr

G. B.

Nr. 398 22 II 49.

Lieber Herr Oelze, Ihr Brief vom 12 II kam heute, also wieder etwas verzögert wohl wegen Nebel u. Luftbrückenhavarieen. Ihre beiden Cafébriefe kamen ebenfalls heute, leider leer; der Bremer Poststempel war nicht zu erkennen, dagegen enthielten die Sonderumschläge der hiesigen Post 3 Poststempel: vom 15. 19. 22. II, von 3 verschiedenen Postämtern hier, – wohl, um zu verschleiern, auf welchem der Café verschwunden ist. Tausend Dank, aber es scheint leider aussichtslos, hier zu hoffen. Zu Ihrem Brief vom 12 II einige Erwiderungen.

1) *Lüth.* Es erscheint mir selbstverständlich, dass Sie sich auf solchen fragwürdigen Vorschlag nicht einlassen können. Lüth tut mir leid. Offenbar ist er mit N. ganz verquer. Sicher spielen seine geldlichen Forderungen u. Bedürfnisse dabei die Hauptrolle. Und die Unterbringung seiner eigenen Produkte. Was soll das mit Halder? Hat der auch nun seine Memoiren geschrieben? Sicher wäre das nicht uninteressant, aber er fände doch für die Publikation sicher einen richtigen

Verlag u. brauchte nicht auf den von L. zu warten. Und die anderen Autoren? Etwa Herr Kesten? Es täte mir für L. leid, wenn er in Schwierigkeiten wäre, aber sein Verlagsproject ist ganz abwegig. Auch seiner Bitte, an H. den „Ptolemäer" senden zu lassen kann ich nicht entsprechen. Ich sende u. lasse senden den Pt. an niemanden u. nichts; es ist ja Sanskrit u. nur für Keilschriftforscher.

2) Die *Gedichte*. Sicher ist der jetzt erschienene Band kein ganz glücklicher Start. Aber da ich mich ja mühsam vorarbeiten musste, blieb mir nichts übrig als Schifferlis Plan anzunehmen. Ich wäre ganz froh, wenn bald ein neuer Band mit anderen, älteren erschiene. Dazu Ihr Rat u. Ihre Hilfe wäre mir überaus wichtig. Aber ich kann N. nicht zumuten, unentwegt G. B. zu drucken. Er hat zwar schon mehrfach in dieser Richtung vorgeschlagen, aber ich warte auf präcisere Wünsche von ihm. Der Essayband ist ja auch noch nicht ganz geklärt. Dann ist noch ein neuer Plan aufgetaucht: meine Reden als Band: Totenrede auf Klabund, Rede auf H. Mann, Rede auf St. George, Akademierede, (Totenrede auf Max von Schillings?, Rede auf Marinetti??). Die Gedichte wären mir lieber und daher richte ich an Sie die Bitte, doch jene 20 Gedichte aufzunotieren, von denen Sie in Ihrem Brief schreiben. Ich habe oft darüber nachgedacht, dass Sie vor Lyrik eine gewisse Scheu haben. Es geht für Sie offenbar gegen „die Regeln", sein Inneres in dieser Form blosszustellen ist nicht Gentlemanlike. Also bitte, geben Sie sich die grosse Mühe, mir die 20 Gedichte zu nennen, die Ihnen gefallen u die Sie zu sehen wünschen. Wie ich aus dem Aufsatz von *Bense* ersehe, weiss man selber garnicht, was u wie man schreibt, andere müssen es einem analysieren. Also bitte unterziehn Sie sich in einer Mussestunde der Mühe, Ihre Wünsche zu notieren.

3) *Curtius:* ich kenne ihn nur aus seinen 2 oder 3 Briefen an mich. Habe kein Urteil über seine Substanz. Ein neues grosses Werk von ihm ist kürzlich in der Schweiz erschienen

über die mittelalterliche Literatur, die noch lateinische, die ungeahnte Schätze enthalten soll u. hinter u vor der Renaissance eine ganz neue Welt enthülle. Via Hürsch hörte ich, dass ein bekannter intellectueller Politikophilosoph geäussert habe, C. „schmisse sich an die Besatzungsmächte heran." Hinsichtlich Eliot wies ich Sie m. E. auf einen Aufsatz von C. im „Monat" Heft 3. hin, der auch schon das Goethezitat von E. apostrophiert u. zwar sehr ablehnend. Den 1. Curtiusbrief anbei, bitte zurück. *Warum unterstrichen Sie rot die Curtiusnotiz?*

4) „*Merkur*" muss jetzt erschienen sein. Die Bensestudie erhielt ich als Bogen. Heute von Herrn Paeschke einen Brief von geradezu überströmender Ergebenheit: er legt sich, den Merkur, die D.V.A. mir zu Füssen u bittet, den Merkur als einzige Zeitschrift für meine Publikationen betrachten zu wollen.

5) *Nobelpreis*. Bitte keine Witze! Ich weiss, wo ich hingehöre u wo nicht. Bis aufs Letzte werde ich meine Fragwürdigkeit verteidigen u. immer von Neuem unter Beweis stellen. Für die Verteilung scheint mir z.Z. Th. Mann ganz massgeblich zu sein. Alles seine Spezis: Hesse, Gide, Eliot auch. Die Preisgekrönten haben nämlich Mitbestimmungsrecht bei den neuen Rittern, werden gefragt u s.w.

Ich kann Ihnen heute nicht schreibmaschineschreiben, es ist wieder dunkle Woche, nur morgens 2 Stunden Strom, abends bei Kerze u. Petroleum, u. da muss man mit der Hand schreiben. Ich verschiebe daher einiges weitere ganz Interessante auf meine Mercedesstunden. Schimpfen Sie nicht über die Schrift, bitte.

Mit tausend Grüssen

Ihr G. B.

Nr. 399 ⟨28. 2. 1949⟩

Die Gegenwart erscheint in *Freiburg i Breisgau*, Grünwälderstr. 4.
Dies ist die erhabenste Kritik, die je über mich erschienen ist –, eigentlich müsste man umfallen u. sterben.

Ihr
G. B.

Nr. 400 2 III 49

Lieber Herr Oelze, ich hoffe, Sie haben Ihre Grippe hinter sich und gehn wieder Ihrer hauptstädtischen Beschäftigung nach. Schade um die venetianische Vase, was enthielt sie: Flieder oder Kätzchen, eine venetianische Vase passt eigentlich nicht auf Ihren Betttisch, ein römischer Tonkrug müsste es sein. Und die Dame, bei der Sie dinierten –: wieso: Kaiserliche Hoheit? Das war doch der Titel des Kronprinzen, ist Louis Ferdinand der älteste Sohn gewesen? Ist er nicht tot? Wie lebt eine Dame wie diese? Noch sehr dynastisch oder auch schon demokratisiert? –
Anbei der von Ihnen gewünschte Brief von Kreuder, den ich ausführlich beantwortet habe. Er verdiente nun mal ein Wort. Ich tischte ihm einige neue Blendwerke auf, er wird ihn wohl herumzeigen, den Brief, leider kann ich nicht mit Durchschlagpapier umgehn und behalte keine Duplikate. Auch Herr Sieburg erhielt einen wunderbaren Brief, aber natürlich durchaus in der Haltung des eigentlich zu Empedokles Schattenscharen Verpflichteten, ernst und dunkel. Kennen Sie den Satz von unserem geliebten abgefeimten olympischen Urgrossvater aus seinen „Wahlverwandtschaften“: „es ist besser, nichts zu schreiben, als nicht zu schreiben“, – glänzend, dieser Höfling, der so gern gut ass und trank!

Leider wird mich die Kritik Ihres Doktorfreundes über gewisse Stellen in den 3AM nicht mehr zur Umkehr bringen. Ich schreibe ja keine Keuschheitslegenden und keine Belletristik, meine Idealität ist eine andere als die von Mimosen. Sogar den „wertvollen Teil“ meiner Leser froissiere ich gern, und ich gebe zu, dass mir ein kavalleristischer Ton lieber ist als einer aus Glasperlenspielen; – dagegen „eiskalt“ und „Zoten“ gleichzusetzen, das höre ich gern. Meine Frau schliesst sich auch den Ausführungen Ihres Bekannten nicht an, unter Männern kann man ruhig so reden, dagegen moniert sie aufs Erbittertste das *Pflaumenmus* auf Seite 8 als banal und unverständlich, – so sind die Ansprüche verschieden.
Dass Herr Werckshagen Ihnen beinahe Ihre Wohnung angebrannt hätte, erfüllt mich nachträglich mit Entsetzen. Diese deutsche Intelligenz! Unbeholfen und allen gesellschaftlichen Realitäten fremd und sogar noch stolz darauf! Man kann wirklich niemanden an irgendjemanden von Klasse empfehlen. Wenn man aber den Worten von Manuel Gasser über das Leben in Oxford Glauben schenken kann, ist es dort allmählich das Gleiche.
Nun noch einmal *Lüth*, in einer Sonderbeleuchtung: in allen seinen Briefen hatte er mir von seiner neuesten Entdeckung vorgeschwärmt, Herrn Döhmel, von dem im Limesverlag ein altes und ein neues Buch, Romane, erscheinen würden. Der erstere ging mir zu: „Das indische Schiff“. Um es gleich zu sagen, sein Zeichen lautet: spukhaft. Sie wissen, ich bin ein grosser Freund und Experte von Kriminalromanen, ich kann sie nach zwei Seiten beurteilen, wie ich Lyrik nach zwei Reihen beurteile. Ich empfinde die Thematik und den Fingeranschlag sofort, noch bevor der Mord geschieht und der Coroner erscheint. Ich habe viele mässige und schlechte Spannungsromane gelesen, ich bin Fachmann. Aber sowas Übles wie das Indische Schiff ist mir selten begegnet. Es wirkt wie aus einem Anfängerseminar von E. T. A. Hoff-

mann, wie die läppische Mystik des literarischen Barlach und das sinnierende Gemütsweben eines Raabe, ohne dass ich diesen Drei zu nahe treten will. Das Ganze wird zusammengehalten von einem gutartigen Bestreben, Spannung zu erzeugen und den Leser zu fesseln. Ein völlig unmögliches Buch! Soll ich es Ihnen schicken? Es ist mir interessant im Hinblick auf unseren L. *Der muss Defekte haben.* Ich habe aus telefonischen Unterhaltungen mit Herrn N., dem ich natürlich keine Silbe über Ihre neulichen Andeutungen sagte, den Eindruck, dass ihm eine Trennung von L. garnicht so unangenehm wäre. Merkwürdig ist ja auch, dass L. in dem Gesamtprospekt der Firma, den ich Ihnen beilege, garnicht als Autor erwähnt wird, (auch ohne ihn sind genügend trübe Erscheinungen darin! Eigentlich nur trübe Erscheinungen. Aber für die Deutschen in ihrer jetzigen Verfassung langt es wohl trotzdem.)
Was fehlt denn im „W.W", ich habe es mir noch garnicht angesehn? Eine gefährliche Stelle war doch wohl garnicht drin, also war es Versehen oder Nachlässigkeit? Im Übrigen danke ich Ihnen sehr für Ihre beruhigende Erklärung, dass keine wesentlichen Fehler darin sind, – dank Ihrer liebenswürdigen Korrekturleserei, für die ich mich hiermit nochmals sehr bedanke.
Ich hoffe, die Sache aus der „Gegenwart" haben Sie trotz Schneestürmen und Luftbrückenhandicap erhalten und sie hat Sie gefreut. Der „Merkur" ist immer noch nicht in meinen Händen – sollte er zum Schluss noch verboten sein?
Sehr seltsam ist, dass die Zweiwochenschrift der amerikanischen Militärregierung: „Heute", vor zwei Wochen bei mir anrief und fragte, ob ich mich photographieren und interviewen liesse, sie brächten eine Serie „was sie lesen", bisher hätten sie den Oberbürgermeister von Hamburg, Bischof Dibelius und Victor de Kowa gebracht. Ich war natürlich verblüfft, sagte aber: ja! Es geschah. Ich glaube aber trotzdem nicht, dass es gestartet wird, es kann doch kaum sein,

dass ich plötzlich bei denen arriviert bin, nachdem sie solange mich schwarzbelistet hatten. Die Hauptredaktion sitzt in München, die entscheidet. Obschon ich nun vielleicht dort oder hier einen Verehrer haben könnte, kann ich nicht annehmen, dass es offiziell genehmigt wird; ich ging darauf ein, weil mich interessierte zu sehen, von wem sowas ausgeht und von wem dann die Widerstände ausgehn und der Einspruch. Nun, wir werden sehn und die Ruhe bewahren.

Den langen Aufsatz von Milch aus den „Preussischen Jahrbüchern" besitze ich leider nicht, wie ich merke. Herr Hürsch, der bei seinem letzten Aufenthalt in der Schweiz Milch aufgetrieben hatte – er hielt dort Vorträge – und ihn dann in Marburg besuchte (Herr Hürsch besucht ja alle Koryphäen in Germany, war auch bei Heidegger), brachte mir den Autsatz mit, musste ihn aber dann an M. zurücksenden. Meine Frau hat ihn gelesen, fand ihn begeisternd gut. Ich vermute, dass er in dem neuen Buch von M. stehn wird, das, wie ich sehe, auch im Limesverlag erscheinen soll, s. Verlagsprospekt.

Und damit endlich Schluss! Tausend Grüsse

Ihr G. B.

Nr. 401 3 III 49

Es ist natürlich nicht angenehm, in dieser willkürlichen Form vor das Berliner Publikum gebracht zu werden, ich war peinlich überrascht, kam aus heiterem Himmel. Aber die Lawine rollt nun mal, man kann nichts ändern.

Immer wieder die Fragerei: „wie meinen Sie das, ich verstehe das nicht – –" usw. Kunst oder Geist ist nicht zu verstehen, sie hinterlassen Eindrücke u streuen Keime aus. Dichten, ob lyrisch oder prosaistisch, heisst, mit Worten wie mit Steinen umgehn, mit unbewachsenen Steinen – eine erbarmungslose Welt!

Nr. 402

L. H. Oe. ich schrieb eine Weile nicht, hatte eine Serie schauerlicher Migräneanfälle, die mich umwarf. Geht wieder besser. Dass ein Gehirn solche tigerhaften Insulte aushält, verstehe ich nicht. Bald mehr. Ihr

G B.

18 III 49.

Bekamen Sie nun den *Merkur*? Sehr nettes Heft. Dank für Ihre Briefe. Über Gedichte u. Ihren Besuch hier bald Genaueres

G B

Nr. 403 23 III 49.

Lieber Herr Oelze, ich habe längere Zeit nicht geschrieben. Anfang des Monats hatte ich eine Serie ausserordentlicher Migräneanfälle, die mich völlig lähmte u. jede Tätigkeit ausschloss. Überhaupt: die Vorsicht, mit der ich leben muss, um meine Existenz aufrecht zu erhalten, ist deprimierend – ein zu spät eingenommenes Abendbrod, eine Erkältung, eine geistige Überanstrengung – und für Tage ist alles in Unordnung u. nur täglich 8-10 Tabletten ermöglichen es mir, Praxis u. Leben durchzuführen. Z.Z ist der Anfall wieder überwunden. Nun kommt die neue Währungsreform u bringt wieder neue Schwierigkeiten u. Lasten. Ein verteufeltes Dasein. Immer mehr Patienten u. weitere Bekannte verlassen Berlin u gehn in den Westen. Alles stirbt hier ab, es riecht schon förmlich nach Verwesung u. Zerfall. Haupt-

sache, die hohen Magistratsbonzen bekommen nun ihre hohe Remuneration usw in gutem Westgeld. Was die Bevölkerung betrifft, – das ist völlig nebensächlich. Wir lebten ja alle nur davon, dass wir Miete, Gas, Electricität, Telefon in Ostgeld bezahlen konnten, – damit ist es nun vorbei. Der Wahnsinn von der S.PD. hat uns das Alles eingebrockt, das sind ja genau so Kommunisten wie die anderen im Osten.
Meine Zeitungssendungen „Kurier" werden Sie erhalten haben. Aber erhielten Sie von Stuttgart den „Merkur"? Ich höre, dass sie kaum Exemplare versenden. Wohl Papierknappheit. Wenn Sie nicht bekommen haben, sende ich Ihnen ein Exemplar zur Ansicht. Interessant ist mir, aus Briefen u. Erzählungen von Hürsch zu entnehmen, dass die 3AM. nirgends auf viel Gegenliebe stossen. Ändert aber nichts an meiner Meinung, dass sie gut sind. Die Leute wollen aus Büchern u. Arbeiten immer etwas in die Hand bekommen, eine Moral, eine Ansicht, eine Sentenz, eine „Synthese". Gerade das aber will ich nicht.. Heute kann nur Alles in der Schwebe bleiben, sonst ist es unecht u. unzeitgemäss. „Wie *rechtfertigen* Sie die Dichtung?" „Welches ist nach Ihrer Meinung die *Aufgabe* der Kunst" – schreibt ein junger Mann an mich. Gerade diese Fragestellung ist es, die ich ablehne. Das Wesen des Produktiven ist ein anderes als das der Soziologie, der Politik, der Geschichte. Das ist geradezu der Kernpunkt meiner Lehre. Diese soziologischen Farcen, alles Abkömmlinge des Marxismus, sind der Inhalt der Deutschen geworden, etwas anderes ist für sie nicht mehr real vorhanden. Meine Isolierung ist mir immer klarer. Aber ich bleibe dabei. Übrigens wird es in U.SA nicht anders sein. Vielleicht, denke ich manchmal, – wird es in Russland anders sein, dort war ja immer der politische u. soziale Defaitismus u Nihilismus gut zu Hause.
Der *Essayband* ist wohl bei Niedermayer im Druck, aber ich treibe es nicht recht weiter. Er steht mir z Z. nicht nahe. Der Verkauf ist – wie Niedermayer sagt – schlecht. Aber, fügt

er hinzu, auch der Verkauf von Hosenträgern liegt ebenso darnieder. N. bleibt nach wie vor sehr nett u. entgegenkommend gegen mich. Döblin hat geschrieben: „GB steht turmhoch über den beiden Jüngern, aber er ist ein Schuft", hörte ich. Kann man das sagen?
Ich hoffe, Sie befinden sich wohl u. beobachten die Schneeglöckchen in Ihrem Garten.
Tausend Dank für Ihre Gedichtauswahl. Sehr interessant für mich! Sowohl für die genannten, von denen ich einige nicht acceptieren würde wie für die fehlenden, von denen ich einige dazu nehmen würde. Darüber zu gegebener Zeit mehr.
Was Ihren Besuch angeht, so ist meine Frau begeistert, Sie kennen zu lernen, sie lässt schon die Wände streichen (hélas) in unserem Hinterzimmer u. will (nochmehr: hélas) mein Bett in eine Couch verwandeln, um das Renommée des Zimmers zu heben. Ich bin mir der Schwierigkeiten des Herkommens mehr bewusst, ein russisches Visum ist absolut nicht zu bekommen, selbst bei Todesfällen von Kindern u. Eltern z.Z. nicht. Ich denke, dass ich in diesem Frühling noch nicht sterben werde, also warten wir damit noch ½ Jahr. Vielleicht komme ich eher einmal nach Westdeutschland u. belästige Sie dann 1 Tag in Oberneuland. Dann lerne ich auch Ihre Gattin kennen.

Tausend Grüsse Ihr
GB

II 23/3

L. H Oe, ich erhielt eben, am 23 III 49, Ihren freundlichen Brief vom 14 III mit Kritik Helwig. Anbei zurück. Finde sie nicht sehr glücklich, reichlich eng u. politisch schwerfällig. Im Grunde –, habe ich das Gefühl –, ärgern sich alle Literaten, dass noch wieder ein neuer oder alter da ist u. auftaucht u. etwa die Aufmerksamkeit von ihnen selbst abziehn könnte. Das alte Lied.

Dank für Zusendung. Bald mehr! Den „Merkur" haben Sie also immer noch nicht, das tut mir leid. Er ist recht interessant.

Tausend Grüsse
Ihr
GB

Ich halte nach wie vor die 3AM für das Beste, das mir seit Langem gelungen ist.

Nr. 404 25 III 49.

Lieber Herr Oelze – (Neues blaues Briefpapier ist aufgetaucht, – nach der Währungsreform ist plötzlich wieder das Unmöglichste da, etwas anderes Format, aber immerhin Papier, auf dem die Tinte nicht verläuft. –) Ich schreibe heute wegen der *Gedichte*. Nochmals meinen besten Dank für Ihre Mühe. Ein Band älterer Gedichte bei N. würde ja nun doch etwas anders aussehn müssen. Ich wundere mich bei Ihrer Auswahl z.B über die „Schale"; „ein Land"; „Doppelkonzert" (dies vor Allem, weil Sie Tosca doch ganz abscheulich finden müssen bei Ihrer musikalischen Einstellung) – alles 3 Gedichte, die mir etwas leicht u. dünn vorkommen. Ich vermisse: die kubistische Sphäre („Selbsterreger"; „Blüte des Primären"; „es ist in Sommertagen"; „Orphische Zellen" (120); „D-Zug"; „Englisches Café"; „Synthese"; „Die Dänin I"; „Das späte Ich"; „Trunkene Flut"; „Nachtkafé" S. 32; „Meer- u Wandersagen"; „Theogonieen"; „Grenzenlos"; „Entwurzelungen", „Schleierkraut"; „Betäubung"; „Regressiv"; „Wie lange".)
Von dem von Ihnen erwähnten: „überblickt man die Jahre –" besitze ich gar keine Abschrift u. weiss nichts mehr davon.

Und der „Monolog"?? Den vermissen einige Leute in den „Statischen Gedichten", die ihn aus den 22 Gedichten 1943 kannten.

Schwierige Auswahl!

Da die Bücher bei N. nicht gehn, schlage ich ihm zunächst garnichts vor. –

Ich sende Ihnen in den nächsten Tagen Korrektur von „Kunst u III Reich" u. bitte um Ihre Stellungnahme. Ich habe um Korrektur gebeten, da ich den Aufsatz dem „Merkur" anbiete, nachdem er mich so ernstlich gebeten hatte, alle weiteren Publikationen bei ihm vorzunehmen. Es erscheint mir fraglich, ob er ihn bringt. Es ist eine Höflichkeitsgeste von mir.

Was Sie von Lüth schreiben, finde ich nicht sehr einnehmend. Blunck! Abgesehen vom Politischen, – eine der unsympathischsten u. arrogantesten Figuren der Literatur. Und dies nordische Märchen- u. Mythengetue ist nicht mein Fall.

Ihnen alles Gute u. Dank für Ihre Mühen und Mitarbeit.

Ihr G. B.

Nr. 405 27 III 49.

Lieber Herr Oelze, Ihre zwei Sendungen mit ungeröstetem Café sind gestern unverletzt bei uns angekommen u. haben unsere müden u. braach liegenden Nerven herrlich gelabt. Unsern herzlichsten Dank. (Absendedatum war nicht erkenntlich).

Dank für Ihre Karte. Die Zeichnung auf ihr ist Ihr Haus in der Horner Heerstrasse, wenn ich mich nicht täusche? Und Sie waren verreist, sicher in Häcklingen und haben gebaut. Haben Sie ein Bild von dem Haus? Es liegt doch nahe an der Elbe, dicht bei Lüneburg, nicht wahr? Ist da noch richtige Heide mit Birken u. Wacholderbüschen?

Ein Bekannter von Ihnen schrieb mir einen liebenswürdigen Brief,: tom Moehlen. Ich antwortete, da es Ihr Bekannter war, sehr höflich, ohne allerdings aus meiner Reserve sehr heraus zu treten. Aber es war nett von ihm, mir von seiner Jugend zu erzählen.
Das Gedicht „Acheron" stammt wohl aus dem vorigen Jahr. Es ist ein Traum, ein wirklicher, vom ersten bis zum letzten Wort erfolgter Traum. Nie in meinem Leben wäre ich darauf gekommen, nie habe ich etwas darüber gelesen oder gedacht, dass man Kindern ein Lid herunterziehn könnte, um Kokainsalbe oder dergl. darein zu applizieren. Aber in dem Traum sah ich es als vollkommen realen Vorgang. Sehr merkwürdig diese produktive Tätigkeit in Träumen in Richtungen u. mit Inhalten, die nie in der erlebten Wachwelt vorhanden waren. Beinahe unbegreiflich. Ich nahm das Gedicht auf – gegen den Widerstand meiner Frau. Diese ist wahrhaft grosszügig und generös in jeder Beziehung u ich kann mir keine bessere Gefährtin wünschen (abgesehen davon, dass sie für Wirtschaft u. Haushalt gar keinen Sinn hat, aber ich auch nicht viel), doch in diesem einen Punkt ist sie schwierig, sie fühlt die innere u. äussere Macht, die meine verstorbene Frau immer noch über mich ausübt, und das kränkt sie. Daher auch Gedichte wie „Orpheus Tod", „Dann" – „Kleines süsses Gesicht" von ihr bekämpft werden. Merkwürdig übrigens, wie ich mit einer Art innerem Sinn meine verstorbene Frau immer so sah, dass ich sie verlieren würde, daher die obengenannten Gedichte, während ich bei meiner jetzigen Frau völlig sicher bin, dass sie mich überlebt u. meinen Tod ertragen muss. *Dies nebenbei.*
Im „Telegraf", Organ der Berliner S.P.D. stand eine recht üble Pöbelei gegen mich, gross aufgemacht, so, als ob ich durch mein Eintreten für den N.S. 1933 Schuld an 6 Millionen Toten wäre usw. Nun, tut nichts. Es wäre zwecklos, mit diesem Mob über geistige Dinge zu diskutieren.
Morgen ist Sonntag u. es scheint, dass er warm u. sonnig

sein wird. Also ein Geschenk in diesem trüben Dasein. Dazu Ihr schöner Café – haben Sie nochmals Dank u. herzliche Grüsse von Ihrem

G. B.

Nr. 406 30 III 49.

Lieber Herr Oelze, Ihre neuliche Bemerkung über „Summarisches Überblicken“ (aus Phänotyp) hat mich ungemein interessiert. Auf diese Stelle fällt immer wieder mein Blick, wenn ich an dieses Fragment denke. Es enthält eigentlich am Vollendetsten das, was mir vorschwebte, wenn ich diesen Suprastil entwickelte. Die psychologischen Präliminarien ganz fortlassen u sofort (nach dem Einleitungs- u. Andeutungssatz) die visionäre Masse quellen lassen. Die Vorgeschichte ist folgende: ich besass ein Buch: „Die Schönheit des weiblichen Körpers“, ein höchst seriöses, kunstgeschichtliches Werk mit etwa 200 Bildphotographien (Botticelli, Paolo Veronese, Rubens etc.), ich glaube aus dem Verlag Bruckmann. Ich hatte es mit in Landsberg. Und beim Überblättern geriet ich in Rausch nicht etwa wegen der nackten Körper, die mich völlig kalt liessen, sondern wegen der unermesslichen Fülle an Details, Blumen, Tauben, Hunden, Panzern, Pelzen – kurz Stofflichem (das mir so mangelt) u das sofort in Worte, Sätze, Rhythmen transponiert werden konnte. Alle diese Geschehnisse, Ereignisse, Bewegungen, Bindungen, Lösungen, Leidenschaften, Vergangenheiten, – Sammlungen der Schönheit u. der Schwermut – so greifbar zur Hand – immer neue, bereits materialisierte Visionen, das betäubte mich. Ich blätterte nur um u. band es an Worte, schichtete es, verteilte die Accente. In jedem Satz: *Alles.* Dies Princip der *absoluten Prosa*, in der kein Satz im Zusammenhang mit psychologischen und erlebnismässigen

Herkunftsäusserungen mehr steht, war das Princip, das mir wahrhaft erschien. In jedem Satz: Alles. Solche Sätze sind nicht zu *verstehen*, sie enthalten nur sich selbst. Ich vermute, dass die zukünftige Prosa etwas von dieser nackten Absoluttheit enthalten wird.

Wenn man alt wird, wird man bescheiden. So viele Talente überall, soviel Ansätze von Tiefe u. Grösse – ob in allen Generationen lasse ich dahin gestellt, aber jedenfalls in meiner, in jener grossen, der von 1880 an Geborenen bis etwa 1900, – auch ich habe nur Versuche u. Impressionen bieten können. Ich war zerrissen u. habe wohl auch nicht von Anfang an zielbewusst und systematisch mich vorgenommen, sondern mich treiben lassen u. viel gespielt. Aber eine abschliessende Persönlichkeit zu schaffen, war wohl die Epoche nicht mehr berufen. Aber zum Schluss: diese Stelle „Summarisches Überblicken" ist mir eine der liebsten und geschlossensten der letztjährigen Prosa. Sie erfüllt mich mit Wehmut, weil sie mir zeigt, wohin ich vielleicht bewusster hätte gehen sollen. Übrigens decken sich ja viele Ihrer Äusserungen über meine Sprache mit den Feststellungen Benses.

In einer Hamburger Zeitung („Echo"?) soll ein Aufsatz von Frisé sein, guten Inhalts, sagte Niedermayer. Die Anpöbelei hier im „Telegraf" hat grosses Aufsehen erreicht. Rührt mich aber nicht. Alles dies Zeitungsgewäsch, dies ganze politische Gerede ist so müssig u. überholt. Übrigens können sie nicht umhin, ungefähr zu sagen, dass ich 1933 einzige internationale Klasse war, die hier blieb u sich für Hitler erklärte (?) Na, wenn schon. Leben Sie wohl. Bleiben Sie mir gewogen. Tausend Grüsse

Ihr

G. B.

Nr. 407 2. IV 49.

Lieber Herr Oelze, haben Sie vielen Dank für Ihre drei Briefe vom 26. 27. u. 29 III, die alle heute ankamen. Seien Sie bitte überzeugt, dass mich jeder Brief und jede Beilage ungemein interessiert und beschäftigt – was ich von allen übrigen postalischen Eingängen schlechthin verneinen kann. Bis zu einem mich beunruhigenden Grade von Gleichgiltigkeit ist mein Verhältnis zur Umwelt geworden, – die reizendsten Liebesbriefe früherer Freundinnen, die sich plötzlich wieder einstellen, nachdem sie meinen Namen wieder lesen und den Totgeglaubten begrüssen, wie die liebenswürdigsten Zustimmungen aus literarischen Kreisen bringen mich nicht mehr aus meiner Starre, ich muss auch sagen: aus meiner Trauer, mein Herz ist zu schwer geworden von all den Dingen der letzten Jahre. Nur Ihre Briefe öffnen noch den Weg in mein Inneres und Allgemeines.
Die kanadischen Felsenquitten! Ich sähe sie gern. Aber ich werde mich zunächst mit einer Krokusblüte in einem kleinen Becherglas begnügen müssen und mit dem Hauch aus Grün, den selbst die Sträucher der Bozenerstrasse als einen Augenblick des Glücks verschenken. Und da wir hiermit bei Natur sind: ich würde Ihren Park von Häcklingen dem Bild nach in Ceylon suchen, so seltsam sind die Sträucher und die Steinblöcke, es müssen dort unbedingt ein Tigerpfad ans Wasser führen und in den Bäumen die Affen schrein.
Auf etwas Früheres komme ich noch zurück: Ihre Handschrift hat sich nicht die Spur verändert, sie ist so makellos wie je, Ihre Sekretärin muss sich irren –, es sei denn, Sie brauchten eine neue Lese- (und Schreibe-)brille, in solchem Fall wird ja die Handschrift gelegentlich ungleichmässig, bis die Distanz zwischen Sehschärfe und Papier wieder reguliert ist.
Zum Thema: Dichtung und deutscher Oberlehrerstandpunkt. Ich folgte kürzlich der Bitte von Renée Sintenis, mich

mit einem jungen Französischen Schriftsteller bekannt machen zu dürfen, der sich dafür interessierte. Sie wohnt ganz in meiner Nähe, ich kenne sie 30 Jahre, behandle sie und ging darauf ein. Sie macht sich ja gern international, schon wegen der Preise ihrer Fohlen und Tierchen. Ich schlenderte eines Abends hin und wen sah ich? Einen sehr mässig angezogenen blonden blauäugigen 24jährigen Jüngling, ein echtes Boche-gesicht, Typ deutscher Werkstudent, – arbeitet hier bei Kulturabt. der französ. Militärregierung. Er äusserte: heute, wo soviel Häuser zerstört sind, ist es unerlaubt zu dichten, man muss geistig dem Aufbau dienen. Ferner: Gide sagt uns garnichts, er hat immer Geld gehabt, reiste, schrieb dann wieder ein par Monate, dachte nur an sich, er ist für uns erledigt. Sartre ist unser Mann, er ringt doch mit der Zeit. Er sprach leidlich deutsch, ich noch etwas französisch, so ging die Unterhaltung einigermassen. Ich machte die Bemerkung, ich wäre der Meinung, aus Reichtum sei mehr Kunst entstanden als aus Armut. Das machte ihn zwar etwas stutzig, aber er legte weiter gegen Tradition und Kultur los. Ich sagte: il parait, vous maintenant quittez la Méditerranée et vous marchez au Nord, – oui, sagte er begeistert, alle, die jetzt in der Kunst in Frankreich was zu sagen haben, stammen aus dem Norden, aus der Normandie oder der Vendée, das Mittelmeer ist völlig ausgeschaltet im Geistigen – – –. Soweit dieser junge Mann, der redete wie ein treudeutscher Sozialist. Also ist wohl diese Jünglingsgesinnung international und spricht für die gesamteuropäische Verwahrlosung, man kann natürlich auch sagen: für den reinen Elitecharakter aller wirklich produktiven Substanz, ihrer Ärgerniserregung und ihrer Unerkennbarkeit in der Gegenwart.
Das Gedicht von Rilke, das mir unbekannt war, würde ich als sehr interessant rubrizieren, es wird nicht zu denen gehören, die ich mir wiederholt vorstelle und nachlese. Eine recht verzwickte Artistik bei wenig innerem Gehalt, ich finde auch eine Flotte, ruderschlagend und jäh und mit allen

Flaggen tagend grade für das Thema: Venedig u. Spätherbst zu robust und militant, vor Allem aber nehme ich etwas Anstoss an dem letzten Wort: fatal – was soll das heissen, dass der Wind fatal ist? Was steht dahinter, – soll es auf Fatum deuten oder ist es nur eine artistische Überraschung? Das wird mir nicht klar, dies Wort wird nicht aus dem bisherigen Inhalt und Thema hergeleitet sondern drängt sich plötzlich neu und unmotiviert hervor, fast nur als Reimmotiv. Aber das sind Einwände, die schon aus den höchsten lyrisch-kritischen Sphären stammen. Jedenfalls bedanke ich mich für die Übermittlung sehr.

Dass Sie sich die Mühe machten, mir das Gedicht: Überblickt man die Jahre – abzuschreiben, ist überaus nett von Ihnen. Das Gedicht gefällt mir nicht, sein Pessimismus ist mir zu trivial und leierkastenmässig. Ich glaube nicht, dass ich es in eine Sammlung aufnehmen werde. Und damit sind wir bei dem leidigen Thema eines weiteren Gedichtbandes von mir. Die Schwierigkeit erblicke ich darin, dass, wenn Herr N. jetzt liebenswürdigerweise einen 48 Seitenband schnell herausbringen würde, doch es nur wieder eine fragmentarische Sache wäre, denn ein wirklich repräsentativer Band müsste doch vielleicht das Doppelte umfassen. Wäre nicht dieser umfangreichere Band dann im Herbst ratsamer? Ich bin unschlüssig und weiss es nicht. Und wie sollte man den kleinen jetzigen Band nennen? Wüssten Sie einen Titel? „Plakat" ist ein Gedicht, das ich auch ganz gut finde. „Nachtcafé" würde ich Ihnen gerne opfern, ob „Synthese" weiss ich nicht, jedenfalls in den grösseren Band gehörte es hinein. Übrigens erinnere ich mich, schrieb damals, als es erschien, eine Berliner Zeitung: „das einsamste Gedicht seit Nietzsche".

Anbei einige sehr schöne Sätze über mich von dem Frisé, bitte um Rückgabe, da ich nicht ein weiteres Exemplar besitze.

Dank u Grüsse! Bleiben Sie gesund. Viele Grüsse, bitte, an Ihre Gattin. Ihr

G. B

Lieber Herr Oelze,
anbei ein Entwurf von mir, der Ihre Auswahl u. meine Ideeen kombiniert. Lassen Sie sich Zeit, fühlen Sie sich bitte nicht von mir bedrängt u. ausgenutzt. Nur, ich erledige solche Pläne gerne bald u. benutze dazu einen Tag, wo ich nicht allzu belastet u. down bin.
Immer Dank u Gruss von Ihrem

GB

Trunkene Flut
(Das späte Ich)
Gedichte um 1920

1)	*Trunkene Flut*	2 (10)
2)	*Das späte Ich*	2 (15)
3)	Kretische Vase	1 (12)
4)	Du musst Dir Alles geben	2 (13)
5)	Valse Triste	2 (5)
6)	Karyatide.	1 (9)
7)	Orphische Zellen.	2 (39)
8)	Gesänge	1 (23)
9)	D-Zug	2 (24)
10)	Engl. Café	2 (I, 54)
11)	Der junge Hebbel	2 (21)
12)	Pappel	1 (27)
13)	*Der Sänger*	1 (I, 103)
14)	Untergrundbahn	1 (26)
15)	Palau	2 (31)
16)	Dänin I } II }	5 (I, 152-155)
17)	Nebel	1 (50)
18)	Dir auch	1 (47)
		31

19)	Wie lange noch	2	(45)
20)	Aus Fernen, aus Reichen	2	(48)
21)	Finale	1	(I, 133)
22)	Schleierkraut	1	(51)
23)	Osterinsel (37)	2	
24)	Schutt	2	(I, 105)
25)	O Nacht – (28)	2	
26)	Entwurzelungen	1	(55)
27)	Selbsterreger	1	(56)
28)	Betäubung	1	(I, 176)
29)	Grenzenlos	1	(I, 178)
30)	Meer- u Wandersagen	2	(33)
31)	Einst	1	(99)
32)	Dein ist –	1	(90)
33)	Träume, Träume	2	(93)
34)	Das Ganze (100)	1	
35)	Sopransolo (62)	1	
36)	Doppelkonzert (92)	1	
37)	Dunkler (53)	1	
38)	Erst wenn (41)	1	
39)	Einzelheiten (42)	1	
40	Sieh die Sterne, die Fänge (104)	1	
41	Die Himmel wechseln ihre Sterne	1	
42)	Regressiv (I, 188)	1	
		31	

Terzett u Tenorsolo	2	(63)
Lied	1	(64)
Knabenchor	1	(65)
Synthese (30)	1	(30)
Theogonieen	2	(35)
Plakat	2	(68)
Das Instrument	1	(70)
Ikarus I	2	(78)
	12	

31
31
12

74.

1) *Titel* entweder: *Trunkene Flut*
oder:
Das späte Ich
oder: 4/IV/49
Der Sänger

Untertitel für jeden Fall: „*Gedichte um 1920*".

Je nachdem, müsste dann das 1. Gedicht das Titelgedicht sein.
2) Ich habe hinter jedes Gedicht die Zahl der Seiten gesetzt, die es erfordert. Ferner die Seitenzahl aus den älteren, Ihnen zugänglichen Bänden, nämlich dem der *Schmiede* u dem der *D.VA* Stuttgart. Zu Ihrer schnelleren Orientierung habe ich den Schmiedeband mit I bezeichnet.
3) Sofern ein Band von 48 Seiten erfolgen soll, muss man eine engere Auswahl treffen.
4) Den „Prolog" aus Band II habe ich „Valse triste" genannt, er gefällt mir u ich möchte ihn drin haben, mit dem Titel „Prolog" aber wäre es unverständlich.
5) Als einziges ungedrucktes könnte „die Himmel wechseln ihre Sterne" als vorletztes stehn.
6) Auf der Rückseite meines Bogens habe ich diejenigen verzeichnet, die im Falle einer 3bogigen Ausgabe (= 3 x 24 = 72 Seiten) hinzukommen könnten.
7) wäre zu überlegen, ob man nicht für jedes Gedicht eine neue Seite nimmt, sondern sie fortlaufend setzt. (Mir wäre das egal.)
8) Auch bei dieser Fassung wären die Gedichte, die 1912 meinen sogenannten Ruhm begründeten (Morgue, Nachtcafé), nicht vorhanden, vor allem die berühmte „Krebsbaracke" fehlte.

9) Als Schlussgedicht finde ich „Regressiv" sehr geeignet, übrigens standen diese Verse eingemeisselt auf dem Sockel der Büste von mir, die von H. G Wolff stammte u. im Hamburger Museum für Kunst u Gewerbe (Director: Sauerlandt) bis 1933 stand.
10) Die Reihenfolge der Gedichte ist durchaus Korrecturen zugängig. Die ganze Sache ist rein historisch, meine Natur ist ja, eher auszustreuen als zu sammeln u. eher das Vergessen als das Einprägen zu pflegen.
11) Wer dem Teufel den kleinen Finger giebt usw – voilà, lieber Herr Oelze, – einen Abend den Frack anziehn, um zu Kaiserlicher Hoheit zu gehn u. am anderen Gedichte zu lesen – eine Diskrepanz!

Ihr
G B.

Nr. 409 7. 4. 49.

Lieber Herr Oelze,
seien Sie nicht böse, aber mich hat der Gedanke, *sehr bald* einen Gedichtband der älteren Gedichte herausgebracht zu sehn, weiter verfolgt. Ich weiss nicht, wie weit N. wirklich darauf gestimmt ist, möchte ihn auch nicht fragen; er kann ja nicht seinen ganzen Verlag mit G. B. blockieren. Aber es wäre zu machen, – was die künstlerische Seite angeht. Anbei die Auswahl, die aus 30 Gedichten zu 46 Seiten bestünde, unter dem angegebenen Titel. Die Auswahl ist getroffen unter dem alleinigen Gesichtspunkt künstlerischen Rangs u. aesthetischer Wirkung. Sagen Sie mir bitte Ihre Meinung.
Ich erhielt u. las die Korrektur zu „*Ausdruckswelt*". Gefiel mir garnicht so schlecht wie sonst meine Lektüre eigener Sachen. Findet vielleicht einige Leser.

Dank u. viele Grüsse.

Ihr G B.

Trunkene Flut
Gedichte um 1925.

1.	Trunkene Flut	2
2	Das späte Ich	2
3.	Karyatide	1
4	Orphische Zellen	2
5	Gesänge	1
6	Der Sänger	1
7	Palau	2
8	Selbsterreger	1
9	Grenzenlos	1
10	Aus Fernen, aus Reichen	2
11	Schleierkraut	1
12	Nebel	1
13	Dir auch	1
14	Dänin I } II }	5
15	D-Zug	2
16	Englisches Café	2
17	Wie lange noch	2
18	Entwurzelungen	1
		30 Seiten

19.	Betäubung	1
20	Valse triste	2
21	Synthese	1
22	Du musst Dir Alles geben	2
23	Finale	1
24	Noch einmal	1
25	Meer- u. Wandersagen	2
26	Kretische Vase	1
27	Schutt	2

28 Einst 1
29 Sieh die Sterne 1
30 Regressiv 1

16 Seiten

= 46 Seiten.

7. 4 49.

Nr. 410 9. IV. 49.

Ach, wie mein Herz in neuer Trauer ruht,
wenn Sie von offenen Türen schreiben,
durch die vom Rasen Perlen treiben
terrassenwärts als Crocusflut.

Wenn Sie im warmen Regen stehn, –
Vorgänge, stille, Sie berühren,
die über Nacht zu Blüten führen,
um Sie so nahe niedergehn.

Der Selige, dem jetzt ein Park gehört
und übers Meer gekommene Quitten,
er sieht hinein, er lebt inmitten
der Dinge, sanft und unzerstört!

Dies meine Stimmungsantwort auf Ihre Frühlingsverse, Sonntag, 3. IV., 15°, Regen, – von R. und *C.* Wer mag wohl *C.* sein? Ich weiss es nicht.

Lieber Herr Oelze, den Friséartikel wollen wir austauschen, schlage ich vor. Den Telegrafangriff sandte ich Herrn Niedermayer mit der Bitte, nichts zu unternehmen, lohnt ja nicht. Diese Genossen sollen denken u. schmieren, was sie wollen, sie sind genau so totalitär wie die östlichen Kum-

pane, mit denen sie ja im Grunde ein Herz u. eine Seele sind. Mir nur angenehm, wenn ich hier in meinem Heimatsort nicht „mit offenen Armen“ aufgenommen werde; – nichts angenehmer, als nirgends dabei zu sein.
Die Aussicht auf Ostern u. drei Tage Ruhe ist schön. Genügend mit Migränepulvern versehn, werde ich sie geniessen.
Netter Brief von Sieburg. – Maraun sendet Mittwoch im Radio Stuttgart meine „Totenrede auf Klabund“ (wohl Karfreitagszauber für die intellectuellen Schichten), aber erst spät Abends 10 ½ oder 11. Da schlafe ich – hoffentlich – schon. Dazu die Totenrede des Pericles auf die Gefallenen des Peloponnesischen Krieges u. Friedr. des Grossen Grabrede auf seinen Bruder Heinrich. (Aber vielleicht fällt es auch).

Tausend Grüsse Ihr G B

Nr. 411 Ostern 1949.

Lieber Herr Oelze, Dank, vielen Dank für 2 Kaffeebohnenbriefe, die heil ankamen, eine grosse Festfreude! – Dank für Brief vom 11. IV. Ich beeile mich zu bitten, *den Gedichtband vorläufig auf sich beruhn zu lassen*. Herr N. scheint mir im Augenblick nicht gestimmt, sich mit neuen G. B.s einzulassen, eine gewisse Enttäuschung über den geschäftlichen Teil der Sache klingt mir aus seinem letzten Brief entgegen. Aber ich habe ihn wahrhaftig seinerzeit eindringlich u. selbstlos vor mir gewarnt. Aber ich will Ihnen nun doch sein „Indisches Schiff“ senden von jenem Herrn Döhmel, wenn das geht u. gekauft wird, will ich für immer in den Kellern lagern und dann ist ein Kochbuch neben dem Ptolemäer noch ein Triumph für mich. Wenn aber auch das nicht geht, soll Herr N. still sein, dann muss er sich für *Geschäft* bessere Sachen aufreden lassen.

Dank für Notiz über Gide! Interessant. Sehr zutreffend. Die Öffentlichkeit erwartet eben offenbar von Kunst u. Künstlern etwas anderes als sie geben können. Ihre Bemerkung über Goebbels ist sehr gut. Aufnordung überall u. Plattmachen –

Was A R Meyer unter „Beylisme" versteht, war mir ganz unklar. Ich hatte den Begriff nie gehört.

Ein Wort noch zu dem Rilkeschen Gedicht: Sie haben Recht, es schön zu finden. Aber Gedichte, für die man zu einer bestimmten Jahreszeit an einem bestimmten Ort gewesen sein muss, um sie ganz empfinden zu können, pflegen Schattenseiten zu haben.

Im Merkur vom Mai steht Teil II von „Kunst u. III Reich". Der ganze Aufsatz war ihnen zu lang. Ich war erst nicht einverstanden, aber auf dringendes Telegramm hin von Seiten Paeschkes gab ich Einwilligung, da ich ihm ja recht verpflichtet bin. Überschrift soll sein: „Kunst u. Prosperity", schreibt P. – Mallarmé ist kein Begriff für mich, aber sehr Sachverständige haben mich schon öfter in seine Nähe gerückt. Von Ausländern schwärme ich nur für Swinburne, dessen Kenntnis mir aber verschlossen ist aus Sprachgründen, einige übersetzte Gedichte liebe ich sehr. Denken Sie nicht, dass ich mit vollen Masten segele, weil ich unnötig viel von mir rede u mich wichtig mache. Aus weit Grösseren wird schliesslich nur eine Briefmarke gemacht. Ein Brief aus Schweden trug eine – – – Strindbergmarke. Dieser giftige unerbittliche geniale Kopf, den sie verhungern liessen, – jetzt löst das Bürgertum mit Spucke seine – tatsächlich ja auch garnicht vorhandene – Verpflichtung gegen ihn ein.

Und der Selige, dem jetzt ein Park gehört, ist er glücklicher u. was macht er am Ostertag?

Tausend Grüsse
Immer Ihr
G. B.

Nr. 412

Im Vorwort, S. 2, II Absatz eingefügt.

lichung bei Strafe verboten war. Vieles ist daher überholt, abgelagert und vermutlich rührend. Vieles daher auch zu bösartig und zu scharf, der damaligen Stunde und Stimmung entsprechend. Das Deutschtum als Ganzes schuf seit tausend Jahren das grosse Europa mit, krönte es mit einer seiner Kronen am Frauenplan in Weimar, erlitt es für mehr als nur das eigene Volk in Turin und Sils-Maria, überströmte es mit immer neuen Wogen unvergänglicher Symphonieen und Toccaten, – und wenn ihm auch gerade das seine heutigen Kritiker als besonders belastend anrechnen im Hinblick auf sein politisches Verfehlen, so breitet sich doch ganz offensichtlich und ganz allgemein ein neues Gefühl in der Richtung aus, dass die Geschichte keinen ideologischen und Ideale verwirklichenden Process bedeutet, sondern dass das Gröbste gemeinsam zu verhindern, die einzige gegen sie gerichtete Möglichkeit ist.
Ich werde also die Veröffentlichung versuchen auch aus dem Grunde, um offenbar zu machen, dass

8 V 49. Lieber Herr Oelze, Ihr Brief vom 1. V betr. „Kunst u III Reich" hat mir einige nachdenkliche Tage und Nachtstunden bereitet. Der Ernst Ihrer Ausführungen hat mich natürlich stark beeindruckt, aber nicht bewegen können, den Aufsatz fortzulassen. Mit ihm fiele – schon seitenmässig – das ganze Buch. Auch sind meine Gesichtspunkte andere als Ihre. Er ist, literarisch gesehn, einwandsfrei. Er ist ausserdem meine weiter bestehende Meinung über die zurückliegenden Jahre. Rücksichten öffentlicher Art habe ich nie gekannt u. kenne ich nicht. Angepöbelt werde ich sowieso, ob mit oder ohne diesen Aufsatz. Vom persönlich beleidigenden Anwurf bis zur politischen Denunziation ist mir ja Alles genügend bekannt. Soll ich plötzlich opportu-

nistisch werden? Sie schreiben etwas von meinem „eigentlichen Werk“ – aber was ist das? Wissen Sie es? Ich weiss es nicht. Sie schreiben weiter von „Weltgeltung“ u. geben mir viele gute Zensuren, aber das sind ja alles ideologische u. utopische Gedanken. Ich habe mich isoliert, bleibe in dieser Isolation und werde damit die wenige Zeit, die ich vielleicht noch lebe, überstehn.

Eine weitere Frage ist die: glauben Sie, dass wir unser Schicksal in der Hand haben? Nein, es führt uns u. treibt uns weiter, u. wir selber bereiten uns unseren Untergang aus unseren Werken. Die Graugeborenen, eines Auges u. eines Zahns! Excesse, Werke, Untergang – die Schlammgeburten! Wie denken Sie über Oscar Wilde: war es *begreiflich*, dass er den Process anstrengte? Nein, es war *völlig unbegreiflich*, seine Intelligenz wusste, dass er verlieren würde. Aber, frage ich, können Sie sich diese Figur ohne dies Ende denken? Nein, Sie können es nicht! Sein Gesicht, sein Mysterium, sein Werk wäre leer u. leichtsinnig ohne dies Ende. Das Vernünftige sucht Behauptung, aber auch das Unbegreifliche fordert gebieterisch seine Form. Wenn also – wie Ihre Meinung ist – dieser Aufsatz für mich bedrohlich wird – wohlan.

Als Kompromiss für Sie habe ich den oben geschriebenen Absatz im *Vorwort*, S. 2, eingefügt. Es irritiert mich, dass er schon wieder neue u. mich weiter bewegende Gedankenansätze enthält u. vielleicht nicht ganz am Platze ist. Aber er mildert nun doch von vornherein gewisse Schärfen. Auch habe ich den Ausdruck „bösartig“ auf S. 28 in „zerrissen“ verändert. Können Sie mir nun wieder folgen u. verzeihn? Ich habe nicht nur aus Ihrem Brief, sondern auch aus Äusserungen hiesiger westlicher Leute den Eindruck gewonnen, dass wir bereits 2 verschiedene Völker geworden sind. Wir hier sehn in den westlichen Besatzungsmächten die Erlöser u Beschützer gegenüber der russischen Welt. Sie können uns darin offenbar nicht folgen. Sie mögen sein, wie sie sind,

gegenüber den Russen sind die westlichen Mächte die Heilande und unser Schutz u Schirm. Sie kennen die östlichen nicht, – lernen Sie sie nie kennen!
Heute nur in Eile dies.

Herzlich wie immer Ihr

G B.

Dank für Telefonanruf am 2 V u. 2 Cafésendungen.
Herzlichen Dank!

Nr. 413 22 V 49.

Lieber Herr Oelze,
ich habe Ihnen zu danken für 3 Briefe vom 5. V - 19. V, darin das Interview von Herrn Eckener sowie die Äusserungen von Herrn N. über den Gedichtband. Ich ersehe aus allen Ihren Briefen, dass es Ihnen persönlich leidlich geht u. das freut mich sehr.
Der Mai war literarisch recht bewegt. Eine ganze Menge Kritiken, Radiosendungen (2 an einem Abend: Stuttgart die bewussten, von mir hier bei Rias gesprochenen Gedichte, am gleichen Abend im N.W.DR sang Pamela Wedekind zur Laute Gedichte von Brecht u. mir –, für Bänkelsängereien bin ich nicht u. P. W. ist wahrhaft überholt u. unsuggestiv. Ich hörte keine der Sendungen, da ich keinen Strom hatte). In einer Mainzer Zeitung eine lange u. interessante Kritik über den „Ptolemäer“, an der mir das Interessanteste war, dass der „Phänotyp“ nur kurz gestreift war als reines Essay, das dem Leser wohl die geringsten Schwierigkeiten mache –, ich dachte immer eher das Gegenteil, offenbar hatte der Recensent, Herr Karl Korn, nur den „Ptolemäer“ wirklich studiert. – In einer Berliner Montagszeitung (von der F.D.P.) Bild u. kurze Studie, sehr annehmbar. In einer Ostzeitung von hier wurden die 3AM abgekanzelt von einer Schrift-

stellerin, Gänsegehirn, die mich früher sehr umwarb, die zu der aparten Feststellung kam: „was bliebe Benn'sches am Benn, wenn nicht am Schluss bei ihm immer das Gähnen stünde". – Gestern soll in der U.S.A.-*Neuen Zeitung*, westdeutsche Ausgabe, eine lange u respectvolle Kritik gestanden haben, die ich aber hier nicht lesen kann, da hier nur die Berliner Ausgabe erhältlich ist; Herr N. erzählte mir telefonisch davon. „Nun sind wir ja damit wohl aus der Gefahrenzone heraus", sagte ich dazu u. Herr N. ist sehr erfreut u. beruhigt über diese Tatsache. – Vom Radio Frankfurt bekam ich das Manuscript gesandt, das die dortige Sendung enthält. Zu lang! 26 Schreibmaschinenseiten, also 1 Stunde. Das hält niemand aus u. hört sich niemand an. Ich schlug Kürzungen vor. Dialogform u. die Gedichte soll noch ein oder eine Dritte sprechen.
In Sachen Curtius habe auch ich ihm geschrieben, nachdem ich gestern in einer Zeitung las, dass J. es nicht für *angemessen* hielte, auf dies *Pamphlet* zu antworten. Possierlich, alle diese verdüsterten Gehirne, die sich mit Sicherheit immer am falschen Punkt zusammen finden. Dank für Ihre Sendung aus „Zeit", die ich sonst nicht zu Gesicht bekommen hätte. –
Die Blockadeaufhebung – eine geheimnisvolle Angelegenheit, wir sind äusserst misstrauisch. Jedenfalls haben wir zur Zeit Strom u. können abends lesen u. schreiben. Die Preise sind immer noch sehr hoch, aber es giebt allerhand, was es früher nicht gab. Unglücklich dieser neue Eisenbahnerstreik hier im Westen, – natürlich müsste m.E. der *West*berliner Magistrat den Eisenbahnern, die im Westen wohnen, das Ostgeld gegen Westgeld umtauschen. Gott alleine weiss, was für trübe Schiebungen und Rangstreitigkeiten im Hintergrund stehn. Jedenfalls sieht die ganze Sache nicht ungefährlich aus, u. die Fernzüge kommen nicht mehr nach Westberlin herein.
Sie teilten mir nie mit, ob das „Indische Schiff" zu Ihnen gelangt ist. Lasen Sie es? Gefiel es Ihnen?

Ich habe heute „Sonntagsdienst" für ganz Schöneberg-Friedenau u. werde eben telefonisch abberufen.
Darum in Eile herzlichen Gruss
von Ihrem
Benn

Nr. 414 29 V 49.

Lieber Herr Oelze, vielen Dank für Brief vom 25. V. mit neuer Jaspersbeilage. Mir ist das Pamphlet von C. jedenfalls lieber als der Biedersinn von J. Der J.-rummel, der seit 4 Jahren in Deutschland betrieben wird, zeigt die ganze Misère dieser Unglücklichen. Übrigens scheint mir Ortega ein ähnlicher Fall von Überschätztheit in den intellectuellen Kreisen. Er ist natürlich interessanter u. ein besserer Blender als J, aber einen Rang neben Spengler, Heidegger, gar Nietzsche kann ich ihm nicht zusprechen. Daher mich auch die Empfehlung von Herr Niedermayer, die an mich gelangte, kaum zur Lektüre bringen wird.
Dass Herr *Vietta* bei Ihnen wohnen wird, ist nett. Unter Diskretion: er schrieb neulich an Herrn Werner in Freiburg (Buchhändler u. pedantischster G. B.-Bibliograph, der jede Zeile über mich gesammelt hat u. sammelt), er habe für eine Schweizer Zeitung neue Deutsche Literatur besprechen wollen, diese habe ihn gebeten, den Namen G. B. fortzulassen, da man dem im Ausland immer noch „mit Reserve" gegenüber stehe, (schrieb mir Herr Werner). Welche Zeitung dies war, würde mich interessieren. Vielleicht erzählt Herr V. von sich aus davon u. Sie könnten die Zeitung erfahren.
Und da Sie Herrn *Thiess* erwähnen: Herr Lüth hat kürzlich sein 4 monatiges Schweigen gebrochen u. wieder geschrieben, nett u. konfus wie je; er gründet jetzt eine Zeitung „mit mehreren Generälen u. einigen Antifaschisten". Also er schreibt: „haben Sie das Zitat aus dem – damals noch

unveröffentlichten – „Lotosland“ in Frank Thiess „Ideen zu einer Natur- und Leidensgeschichte der Völker“ gefunden? Wie kam er dazu? . .“ Nun, ich habe das Zitat nicht gefunden, weil ich das Buch von Th. nicht kenne. Wissen Sie etwas darüber?
Anbei 1 Kritik über Ihre 3AM. Der Verfasser ist der gleiche wie in „Neuer Zeitung“. Sehr nett.
Lasen Sie zufällig die seltsame Kritik von Elisabeth Langgässer in der „Frankfurter Rundschau“ vom 14. V, die plötzlich abbrach, u dann folgte die redaktionelle Notiz: über den politischen Fall Benn wird in der nächsten Nummer Dr. Cajetan Freund – (wer ist das?) – sich eingehend äussern.? (Erfolgte aber, wie mir Herr N. sagte, bisher nicht.)
Die Münchener Sache, die Sie erwähnen, kenne ich nicht; da sie aber witzig ist, wie Sie sagen, wäre ich für Zusendung sehr dankbar. – Ich stelle den Gedichtband zusammen ohne Rücksicht auf Bogenzahl, wohl 100 Seiten. Titel: Trunkene Flut. Herzlichen Gruss. Ihr G B

Bitte Gruss an Herrn Vietta.

Nr. 415 ⟨29. 5. 1949⟩

„Neue Zeitung“ Berliner Ausgabe – vom gleichen Tag wie „Tagesspiegel“, – also Durchbruch in Berlin! Schon wächst meine Sehnsucht nach Unerkanntsein u Unbekanntsein in mir.
Sende Ihnen demnächst wirklich interessanten Brief eines mir unbekannten Dr. Hansen aus Hamburg, der sagt, dass die 3 Bücher das enthalten, was in U.SA bereits zündend vorliegt. Grüsse

Ihr

B

Lieber Herr Oelze, haben Sie vielen Dank für den Brief vom 31. V. Der Zeitungsausschnitt anbei mit bestem Dank zurück, ganz amüsant, sehr nett sogar. Dank auch für die Auskunft in Sachen Thiess. Nicht sehr wichtig, das Ganze; aber es interessierte mich, nachdem Lüth davon geschrieben hatte.
Bremer Invasion des Oelzekreises nach Berlin: ich las, Thiess u. R. A. Schr. werden hier Goethevorträge halten! Herr Redslob, S. Magnifizenz dieser kläglichen „Freien Universität" hat sie eingeladen. Ach, beide Universitäten hier zusammen ergeben nicht das, was wir darunter verstanden u. daraus erhielten – oh, jene Jahre, als noch die Preussische Staatsbibliothek Unter den Linden mit ihrem grossen Lesekuppelsaal mich die Stunden vergessen liess. Oder, wie Herr Curtius mir heute schrieb: „Die Verdummung in D.sland ist unglaublich." Aber ich will Sie nicht von Neuem kränken: ich sage also, die Deutschen sind ein grossartiges Volk, bloss man muss ihnen immerzu eins rechts u. links in die Fresse hauen –, und sie nehmen das auch ruhig hin u. finden es natürlich.
Bekam heute endlich vom Archeverlag die Korrectur vom Goetheaufsatz, las ihn sogar, war erstaunt, dass er mir nicht missfiel, vielmehr trotz 17 Jahre Zwischenzeit noch die Kernfrage zu beleuchten schien. –
Herr *Werner:* Freiburg i Br., Talstr 12, Atelier 8. Vorname: Fritz. Er wird sich sicher sehr geehrt fühlen, wenn Sie an ihn schreiben. Seine Briefe sind immer ernst, bieder, schwunglos, aber voll Anhänglichkeit, ich kenne ihn nicht; in Hannover war einmal seine damalige Freundin, jetzt Frau, in der Arnswaldstr. bei mir.
Meine Frau, die ein selbstständiges Leben führt u sich für den Sommer im Grunewald bei Bekannten – mir ziemlich unerträglichen – ein Zimmer für die freien, praxislosen Tage

gemietet hat u. ein Rad gekauft, – (Leute aus dem kunstgewerblichen Betrieb, sie malt Bilder von Blumen, er Architekt, – 6 Salukis, persische Wüstenhunde gehören dazu, kleine Form der Barsoys), also alles mögliche Kunstvolk kommt da immer zusammen, u neulich war Ihr Bekannter Rolf Italiaander da, hatte Hamsun, Gide, Eliot interviewt, aber bei Herrn Schifferli in Zürich nicht réussiert, war sein Buch nicht losgeworden, also er erzählte, sagt meine Frau, „unter Diskretion", Eliot sei sehr pessimistisch in Bezug Europa und: „wenn noch etwas kommt, kann es nur aus Deutschland kommen". Sein Wort in Gottes Ohr, – wie unsere israelitischen Brüder sagen, aber hoffentlich täuscht er sich nicht! Aber Sie sehen, er stimmt mit Ihnen überein u. ich wollte Ihnen das berichten. Mit Ihnen sei er nicht „warm geworden", wohl Ihnen, Herr Oelze, ich kann mir denken, dass Sie für diese herumvagabondierenden Zeitungshelden nichts übrig haben. Mir liess er den schon von Ihnen übermittelten Gruss von Herrn Willy Haas ausrichten, „als britischer Kontrolloffizier dürfe er es ja eigentlich nicht". Was soll das heissen? Idiotische Angeberei u. Wichtigtuerei, scheint mir.

Mein Pfingsten ist verdüstert durch die gestern erfolgte Mitteilung des Finanzamtes, meine Einzahlungen stimmten nicht u. sie würden einen Beamten schicken, um meine Angaben zu überprüfen. Das ist natürlich schauerlich. In Bezug auf Anschreiben u. Steuererklärungen bin ich nicht vorbildlich, ja sogar äusserst unzuverlässig. Nun, sie werden mich ja nicht gleich einsperren. –

Vielen Dank für die übersandte Photographie Ihres Vis-à-vis-Hauses, aber soviel Idyll u. Bauerntum im vornehmen Oberneuland? Das erscheint mir erstaunlich.

Leben Sie wohl u Dank u. Gruss.

Ihr

G. B.

Meine Frau mit Persischem Wüstenhund – mit Herrn Italiaander causierend (zu S. 3 meines Briefes)

Be.

Nr. 417 6 VI 49.

Lieber Herr Oelze, am 1. Pfingsttag kamen Ihre beiden Päckchen an, von den Aprikosen haben wir gleich geschleckt, den Honig aufbewahrt, unser Dank ist gross, bitte nehmen Sie ihn hiermit entgegen. Auch Ihre 2 Briefe vom 1. u. 3 VI trafen ein, auch dafür meinen Dank. Dass Ihnen Vietta gefallen hat, freut mich; mir ist seine Persönlichkeit aus seinen Veröffentlichungen nicht ganz klar, aber ich rechne ihn zu den gebildeten Leuten. „Du" ist eine Schweizer sehr feudale Monatsschrift à la Life u. Look aus U.SA., viel Bilder, Reclame, Luxus, nicht schlecht als solche, sehr mondän. Natürlich muss sie Rücksicht auf jene Kreise nehmen, die den Ton bestimmen. Dass V. für Heidegger ist, freut mich, ich las ein neueres kleines Buch von ihm – kein Zweifel, dass er alles überragt, was beruflich denkt u. lehrt u. doziert, weder Jaspers noch Spranger können im Entferntesten da mit.
Herr Eich war in jenen Jahren 1 oder 2 x in der Bellealliancestr. bei mir. Erinnere mich nicht sehr deutlich. Schien mir reichlich epigonal. Wenn Sie es mir ersparen wollen, sein Buch lesen zu müssen, wäre ich Ihnen dankbar. Ich bekomme z.Z. viele Bücher, für die ich danken u. zu denen ich mich äussern muss (Seltsamerweise habe ich gerade 2 von jungen Leuten, die einen Lustmord schildern u. zum Thema machen. Beide garnicht ganz schlecht, natürlich Pubertätskrisen, aber was soll man dazu sagen).

Oh nein, lieber Herr Oelze, Sie können durchaus nicht in Ihre „heimatlichen Schatten" zurück, vielmehr im Gegenteil sende ich Ihnen in den nächsten Tagen das von mir fertiggestellte Manuscript des Gedichtbandes zu mit der unverschämten Bitte, es zu studieren u. dann an Herrn Niedermayer weiterzuleiten. Ich habe kein reguläres Manuscript gemacht aus Zeitmangel, sondern sauber getippt die Titel u. Seitenzahlen aus den beiden Bänden, die Sie besitzen. Werfen Sie bitte einen Blick hinein. Herr N. kann dann, wenn er es von Ihnen hat, seinen Setzer anweisen, es zur Korrectur zu bringen, ich werde Herrn N. die beiden Bände zuschikken, dann kann er selber studieren u. etwaige Wünsche äussern. Ich habe meine Pfingsttage, während meine Frau wieder bei den Salukis war, statt mit meinen Steuerbüchern mit diesem lyrischen Oeuvre verbracht, um die Sache endlich weiterzutreiben. Damit es fertig ist, falls mich morgen das Finanzamt zur Strecke bringt. (Lächerlich! So armselige Existenzen wie ich werden geprüft u. kontrolliert, während der ganze Kurfürstendamm von polnischen Gaunern wimmelt, die bestimmt keinen Pfennig Steuern zahlen.). Was haben Sie Pfingsten gemacht? Haben Sie schon wieder einen Wagen? Können Sie eigentlich selber fahren? Wie geht es Ihrer Gattin?

Ich will Sie nicht lange aufhalten, wollte nur meinen u meiner Frau Dank sagen. Bleiben Sie gesund, empfehlen Sie mich Ihrer Gattin.

Ihr

G. B.

Nr. 418 14. VI. 1949

Lieber Herr Oelze, am Sonnabend kam Ihr Pfingstgruss, der Café, mit einem Maiglöckchenstiel und Ihrer Visitenkarte, zwar spät nach Pfingsten, aber sehr erwünscht und demütig aufgenommen, da wir gerade keinen Cafe mehr hatten –, wiederum also unseren aufrichtigsten Dank!

Zu meiner Sendung Gedichte möchte ich Folgendes bemerken. Ich habe mich entschlossen, den *Epilog 1949* nicht nur aus dem etwas glatten einen Gedicht zu machen, das ich dem Manuscript beilegte als – glaube ich – 60., sondern die beifolgenden 5 Gedichte zusammen mit dem Titel Epilog 1949 zu bezeichnen. Es wären also die Nummern zu streichen, die ich in den Band als solchen eingesetzt hatte und die Nummern dementsprechend zu ändern. Aber das ist Sache von Herrn N, es zu korrigieren. Ferner möchte ich das Gedicht *Rosen* (das mir im Laufe der Jahre infolge Ihrer etwas ablehnenden Kritik manches Kopfzerbrechen gemacht hatte) doch in den Band einfügen, vielleicht gegen Ende, etwa als 10 vor Schluss. Ich habe keine Abschrift der Aufstellung hier, die ich Ihnen schickte, und werde dementsprechend an N. dazu Anweisung geben. Ich hänge an diesem kleinen melancholischen Gedicht, ich weiss nicht warum, vielleicht in Erinnerung an die Zeit seines Entstehens, des Moments seiner Konzeption, der Trauer, in der ich mich damals befand oder gottweiss warum. Wenn ich es mir heute ansehe, habe ich auch nur gegen die letzte etwas farblose und konventionelle Reihe etwas einzuwenden, sonst finde ich es zart und lyrisch. Ich habe auch daran gedacht, es unter die Epilog-Gedichte als etwa 3. einzusetzen, aber ich werde das doch wohl nicht tun, weil die Epiloggedichte stimmungsmässig in sich geschlossen sind, nämlich sehr persönlich und alle auf den Ich-ton eingestellt. Aber auch darüber würde mich Ihre Beurteilung interessieren, falls Sie für solche Kleinigkeiten Zeit und Sinn haben.
Die Steuersache ist gut abgelaufen und mit Zahlung einiger Nachträge für die zurückliegenden Jahre sind meine Frau und ich ganz glimpflich davongekommen. Eine Tasse guten Cafes und einige Zigaretten schufen die dementsprechende Atmosphäre dazu.
Es haben sich einige neue Bekannte hier bei mir eingefunden bezw. sich um mich bemüht. Kennen Sie den Namen *Mar-*

gret Boveri? Verfasserin der „Amerikafibel", die viel gelesen wurde, in englischer Lizenz, und ziemlich antiamerikanisch. Frau B. ist mütterlicherseits aus U.S.A., hat lange dort gelebt und ist Journalistin für mehrere deutsche (badische) und ausländische Zeitungen. Gross, dick, Hornbrille, männlich, aber klug und antirussisch, sogar neofa---- könnte man sie nennen, sie ist wohlhabend, Tochter des seinerzeit sehr berühmten Biologen B. und Verwandte der Schweizer Firma Brown, B. und Co. Hat jetzt eine sehr mutige Broschüre für Weizsäcker herausgegeben, dem sie nahestand. Sie lädt mich gelegentlich ein und man trifft bei ihr Leute, mit denen sich eine Stunde zu unterhalten, ganz interessant ist. Auch Ausländer. Ich werde offenbar dorthin berufen, wie sich früher die Reichen nach ihren Diners einen Tenor einluden, um ihn singen zu lassen oder den Zauberer Marvelli, um Spässe zu machen –, so bringt man mich zum Reden und ich verblüffe die Anwesenden durch reichlich gewagte Bemerkungen über das Abendland. Ich spiele bewusst meine Rolle, zurückhaltend, vorsichtig, immer gesellschaftlich und amüsiere mich dabei als engagierter Clown. Mir fällt dabei auf, wie unsäglich trocken, leer, altmodisch sich die Leute unterhalten, wie stumpfsinnig der ganze innere Betrieb solcher Parties ist, wenn selbst, wie hier, intelligente und massgebliche Leute (z. B. Chefredaktöre berühmter Zeitungen) unter sich sind.
Ferner habe ich eine – jetzt – Engländerin, die sich um mich etwas bewarb, kennen gelernt, die seinerzeit 10 Jahre lang erste und einzige Privatsekretärin von G. Hauptmann war, bis sie ihm Binding ausspannte und mit ihr seine letzten Jahre verbrachte. Sie ist jetzt in Oxford wohnhaft, hier bei der Militärregierung und macht in Bildung und Umerziehung bei uns. Natürlich J--. Aber auch ganz interessant, sie zu studieren. Alle diese Menschen sind „weltoffen", halten Publizität, Sicheinsetzen für seine Werke, Einladungen nach England oder U.S.A. für erstrebenswert und sind platt über

meine gegenteiligen Einstellungen und Einwände. Mir wird immer klarer, wie richtig meine Meinung war, dringend für die Unterscheidung von Kulturträgern und Kunstträgern einzutreten. (Ohne dass ich behaupte, dass ich allgemein damit Recht hätte.) Ich bin nach ihrer Meinung „vulkanisch" und das bedeutet für sie nichts Gutes.
Ich wäre Ihnen dankbar, wenn Sie weiter *Luftpost*zusatzporto für Ihre Briefe an mich ausgeben würden, denn sonst gehn die Briefe, wie ich merke, wieder 10 Tage.
Und Berlin? Und Paris?
Alles beim Alten!
Nochmals herzlichen Dank.

Ihr

G. B.

Schrieb auf Bitten von Herrn Schifferli noch kurzes Vorwort mit Bezug auf Jaspers-Curtius für den Goetheaufsatz.

Nr. 419 20 VI 49.

Lieber Herr Oelze, haben Sie vielen Dank für den Brief vom 16. VI, der heute kam, dazu die beiden Zeitungsbeilagen, die anbei zurückgehn (mit einer Sache aus dem heutigen „Kurier", der mich ja schon oft zitiert u glossiert u. angestaunt hat, immer aber sehr anerkennend).
Leider muss ich Ihnen sagen, dass der von Ihnen erwähnte Brief vom 9. VI von Ihnen leider bisher *nicht bei mir eingetroffen ist.* Ich war schon unsicher, ob meine Gedichtregistrierung überhaupt bei Ihnen angelangt war. Also das ist sie jedenfalls u ich danke Ihnen für die Weitersendung an N. Ich bekam schon einen Brief von ihm, auch heute, in dem er ziemlich wörtlich Ihre Einstellung u. Beurteilung übernimmt, der ich mich anschliesse. Arzt u. Kreissaal wer-

den nicht gebracht. Über „Rosen“ haben Sie nichts geschrieben, erheben also wohl keinen Einspruch. Im übrigen habe ich keine Abschrift der Ihnen zugesandten blauen Bogen gemacht u. muss sehen, wo ich bei der Korrectur die beiden. N. hat die Sachlage wohl nicht ganz erfasst: er fragt, ob die Epilog-Gedichte auch aus 1920-1930 stammen oder später. Meiner Meinung nach ist doch durch die Bezeichnung *Epilog 1949* klar, dass diese Verse jetzt für das Buch gemacht sind, als Zusammenfassung u. Stimmung heute dem ganzen Gedichte u. Gedenke gegenüber. Ich hatte doch wohl „wo Du gewohnt, gewacht“ auch in die Epiloggedichte gesetzt? Nun, on verra.
Mit Curtius stand ich in der vorigen Woche in mehrfachem Briefwechsel. Ich hatte ihm einen Abzug vom Archeverlag schicken lassen, damit er noch vor seiner Amerikareise ihn zur Kenntnis nimmt (da er dort doch über Goethe – 2000 m über dem Meer – „predigen“ soll, wie er schrieb.) Netterweise bedankte er sich sofort u schrieb nach der Lektüre: „die Arche verdient ihren Namen, da sie solche Kostbarkeit wie Ihren Goetheaufsatz rettet.“ Klingt erfreulich. Übrigens sind einige Leute, von denen ich es garnicht erwartete, *gegen* C. eingenommen, sie finden einige Sätze von ihm gegen J. „*rüde*“ u. auch in seinem Ortegaaufsatz im letzten „Merkur“ finden sie unpassende Bemerkungen gegen die Philosophen als solche. Ich kann mich dem nicht anschliessen. Schrieb ich Ihnen, dass ich auf Herrn Schifferlis Bitte hin ein – sehr kurzes – Vorwort noch verfasste im Hinblick u. mit Bezug auf den Streit C.-J. Ich blieb aber sehr zurückhaltend, „ohne mich in die Erörterungen so grosser europäischer Geister einschalten zu können –“ usw. Das Buch soll nun in 3-4 Wochen erscheinen.
Erhielten Sie die Bilder meiner Frau? Sie ist neugierig, ob Sie sie zustimmend beurteilen, – so sind ja Frauen, sie wollen immer gefallen
Heute erhielt ich das 1. Exemplar der „Ausdruckswelt“,

noch ohne Umschlag. Sie sollen ja auch ein besonders gutes Exemplar erhalten „auf holzfreiem Papier“, wie Herr N. schrieb. Sie können es natürlich nicht freudig begrüssen, – sogar die Kammfirma ist drin, aber ich hoffe in einer Form, die in Ihnen keinen Stachel zurücklässt. In Mainz soll schon eine „grossartige“ Kritik darüber erschienen sein, sagt N. Nun, – abwarten. Wenn ich mir diese 4 Bücher ansehe, die nun vorliegen, bin ich nachdenklich über mich u meine Fähigkeiten. Sehr zerrissen, nicht ganz bewältigt u reichlich hybrid kommt mir Alles zusammen vor. Meine Frau, die ja unnachsichtlich über mich urteilt, findet Die 3 A.M. das Beste von Allem. Sie ist sonderbar. Sie möchte die ganzen wüsten Gedichte der I Periode mit in den Band haben u. nicht „die späteren, melancholischen, – melancholisch ist jeder“ – nicht ganz unrichtig, vielleicht.
Schreiben Sie bald wieder, bitte. Bitte grüssen Sie Ihre Gattin.

Immer Ihr
G. B.

Nr. 420 27 VI 49.

Lieber Herr Oelze, Dank für den Brief vom 24 VI. Der vom 10 VI ist nicht gekommen, wahrscheinlich war er nicht mit Luftpost adressiert. Dann kann er noch eintreffen. Ich bekam kürzlich aus München einen gewöhnlichen Brief, der war 5 Wochen gegangen.
Anbei 3 Sachen, die ich zurückerbitte, wenn es geht, bald. Den Sender Frankfurt kann ich nicht hören, obschon ich 2 Radioapparate habe, allerdings keine erstklassigen. Ausserdem schlafe ich um 11 Uhr schon u rate Ihnen dringend, das Gleiche zu tun. Der Vortrag bezw. Dialog erscheint in den „Berliner Heften“, da können wir ihn also gelegentlich

lesen. Auch *N. W. D. R.* war bei mir, macht auch eine grosse Sendung, aber ich habe nicht zugesagt, persönlich mitzumachen. Sie müssen überhaupt nicht annehmen, dass ich gesellig und gesellschaftlich werde. Frau Boveri war eine Ausnahme, sie hatte sich wegen des „Berliner Briefes" im Merkur so direct u. hingerissen an mich gewendet, dass ich ihre Bekanntschaft zu machen für passend hielt. Ich bleibe ganz für mich, in der Hinterstube nach dem Hof raus mit Wäsche u. Hühnern.
„Rosen" – Sie rieten seinerzeit ab, sie in die „Statischen Gedichte" zu übernehmen: zu zart, zu melancholisch. Daher stehn sie nicht darin.
Verreisen Sie weiter fort?

Herzlichen Gruss
Ihr
G B

Nr. 421 2/VII/49.

Lieber Herr Oelze, ich habe das alte blaue Briefpapier wieder aufgetrieben, voilà. Und bitte nichts gegen die *amerikanischen Kugelschreiber!* Sie sind mein Ein u Alles. Das einzige Vehikel, mit dem ich mich bewegen kann. Ich habe ganze Hefte mit Notizen, anderweitig gekritzelt, u. kann kein Wort mehr davon entziffern. Nur dies!
Dank für heute eingegangene Rücksendung von 3 Sachen. Anbei 2 neue. Kennen Sie Ihren heimatlichen Oberspielleiter Westphal? Er wird also Ihre 3AM vorbringen. Ich stelle anheim, sich mit ihm in Verbindung zu setzen u. ihm meinen Dank oder dergl. zu sagen. Ist aber auch nicht nötig. Der N. W D R. hat ebenfalls, sowohl seine hiesige Redaktion, wie unabhängig davon die Hamburger Zentrale, sich an mich gewandt. Was mag Herr Westphal mit dem Hin-

weis auf Heidegger meinen? Ich las kürzlich ein neues kleines Buch von ihm, in der Schweiz erschienen, gefiel mir sehr. Auch einer, der „den Mittelpunkt" empfindet u. ihm Rechnung trägt.
Und Ihre Leber? Sie waren doch nie ein Alcoholiker, soweit ich weiss. Etwas Rotspohn kann die Leber nicht schädigen. Ich stehe persönlich auf dem Standpunkt, meinen Jahren entsprechend, dass ich garnicht mehr Genaues über mich wissen will; – ist es soweit, nun gut, – aber vorher lange Lamentos, das hat auch keinen Zweck.

Herzlichen Gruss Ihr G B

Den „Rheinischen Merkur" finde ich *sehr interessant*, weil er mich sogar vor katholischen Formeln bestehn lässt.

Nr. 422 7 VII 49

Lieber Herr Oelze, erlauben Sie Telegrammstil: 1) Dank für neue Cafésendung, schlürfen ihn begeistert, aber beschämt. Bitte nicht mehr senden, – bitte sehr! 2) Dank für Brief betr. „Nasse Zäune" u. „1886". Von N. Z. kein Exemplar bei mir, keine rechte Erinnerung mehr daran. Bitte: senden Sie Abschrift von beiden Gedichten an N. Er soll es mitsetzen lassen. *Raum spielt* gar keine Rolle, *N. bringt Alles.* Er ist z.Z. auf Urlaub für 14 Tage, hat aber Vertretung 3) Anbei ein Angriff (tut nichts; es werden noch mehr kommen, ich provoziere ja mit Absicht u. Genuss) u. die überwältigende Seite der „Tat". Interessant, welche Stellen sie auswählen. 4) soweit ich mir ein Urteil erlauben kann, würde ich bestimmt die neue Position *annehmen.* Zurück können Sie immer wieder. Es klingt nicht schlecht, was Sie darüber schreiben. Ich werde dann meine egoistische Schreibwut zähmen u nur alle 2 Wochen an Sie schreiben. 5) Die

anliegende Notiz „Ostzonenakademie" wird mir Schwierigkeiten machen. Die hier lebenden Alten Mitglieder erwarten u. verlangen von mir, dass ich mich mit meinem Namen ihrem Protest anschliesse. Das tue ich ungern, da es unnützen neuen Lärm um meine Person geben wird. In dieser Angelegenheit meldete sich heute bei mir der Bruder von Ihrem Freund *Dr. Göpel*, ein Journalist, er bezog sich auf Sie (natürlich nicht in unpassender Form). Wissen Sie, ob Dr. G. einen Bruder hier hat, der Journalist ist? Ich frage – unter Discretion – aus dem Grunde, weil sein Eindruck es mir nicht als völlig ausgeschlossen erscheinen lässt, dass er von der „Gegenseite" kommt, (Agent, Spitzel), ich will ihm nicht zu nahe treten, aber man wird hier in Berlin ja sehr misstrauisch. Ich war ihm gegenüber so doppelzüngig, wie es mir angebracht erschien. Wenn ich schon sowas höre (was man jetzt ja öfter hört u liest): „eine Handvoll richtiger Männer", dann werde ich zurückhaltend. Das läuft ja alles auf Untergrundbewegung u. Neonationalismus hinaus, was ich für verkehrt u. ungeschickt halte.
Ich habe nochmals über Ihr Project nachgedacht: ich glaube, ich würde an Ihrer Stelle darauf aussein, Geld zu verdienen selbst vorausgesetzt, dass Sie genügend haben, auch ohne die neue Tätigkeit zufrieden leben zu können. Also mein Rat ist: ja sagen. („Man muss dicht am Stier kämpfen", sagen die grossen Matadore; es kommt vermutlich auch geistig für Sie was dabei heraus.)
Übrigens: in „1886" habe ich kürzlich bei Durchsicht einiges gestrichen, es etwas konzentriert. Aber das kann ich bei der Korrectur hier zur Geltung bringen.
Nun Schluss. Wenn möglich, bitte die Rhein-Neckarzeitung wunschgemäss an N. zurück u. die „Tat" an mich.

Herzlich
Ihr
GB

Nr. 423 10 VII 49.

Lieber Herr Oelze, entschuldigen Sie, wenn ich korrespondenzlich nicht 100⁰/₀tig exact bin u. auf Manches zunächst nicht eingehe. Aber ich überdenke Alles immer tagelang. So auch Ihren Brief vom 26. VI mit seinen Perspectiven; natürlich sind wir überhaupt nicht realistisch, sondern nur axiomatisch angelegt, nicht induktiv, sondern rein metaphorisch. Dies zu wissen ist ja einer der Angelpunkte unserer heutigen Existenz.

Mit Auden wird schon zuviel hergemacht u. was *über* ihn geschrieben u gesagt wird, ist schlechter, als was er selber schreibt. Dieser Dr. Hansen, angeblich Privatdozent in Kiel, ist überaus rührig u. hat offenbar in A. sein Lebenselement gefunden, hat ihn aber, scheint mir, nicht verstanden. A. ist mir interessant, weil ich zufällig einige Parallelerscheinungen von ihm in Händen habe, z. B. *Perse*, Franzose, haben Sie seinen Namen gehört? Ich kann Ihnen eine gerade erschienene Übersetzung senden. Auch aus dem Kreis von Werner in Freiburg erhielt ich einige seltsame Sachen von jungen Deutschen. Ich nenne es für mich: Phase II (nämlich des nachantiken Menschen), liegt in der Richtung von Montage-Mensch, Roboterstil; den Menschen giebt es gar nicht mehr, er wird zusammen gesetzt aus Redensarten, verbrauchten Floskeln, ausgewetztem Sprachschatz, alles steht gewissermassen in Anführungsstrichen – und das Seltsame ist: es wirkt auf Sie gewissermassen echt. Eine ganze Menge Namen aus den verschiedensten Nationen könnte ich Ihnen hierzu noch anführen. Es ist eine ähnliche Stilaufbruchsbewegung wie 1910 - 1920, – auch in diesem Sinne: Phase II.

Cher Monsieur, Ihre erneute Frage, ob ich zu Ihnen komme, bewegt mich, aber ich komme nicht. Dagegen erlaube ich mir die Anfrage, ob meine Frau 1 Tag Sie besuchen darf u. zwar am 25. oder 26 VII. Sie will Sie so gerne kennen lernen u. auch Ihre Gattin, – u sie will dann weiter an die Nordsee.

Mir wäre es eine grosse Freude, wenn Sie sie einen Tag aufnehmen würden, dann wäre doch eine neue Verbindung zwischen uns da u. ich möchte meiner Frau gerne die Genugtuung geben, von Ihnen empfangen zu werden. Ich selber reise nicht, ich bin zu abhängig von meinen täglichen Lebensgewohnheiten u. zu anfällig in Bezug auf Anstrengungen u. Schwierigkeiten, auch können wir beide nicht gut hier fort, einer muss Haus hüten u. das Wirtschaftliche weiterführen. Meine Frau war seit 45 nicht fort aus Berlin u. hält es nun hier nicht mehr aus. Falls Sie zusagen können, teile ich Ihnen Näheres mit, im Augenblick wissen wir ob Zug oder Autobus u. wann Abfahrt u. Ankunft u. ob über Hannover oder Hamburg noch nicht. –
Dass Sie meinen Satz über die *rehbraune Decke* zitieren, freut mich ausgesprochenermassen. Das ist ein mir nicht schlecht gefallender Satz.
Mit vielen Grüssen an Ihre Gattin u Sie
immer Ihr G B.

Jeder Brief von Ihnen ist mir ein Genuss u eine Freude

Nr. 424 15/VII/49

Lieber Herr Oelze, Ihrer Frau Gemahlin u Ihnen meinen herzlichsten Dank, dass Sie den Besuch meiner Frau annehmen wollen. Sie kommt wahrscheinlich am Montag den 25 VII über Hannover. Näheres ev. telegrafisch. Ihre Ratschläge sind sehr wertvoll, auch in Bezug auf die Bäder, da hier kein Reisebüro sich die Mühe nimmt, korrekt zu sein.
1) Ich gratuliere zum 1. Rundfunkspruch! Ist ja fabelhaft, dass Sie dabei sind. Grossartig. 2) Der Artikel von Vietta in der „Welt" erschien in der Berliner Ausgabe sogar mit Bild (eine mir unbekannte, nie von mir autorisierte Aufnahme) Übrigens ist sicher eine diesbezügliche Unterhaltung von

mir mit der neulich erwähnten Engländerin hier die unmittelbare Ursache. Ich fragte sie, es wäre mir interessant, welche Befugnisse ein engl. Kontrolloffizier in Bezug auf Literatur habe u. erzählte ihr andeutungsweise von der Sache. Ihre erste Frage war: „natürlich Herr W. Haas??" Ich blieb schweigsam, aber sie wusste Bescheid.

3) Kinsey-Test: Curtius war genau so entsetzt wie Sie über die Nacktheitsfrage drüben u schrieb mir darüber.

4) Der Goetheaufsatz ist noch nicht in meinen Händen. Selbstverständlich bekommen Sie das 1. Exemplar.

5) „Neue Schweizer Rundschau": bitte *nicht* durch Herrn Schifferli. Den behandele ich sehr unpersönlich u. formell, ich glaube, das ist richtig. Ich sende Ihnen.

6) „Nasse Zäune" u „1886" also bitte *an mich*. Ich werde sie durchsehn u. verfahren je nach dem Eindruck, den sie mir machen.

7) Ihr Kommen! Besprechen Sie mit meiner Frau, ob sie mich für besuchsfähig u -würdig hält. Natürlich könnten wir Sie in unserer Nähe gut unterbringen.

8) Lassen wir Dr. Göpel auf sich beruhn. Eine gelegentliche Feststellung bei Ihrem Bekannten, ob sein Bruder hier Journalist ist (– offenbar C.D.U-Mann), wäre mir ganz interessant.

9) Falls meine Frau zu Ihnen kommen darf, wird sie telegrafisch einige Tage vorher M. 300.- an Sie senden, da man dies – zugelassene – Geld besser nicht bei sich trägt, wie allgemein geraten wird.

Also Sie wollen nicht von Neuem Kapitalist werden. Aber wenn nun die Westmark von Neuem abgewertet wird? Wir sind hier schon wieder auf die unerwartetsten Dinge gefasst.

Viele Empfehlungen an Ihre Gattin.
Tausend Grüsse.
Ihr
G B.

Nr. 425 17 VII 49.

Lieber Herr Oelze, darf ich mir erlauben, Ihrer Frau Gemahlin und Ihnen folgende Planung meiner Frau zu unterbreiten. Meine Frau hat Interzonenpass und Billett, um am Montag, den 25. VII morgens 7 Uhr mit Autobus Richtung Hannover abzufahren, dort Ankunft mittags und eine Stunde später Weiterfahrt nach Bremen. Ihr Ziel ist Norderney, sie hat sich in den Kopf gesetzt, dort ihre 2 Wochen Ferien zu verbringen. Sie kommt in Bremen nach Angabe hiesiger Reisebüros zwischen 7 und 8 Uhr abends an, würde – pünktliches Eintreffen vorausgesetzt – dann mit Taxi zu Ihnen heraus fahren, um Ihnen ihren Besuch zu machen. Am Mittwoch will sie dann (wohl über Oldenburg, Emden) weiter. Die Frage ist nun, giebt es Taxis am Bremer Bahnhof oder nicht. Giebt es keine oder hat der Zug wesentliche Verspätung, will sie am Bahnhof in einem Hotel übernachten und Ihnen dann am Dienstag Vormittag meine Grüsse überbringen. Also: jedes Abholen Ihrerseits etwa liegt ausserhalb unserer Berechnungen und ich bitte Sie sehr, eine diesbezügliche Absicht nicht ins Auge zu fassen, die Entfernung von Oberneuland in die Stadt ist für Sie unbequem, weil zu weit. Wahrscheinlich geht ja auch der Zug nach Oldenburg mittwoch morgen sehr früh und auch aus diesem Grunde, würde sie wohl besser am Bahnhof übernachten. Das klingt vielleicht in Ihren Ohren zu selbstständig oder gar unhöflich, ich füge daher ausdrücklich hinzu, dass der ganze Reiseplan dem seinen Ursprung verdankt, dass meine Frau Ihre Frau Gemahlin und Sie kennen lernen möchte, sich vorstellen, um mit Ihnen in Berührung zu kommen.
Sie schrieben, dass Ihre Gattin selber Reisepläne hat, ich füge also hinzu, dass meine Frau in Bezug auf die Rückreise keine erneuten Besuchsabsichten bei Ihnen hat, wie Sie überhaupt die ganze Unternehmung bitte nicht als Zudringlichkeit auffassen wollen, auch ist ja jetzt Sommer und sie kann auf

keinen Fall wie Herr Werckshagen Ihre Wohnung durch Brandgefahr bedrohen oder wie Herr Hürsch so spät abends angesetzt kommen und Ihre Vorräte und Sherry's austrinken.
So, das wäre das. Wenn es aber Ihnen aus irgendwelchen Gründen am Dienstag nicht passen sollte, da sich inzwischen bei Ihnen andere Pläne entwickelt haben, schreiben Sie es bitte oder rufen Sie an, wir würden das durchaus verstehn.
Ein thematisch ungewöhnlicher Brief zwischen Ihnen u. mir! Daher zum Schluss noch etwas im alten Stil: ich finde den Aufsatz von Herrn Vietta in seiner Oberflächlichkeit nahe am Unverschämten. Und die Dichterin, die Ihr Herr R. A. Sch. im letzten Heft des „Merkur" startet, kann uns, glaube ich, nicht viel bieten. Und die Frankfurter Rundfunksendung neulich Nacht scheint daneben gegangen zu sein, jedenfalls schrieb mir Herr Heinz Friedrich eine recht beklommene Karte darüber und Herr A. R. Meyer, der sie sich angehört hat, schrieb mir, Herr Andersch hätte sich dümmer gestellt als er ist, ausserdem hätte er von meiner „Entnazifizierung" gesprochen. Nun mir ist es nicht wichtig.
Bitte empfehlen Sie mich Ihrer Gattin.

Tausend Grüsse von

Ihrem G B.

Nr. 426

30 VII 49.

Lieber Herr Oelze, heute kam Ihr Brief vom 27 VII. über den Besuch meiner Frau. Ich fürchte fast, sie hat Sie doch etwas sehr in Anspruch genommen u. Ihnen Extratouren zugemutet, die Sie behelligt haben. Ich bedanke mich noch besonders dafür, dass Sie sie am Montag Abend anrufen

liessen, es war mir natürlich eine grosse Beruhigung zu erfahren, dass sie gut die Grenze passiert hatte. Sie sprach langsam, schwer u. dunkel, – entschieden hatte sie zuviel von Ihrem Rosenwein getrunken, von dem sie am Telefon erzählte. Ich habe sie sehr, sehr gern. Sie ist naiver u. kindlicher, als sie sich giebt; u. wenn ich Ihnen erzählen würde, wie ihr Leben verlaufen ist, wären Sie wahrscheinlich überrascht. Ihre Eltern haben sich überhaupt nicht um sie gekümmert, sie hat *Alles*, schon ihre Schule, sich selbst verdienen müssen und sich von ihrem 10. Lebensjahr an völlig allein durchkämpfen müssen. Trotzdem ist sie so reizend u. zutraulich geblieben und hat tausendmal mehr Humanität und innere Höflichkeit den Menschen gegenüber wie ich. (In ihrer Familie sind schwere Geisteskrankheiten, Schizophrenie, daher die sonderbaren Eltern)
Anbei sende ich Ihnen den Aufsatz von Rychner. Er ist erstaunlich. Wenn Sie ihn gelesen haben, teilen Sie mir bitte mit, ob Sie ihn behalten wollen oder mir zurückgeben können. Vielleicht wäre Ihnen Herr Niedermayer sehr verbunden, wenn Sie ihn ihm schickten, da er nicht sicher ist, wie er mir am Telefon gestern sagte, ob er ihn sich beschaffen könnte. Er will eine lange Prospektsache über mich drucken lassen, 6-8 Seiten mit allen interessanten Kritiken. Ich persönlich finde ja fast den Teil aus dem katholischen Aufsatz (Allgem. Kölnische Rundschau) „ein Meister des Worts" – das fascinierendste, was man über die neuen Bücher geschrieben hat.
Zu *Lion:* mit den „Kleingöttern" meint er vielleicht die Stelle aus „Zusammenfassung" im Phänotyp, wo ich von dem ländlichen Gott rede, – jedenfalls nahm ich das bei der Lektüre seines Aufsatzes an.
Heute erhielt ich das 1. Exemplar des *Goetheaufsatzes*, aber mit persönlicher Widmung mit Dankesworten von Herrn Schifferli, – sodass ich es nicht weiter an Sie senden möchte. Aber das nächste Exemplar sende ich an Sie. Verkehrt ist,

dass das Vorwort (Curtius-Jaspers) als *Nach*wort steht u. dadurch, wie Sie merken werden, mit einem falschen Einsatz beginnt. Obschon ich mehrfach bei Korrectur darauf hin wies. Aber das ist ja schliesslich des Verlags Sache.
Ich danke Ihnen nochmals für Ihre Freundlichkeiten gegen meine Frau. Einen Brief an Ihre Gattin sandte ich noch nach Bremen, heute früh. Die „Insel" ist seinerzeit englisch erschienen, in einer Zeitschrift. Vielleicht finde ich sie noch u sende Ihnen. Also, auf Wiedersehn, Bozenerstrasse!

Ihr G B.

Nr. 427 7/8 49 Sonntag.

Lieber Herr Oelze, vielen Dank für Ihre Briefe vom 2 VIII aus Häcklingen u. den noch aus Bremen mit den 2 Gedichten. (Postleitzahlen von Häcklingen u. Norderney?? Ich werde neue 3 AM schreiben müssen, um auf das bedauerliche Fehlen der Postleitzahlen hinweisen zu müssen, das die Zustellung von Briefen verzögert oder gefährdet. Ist das Alles 23?) – Ob ich die beiden Gedichte noch verwerte, weiss ich nicht. Ich müsste dann ja den Untertitel: „Gedichte etwa zwischen 1920 u 1930" ändern. Gefällt mir überhaupt nicht sehr. Aber irgendwie wird man doch darauf hin weisen müssen, dass der Band die älteren enthält. Sehr entzückt bin ich von dem ganzen Band nicht, dessen Fahnenkorrektur bei mir eingegangen ist. Er tritt doch in eine völlig *veränderte* geistige Situation, verändert in Bezug auf Inhalte u. Methoden; soll man sich sagen lassen: überflüssige Reminiscenzen u. vergreiste Substanzen? Wie gesagt, ich bin etwas schwankend geworden.
Herr Rychner ist Schweizer, ich kenne ihn nicht. Er war vor 33 bei der „Kölner Zeitung" tätig u hat damals schon sehr

schöne Dinge über mich geschrieben. Er gilt als der massgeblichste internationale Kritiker u. Recensent innerhalb der europäischen Literatur. Er ist Chefredaktör der „Tat"; seine Haltung ist wohl etwas profaschistisch.
Ich bedaure, dass seine Studie Sie in „Unruhe u. Bewegung" gesetzt hat, wie Sie schreiben. Dazu ist doch aber keine Veranlassung. Was Punkt 3 Ihrer Bemerkungen angeht, so richtet sich seine Kritik, soweit ich sehe, nicht gegen Teil III, den ominösen, sondern gegen gewisse Sätze aus Teil II. Aber Einwendungen schaden doch garnichts.
Es sind übrigens schon wieder mehrere neue Kritiken erschienen, sehr schön alles, ich sende sie Ihnen nicht, da sie nicht so wesentliches enthalten. Dabei fällt mir ein: Herr Niedermayer will doch einen langen Prospekt über mich herstellen, ich glaube, dabei müssen wir ihm etwas auf die Finger sehn, bezw. ihn beraten. Bisher fand ich seine diesbezüglichen Unternehmungen nicht besonders gelungen, bezw. ungeschickt. Nicht fehlen darf nach meiner Meinung jener Absatz aus der Kölner Zeitung mit der Überschrift: „ein Magier des Worts", diese Stelle finde ich recht fascinierend. Auch der Satz aus dem Frankfurter Rundfunkprogramm: „der problematischste Kopf unseres Landes" ist ganz anzüglich. –
Ein anscheinend junger, italienisch-schweizerischer Schriftsteller schickte mir eine Bildkarte aus Asolo, wohin er nach Lektüre des Dusegedichtes gereist sei. Nett von ihm!
Meine Frau, die wenig schreibt, rief gestern hier an, leider war ich gerade nicht da. Sie bleibt noch bis Freitag in N. Das Wetter sei jetzt sehr schön. Hier auch. Das trieb mich gestern auf einen neueröffneten Dachgarten, gute Aufmachung, aber warum tanzen die Menschen bloss? Mir unerfindlich. Sie tanzen, dass ihnen der Schweiss überall herunterläuft u. ihnen die Haare am Kopf ankleben, aber sie tanzen unentwegt u. ohne Pause, es muss darin eine Erotik vorhanden sein, die sich mir nie eröffnet hat.

Den Brief von Vietta bitte gelegentlich zurück. Seien Sie nicht böse, dass ich ihn nicht so goutiere wie Sie.

Herzliche Grüsse. Ihr

G. B.

Nr. 428 13 VIII 49.

Lieber Herr Oelze, heute erwarte ich meine Frau zurück. Nun wird sie mir erzählen von Ihrer Welt, die ich nicht kenne. Diese Madonna scheint in N. schön gebummelt zu haben, nach ihren spärlichen Berichten. Vielen Dank für den Brief vom 11. VIII. Vietta hat mir den Aufsatz nicht geschickt, aber es eilt mir auch nicht. Es ist nun schon genügend über die Bücher verfasst worden, alles in Allem bin ich verblüfft über die Resonanz u. die verbreitete Erfassung doch sehr wesentlicher Punkte, allein der Angriff gegen den Lebensbegriff im „Ptolemäer" ist noch kaum in die Beurteilung bezogen worden.

Was war das für ein Gremium in Bremen, das sich die 3AM anhörte? Und anscheinend bis zu Ende anhörte? 80 Leute also in einem Saal?

Herr N. sandte mir Entwurf zu dem Prospekt. Ich hatte einiges auszusetzen u. schrieb ihm. Er wollte es sofort zurück haben, ich bat ihn aber, *Sie zu beteiligen*. Anbei noch einige neuere Sachen u die erstaunliche Notiz aus Hamburg u. nochmals die Kölner Kritik. Ich wäre für Rückgabe dankbar.

Die Gedicht-Korrectur lagert noch bei mir, bin mir unschlüssig. Sicher werden Sie die Korrectur erhalten, ich veranlasse es, obschon ich mir sage, dass Sie zu viel von Ihrer Zeit für mich opfern.

Wollen wir nicht eigentlich dem Gürster-Steinhausen die 4 Bücher senden lassen? Sein Aufsatz war ja wirklich äus-

serst interessant u. bedeutend u zu einer Zeit, als ich noch verschollen war. Ich werde N. bitten, es zu tun.
Nun, werden wir uns vielleicht bald sehn? Wie denken Sie darüber?
Haben Sie Dank für alle Briefe u Gedanken an mich, ich bin mir immer Ihrer grossen Hilfe bewusst.

Etwas müde, etwas gespalten –

Ihr

G B.

Nr. 429 15 VIII 49.

Lieber Herr Oelze,
zu meinem Telefonanruf gestern: ich war wirklich verstimmt über meine Frau, dass sie Sie um 100 M. gebeten hatte, ich hatte ihr genug geschickt u sie hat viel zu viel in N. ausgegeben, war offenbar sehr leichtsinnig und ausgelassen, ich bin mit ihr sehr böse. Wenn Sie nicht bald hierher kommen, sende ich in 2 Briefen je M. 50 an Sie zurück, anders geht es von hier aus nicht u Herr N. stottert immer nur mit Hilfe hiesiger Firmen kleine Summen an mich ab, ich kann ihn nicht bitten, direkt an Sie M. 100 zu schicken. (Herr N. und die Finanzen ist überhaupt ein Thema für sich. Ich bin immer noch sehr nachsichtig mit ihm in Anbetracht seines Unternehmungsmutes mit mir. Aber dass auch der neue Vertrag über die Gedichte wieder nur 10% einsetzt, ist dürftig. Zumal Herr Schifferli auf das Lizenzhonorar für die „St. G." zu meinen Gunsten verzichtet hat, wovon ich bisher auch nichts gehabt habe. Lt. Abrechnung sind bis 1. VII immerhin 360 Exemplare davon verkauft gewesen).
Von meiner Frau habe ich nun Einiges über Ihr Leben gehört u. bin sehr froh darüber. Ihr Bild komplementiert u komplettiert sich. – Sie haben tatsächlich ein Büro u. machen

Geschäfte! Meine Hochachtung! Und die Wandgemälde im Terrassenzimmer unter Denkmalsschutz. Von wem sind sie? Madame hatte das vergessen. Und Sie haben ihr einen Platz im Zug erkämpft, wie freundlich von Ihnen, nochmals meinen Dank für Alles an Sie und Ihre charmante, kluge, Gepflegtheit und Ruhe ausstrahlende Gattin. Wäre sie nur mitgereist nach N., dann wäre meine Frau nicht so ins Bummeln gekommen!

Wie ich schon schrieb, den Aufsatz von V. kenne ich nicht. Die Briefstelle wird schon richtig sein, erinnere mich zwar im Moment nicht an sie.

Die Gedicht-Korrekturen lagern noch bei mir u. N. erinnert daran. Habe gar keine Lust, mich damit zu befassen.

Heidegger als gehobener Palmström ist ja ein ganz neuer Schlager von Ihnen. Muss drüber nachdenken. – Wohnt V. in Stade? Und wo stammt er eigentlich her? Früher wohnte er in Freiburg i Br.

Die *Postleitzahlen* sind hier obligat. Ein Pressestreit darüber endete mit dem Sieg der Post, die sie hier unbedingt verlangt.

Nochmals hinsichtlich Gedichte: wie denken Sie über „Monolog"? Steht bisher nirgends. 1886 werde ich Ihnen korrigiert zusenden für Herrn Westphal.

Tausend Grüsse u tausend Dank

Ihr

G B

Meine Frau schildert Sie so aktiv u, jugendlich, das freut mich aufrichtig.

Nr. 430 28 VIII 1949. Mittags 12[10].

Lieber Herr Oelze, während Sie in dem Vortragssaal Ihrer Vaterstadt den Worten von Fr Th. lauschen, gedenke ich Ihrer und danke Ihnen nochmals für Ihren, ach so kurzen, Besuch. Kein günstiger Stern stand äusserlich über ihm: die grosse Hitze (die heute wieder vorüber ist) und unsere beschränkten Verhältnisse, die keine Gastlichkeit zulassen. Hoffentlich sind Sie wenigstens ohne Panne wohlbehalten wieder in Oberneuland angekommen.

Ich habe mich ungeheuer gefreut, Sie wiederzusehn, und als Ganzes erschienen Sie mir sehr lebendig und gut in Form; der Kopf jünger und reichhaltiger, als ich ihn in Erinnerung hatte, die Gestalt vielleicht etwas morbider und zarter, als ich Sie in Erinnerung vor mir sah. Mein aerztliches Urteil lautet, dass Sie mehrere Wochen Bühlerhöhe (oder Sanatorium Nerotal in Wiesbaden) gut brauchen könnten, – auf *keinen* Fall Dr Buchinger; dass Sie abends 1-2 Gläser Starkbier trinken und alle 3 Tage abends 9 Uhr 1 Tabl. Phanodorm oder Quadronax nehmen sollten, um den Schlaf zu regulieren. Sie müssen sich mehr gehen lassen, entspannen, alle Krisen nonchalanter behandeln – *verhalten*, stillstehn und „auf Wasser sehn". Mein geistiges Urteil ist, dass es ein Genuss ist, mit Ihnen zu reden, dass es in Berlin niemanden giebt, der Ihrer dialectischen Schärfe, Ihrer gedanklichen Rasanz nahekommt; und mein persönliches, dass Sie unerreichbar sympathisch und kameradschaftlich sind. Haben Sie also vielen, vielen Dank für die 2 Tage, die Sie uns schenkten. Meine Frau trauert Ihnen geradezu nach und kultiviert Ihre Restbestände hier, die Rosen, die Kristallfregatte, die Chokolade.

Mir kommt es vor, als ob wir viele, nahezu alle wichtigen Dinge nicht besprochen hätten, also müssen wir wieder zu unserer brieflichen Mitteilung übergehn.

Heute habe ich also Dienst u. eine Frau mit Nasenfurunkel

und eine mit Angina in einem Seitenflügel IV Treppen habe ich schon konsumiert. Unsere Hausangestellte ist jetzt für 14 Tage auf Urlaub u meine Frau muss kochen. Es ist ein mittelwarmer, grauer, verhangener Augusttag von tiefer Melancholie, der die Bozenerstrasse erfüllt. Ich las in dem Almanach auf das Jahr 1932 des Verlages Flechtheim von James Joyce den Satz aus dem Talmud: „wir Juden sind wie die Olive, wir geben unser Bestes, wenn wir zermalmt werden, wenn wir unter der Last unserer Fronden zusammenbrechen" – und er überträgt das auf den Künstler. Er wird Recht haben; alles Sieghafte ist völlig unerträglich. Und ich glaube, dass unser im Zeichen der Jungfrau geborene olympische Urgrossvater, den man in dieser Stunde feiert, zwar seine Zusammenbrüche gut verschleiern konnte, aber sie kannte u. von ihnen lebte.
Noch ein Wort zu der oft von uns erwähnten „Migräne" –: ich persönlich habe keine Lues gehabt, sie ist ein Erbübel, von meiner Mutter mir hinterlassen. Tausend Grüsse an Ihre Gattin und an Sie und nochmals Dank.

Ihr G B

Nr. 431

Die Seite 49-51 übersendet dies kleine Buch, – die Hälfte tot, die Hälfte unruhvoll am Leben – Herrn F. W. Oelze, dem strengen Geist, mit freundschaftlichem Gruss.

Gottfried Benn.

27 VIII 49.
Bozenerstr.

S 64-73
G B auf englisch.
(Ich fand die „Insel" immer eine der allermässigsten Sachen,

die ich je publizierte, – aber neulich fragte jemand aus Cambridge bei mir an, ob er „Diesterweg" übersetzen könne!)

30 VIII 49. Be

Nr. 432 8/9/49

Lieber Herr Oelze, vielen Dank für die beiden Briefe vom 1. 9., die 5 Tage gingen trotz Luftpost. Dank auch an Ihre Gattin für das zugesandte Frottiertuch an meine Frau! Ob Sie beide noch in Oberneuland sind oder schon en voyage? Wir denken oft an Sie. Am 28. 9. will Herr Niedermayer kommen, aber wir wollen ihn peripherer installieren. Würden Sie wohl so gut sein u. mir nochmal die genaue Adresse von der Pension sagen, wo Ihre Bekannten wohnen, in der Clausewitzstrasse? Dort könnte N. Quartier beziehen. Herr Stier tom Möhlen ist zu einer Tasse Café uns sehr willkommen.
Zu dem Vortrag von Fr. Th. konnte ich nicht gehn, da ausgerechnet an diesem Abend ich 2 Privatkrankenbesuche zu machen hatte, die ich „mitnehmen" musste, um die Kasse zu füllen. Aber meine Frau war da. Sie war durchaus positiv angetan sowohl von dem Eindruck, den der Redner machte wie von dem, was er sagte. Es war überaus voll. Die Leute sassen auf Podium u. Fensterbrettern u. in den Gängen waren Lautsprecher. Die Kritiken waren recht gut. Meiner Frau gefiel, dass Th. erzählt hatte, G. sei ein grosser Grimasseur gewesen u. hätte sich gerne mit anderen herumgezankt. Dann war sie bei Ortega, der ihr grossen Eindruck gemacht hat, obschon er sprachlich schwer verständlich, u. alles überfüllt u. schlecht organisiert war.
Ein junger Mann ist bei mir aufgetaucht, Student der Romanistik in Bonn, Schüler von Curtius u wollte ein Interview für die „Zeit" (Hamburg) zu Stande bringen; sie plant

angeblich eine grössere Sache mit mir. Bei dieser Gelegenheit wurde – ohne Zutun des Jünglings – eine Art Interview-Studie bei mir fällig mit alten u neuen Gedanken, die zu umfassend für eine Zeitung ist, auch zu radical. Vielleicht publiziere ich es im „Merkur". Sie würden dabei sehn, dass auch aus *unseren* Unterhaltungen hier einiges einfloss. –
Ziegler, wo immer ich ihm begegne, finde ich etwas verschwommen. Dagegen ist die andre Studie, auf die Sie mich verwiesen, sehr lehrreich.
Denken Sie nun bitte an Ihre dreiwöchige Kur in einem Sanatorium! Eine mittelschwere Neurose liegt bei Ihnen vor. Der geeignete Mann wäre vielleicht Prof. von Weizsäcker in Heidelberg für Sie, der die Psychosomatik sowohl internistisch wie tiefenpsychologisch exemplarisch betreibt. Aber auch ohne ihn würden Sie sich vermutlich in den erwähnten Anstalten völlig erholen.

Tausend herzliche Grüsse!
Ihr
G B

Nr. 433 Berlin, 14. IX. 49

Lieber Herr Oelze,
zu Merkur, Heft 19. Das ist doch auch schon eine Mottenkiste, u. ich fürchte, dass meines Bleibens dort nicht mehr lange sein wird. Diese Studie über Iphigenie! Dieser Briefwechsel zwischen Lewalter (wer ist das?) und Paeschke, aus dem ich überhaupt nicht klug werde. Und nun: „die 7 Thürme"! Ich begann mit Widerwillen und endete mit Schmunzeln. Der Fall klärt sich. Sie schreiben: „gepflegt", das ist richtig, aber man muss jetzt hinzufügen: vor Allem völlig leer. Das ist doch reines Kunstgewerbe, hohles, Kunstgewerbe von 1900 (Fidus). Opale u Smaragde u. Silber-

schilde u Korallen u dazu ein kosmisches Geschwätz voll Banalitäten. Sicher haben Sie ebensolch Entzücken empfunden wie ich, als Sie S. 847, den 1. Satz von Absatz 4 lasen. Was soll das Ganze überhaupt bedeuten? Ein Getue mit Geheimnis u. ungeheuren Tiefblicken und Wundern und nichts dahinter. Ja, es ist sonderbar, fast interessant, dass Bense das nicht empfindet. – – – – Ah, eben kommt anliegender Brief von N. über Bense (14. IX). Also er ist doch im Bilde! Und ebenso kommt Ihr Brief vom 12. IX, der depressive, – Sie schrieben Kassner u ich schrieb Ziegler, ich verwechsele die beiden immer, mein Urteil ist aber über Beide ähnlich, nur dass Kassner wesentlich erfahrener u. tiefer ist. – Der *Prospekt* gefällt mir, weil er in der Aufmachung auch etwas Hochstaplerisches hat, was ich ja liebe. *Undurchdringlich* bleiben – das muss man! Wenn ich auch annehme, dass jetzt nach der sogenannten politischen Stabilisierung in Bonn sich eine dolle christlich-konservative Kulturatmosphäre ausbreiten wird, die jedes Avantgardistische ausrotten wird. Ich höre schon solche Klänge vom Radio Frankfurt, von dem mir Herr Heinz *Friedrich*, der Autor jenes misslungenen Manuscripts meiner Nachtsendung, schreibt, nachdem meine Bücher „wie ein sengender Strahl" in die Literatur gefahren sei, nun wieder ganz gegenteilige ressentimentgeladene Strömungen zur Geltung kämen. Nun, tut nichts. Nach dem Sieg binde den Helm fester – u. meine neue Sendung an „Merkur" ist schon ein sehr festgebundener Helm, den der Öffentlichkeit zur Schau zu bringen, dem guten Paeschke vermutlich an die Nieren geht. Andererseits bekomme ich seltsam viele Zusendungen aus Kunst (Maler- Plastik-) Kreisen, die geradezu danach *lechzen*, den bürgerlichen Kunstbetrieb zerstört zu sehn u. mich rührend u dringend bitten in ihren Zeitschriften (Landau i Pfalz, Düsseldorf) ihnen mit Publikationen zur Seite zu stehn. „Honorar können wir allerdings leider noch nicht zahlen" –. Also die „Phase II" (so heisst mein neues Elaborat) ist im Gange an mehr Stellen als man ahnt. – Herr Thiess: die übrigen Vorträge waren alle ebenso brechend voll, aber lassen wir ihm sein Glück. Wer soviel verdient, den muss man respectieren. Tausend Grüsse u gute Besserung. Ihre Abneigung gegen Tabletten u. Arzneien gehört zur Neurose bei Ihnen. Sonst: nehmen Sie von anliegendem Recept täglich 2x 1 Teelöffel!

Ihr G B

Nr. 434 21. IX 49.

Lieber Herr Oelze, haben Sie Dank für das Physikbuch mit der freundlichen Widmung. Ich bin momentan nicht auf Physik gestimmt, habe aber drin geblättert. Sein Inhalt scheint mir nicht viel Neues zu enthalten, nichts, was ich nicht schon gewusst oder selber formuliert hätte. In dem Interview für den jungen Mann hier, das ich ihm schliesslich doch noch zusammengestöpselt habe (mit Einzelsätzen aus dem etwas umfangreicheren Phase II, das vielleicht „Merkur" bringt) schreibe ich: Die Stellung der Naturwissenschaften hat sich seit meinen Anfangs- u Studienjahren grundsätzlich geändert, sie sind heute sowohl Mathematik wie Metaphysik und „*Planck ist Kepler und Kierkegaard in Einem*". Das meint ja wohl auch der Autor Ihres Buches.
Gestern Abend 11-12, Nachtprogramm, war die grosse Sendung im N.WD.R, die sie mir sogar durch höfliches Telegramm noch extra angekündigt hatten. Es sprachen Carl Linfert, einer der besten Essayisten über moderne Malerei- u. Plastikstilfragen, früher hier im Courier, jetzt in Köln, und Prof. Heinrich Schaeder aus Göttingen. Ich hätte wohl geschlafen, aber meine Frau hielt mich wach. Nun, – es war schon recht ansehnlich u. grossartig. Von jener Reserve, die ich liebe, und von jener Antisuperlativität, die ich bevorzuge. Auch der Sprecher der Gedichte war ausgezeichnet.

Schaeder sagte z.B.: das Jahr 1922 sei eines in der europäischen Literaturgeschichte, mit dem sich seines Wissens überhaupt nichts vergleichen liesse, da erschienen: von Valéry die Gedichte, von Rilke die Duineser Elegieen, von Eliot das waste Land, von Hofmannsthal der Turm u. meine erste Gedichtsammlung. Er erwähnte dann auch die „wunderbaren Epiloggedichte“ zu Trunkene Flut, die ihm offenbar N. zugänglich gemacht hatte. Als Bestes der neuen Bücher nannte er die 3 A.M. –
Bense hat mir seinen 26 Seiten langen Aufsatz gesandt. Ich liess ihn von meiner Frau lesen, die ja mein Lektor ist für Dinge, auf die ich gerade nicht gestimmt bin. Sie sagt, aufs Äusserste vorsichtig und verdeckt legt er Jünger zu Boden („Plüsch“) u ebenso reserviert u zurückhaltend stellt er dann mich als Mann der Stunde dar. Wenn es Sie interessiert, sende ich Ihnen den Essay.
Nun steht also der Besuch von Herrn N. bevor, nächste Woche. Bin gespannt, welcher Art er ist.
Lokale Notiz: alles aus den letzten Jahren ist entstanden in meinem Sprechzimmer, in jenem Stuhl am Fenster, das auf die Strasse sieht. Im Hinterzimmer wird nur poliert u. korrigiert, die Eingebungen stammen alle aus diesem kleinen einfenstrigen Raum, vormittags. Wenn ich dort ein Stehpult hätte, oben grünbezogen, wie es mein Vater hatte, und von 9-12 ungestört gewesen wäre, wäre ich ein mittelgrosser Mann geworden, so ist Alles Fragment. –
Allerdings liebe ich Fragmente. Ihr

G. B.

Nr. 435 22 IX 49.

Lieber Herr Oelze, so leid es mir tut, muss ich Sie schon wieder wegen meiner Poesie belästigen. Herr N. schickt mir

heute die 2. Korrektur der Gedichte und schreibt, dass er eine weitere an Sie gesandt habe, das bedeutet, dass er und ich uns in der Bitte vereinigen, Sie dafür zu interessieren.
Meine Gedanken sind folgende: 1) ich möchte, dass unter „Ausgewählte Gedichte" im Titelblatt in Klammern steht:

(bis 1935, mit Epilog 1949)

2) ich möchte, dass zwischen den Gedichten bis 1935 ein leeres Blatt kommt, damit die Epiloggedichte sichtbar herausgerückt sind und dass auch diese Epiloggedichte einzeln ein Blatt haben wie die übrigen.
Das bedeutet einen Bogen Papier mehr als bisher (ein Bogen ist 16 Seiten). Also muss ich dem Vorschlag von N. folgen und einige weitere hinzufügen, um den Bogen zu füllen, – ausserdem frage ich mich auch, warum ich einige Gedichte eigentlich fortgelassen habe, sie könnten ganz gut auch herein, – nämlich:

Ikarus 1-3, GG. S. 78-81.
Die weissen Segel, – A.G. S 85
Reise, – G.G. – S. 75

– dann wäre der Bogen schon voll.
Zu: Reise bemerke ich, dass Herr Schaeder sie in seinem Vortrag am Dienstag hat vortragen lassen und daran seine Bemerkungen knüpfte, er sie also interessant fand.
zu: Die weissen Segel –, würde ich Sie um Erlaubnis bitten, in diesem Band die Widmung an Sie fortzulassen, da ja das Rosengedicht Ihrer Gattin gewidmet ist und dann zweimal Oelze mir zu tautologisch erscheint.
Ich würde die Gedichte an folgende Stellen einsetzen:

Ikarus zwischen Hebbel und Mutter, also als S. 27.
Reise zwischen Englisches Cafe und Schutt, also S. 31
Die weissen Segel zwischen Valse triste und Wie lange noch, – also als S. 39.

Wenn Ihnen das passend erscheint, unterstützen Sie bitte diese Vorschläge bei N.
Heute nur dies eiligst, damit Sie das Manuskript gleich mit

diesen Gesichtspunkten ansehn. Wenn Ihnen sonst noch etwas auf- oder einfällt, geben Sie mir bitte Nachricht. Sehr dankbar, überaus dankbar wäre ich ausserdem, wenn Sie noch auf Druckfehler sähen, die mir ja meistens entgehn.
Die Gedichte, die Schaeder sonst noch vortragen liess, waren Palau, und grosse Teile aus dem Oratorium.

Herzlichen Dank

P.S.
Ein junger Schweizer Schriftsteller (nicht der mit der Asolokarte) schrieb mir kürzlich, sein Lieblingsgedicht sei:

Schädelstätten
(G. G. S. 122)

Ich las es u. es gefiel mir nicht schlecht. Wie wäre das auch noch oder bei Platzmangel dies statt Reise oder Weisse Segel? Bitte haben Sie die Güte, darüber nachzudenken!

Dankbarst
Ihr
GB

Nr. 436

Ausgangspunkt und Grundlage unserer Beziehungen 1932 Ihnen, lieber Herr Oelze, in neuer Fassung übersandt.

Gottfried Benn.

September 49,
Berlin.

Nr. 437 24 IX 49.

Lieber Herr Oelze, eben trifft Ihr Brief vom 21/22. 9 ein, nachdem ich gerade kurz vorher das Manuscript der Gedichte an N. zurückgesandt hatte. Das mit den „*Gesängen*" ist mir in der Tat garnicht aufgefallen, natürlich muss das sein, – auf jeden Fall. Die Stelle, die Sie angeben wird die richtige sein.

In Bezug auf *Jahreszahlen* müssen wir es wohl bei der summarischen Angabe lassen, von der ich gestern schrieb: (bis 1935), nähere Gruppierungen scheinen mir zu schwierig zu sein, da alles durch einander geht, z B. „Finale" ist meines Erinnerns sehr früh. Dagegen würde ich auch die „Dänin" I II an früherer Stelle bringen z B. in die Nähe von „Dir auch" oder die 8reihigen der Osterinselgruppe. *Ich bitte Sie*, dementsprechend sich der Mühe des Umsetzens zu unterziehn, da, wie gesagt, mein Exemplar schon zurück ist. Wie soll ich Ihnen für Ihre Mühe danken! Dass Ihre Gattin meine Widmung nicht annimmt, betrübt mich, sie distanziert sich von dem artistischen Kriminalfall, den ich darstelle. Also müssen Sie es streichen, ich selber hatte sie natürlich stehn lassen. Sie müssen aber N. besonders darauf hinweisen, sonst bleibt es womöglich stehn.

Über Schaeder schrieb ich an Sie. Ich finde die beiliegende Kritik im heutigen „Tagesspiegel" ungerecht. (Anlage). Die Notiz aus Frankfurt u Paulskirche hat Ihnen vermutlich N. gesandt, sonst noch anbei, bitte gelegentliche Rückgabe.

Von Schifferli erhielt ich gestern – nach zweimaliger Reclamation von mir – 2 Exemplare des Aufsatzes, einer ging an Sie. Mich beschäftigt, dass Sie neulich sagten, ich hätte die Schlusszitate verändert u. verfälscht. Wirklich? Herr Schifferli, der ja jetzt auch die früheren Gedichte gerne gebracht hätte, will nun die früheren Prosasachen haben. Aber ich kann doch den guten N. nicht im Stich lassen.

Lasen Sie neulich den *Times* Artikel in der Neuen Zeitung?

Sonst anbei. Bitte auch zurück. Kein sehr kluger Aufsatz finde ich. Die Erwähnung von Kästner zeigt, wie wenig sie die Lyriksituation übersehn.
O Herr Oelze, wie peinlich für mich, Sie immerzu mit meinem Zinnober belästigen zu müssen. Aber seien Sie meiner Dankbarkeit gewiss.

Tausend Grüsse, auch an Ihre Gattin.

Ihr

G B

Im „Oratorium" habe ich einiges Formale korrigiert. In „Dir auch" ebenso.

Be

Nr. 438 27. IX 49

Lieber Herr Oelze, zunächst noch meinen Dank für den Brief vom 17. 9. mit Beilagen betr. Jünger mit den gepressten Blumen im Manuskript, Weinzeitung und zurückgesandten Niedermayerbrief. Meine Empfehlungen an Herrn Lösche! Dann Dank für gestern angekommenes Geschenk des „Neuen Rundschau"bandes. Blätterte erst darin herum, auch hier ja ein Jüngergewimmel, aber vieles, das sicher so erregend interessant ist, dass ich es im Moment noch von mir abhalte.
Zu den Gedichten: Ihre Mitteilung, dass eine Seite mit 2 Strophen fehlt, erschreckt mich, ich hatte es garnicht bemerkt und, da mein Exemplar schon fort ist, kann ich nicht nachprüfen, ob es nur in Ihrem Korrekturexemplar fehlte. Gottseidank, dass Sie so überaus gütig sind, es zu lesen! Ich hoffe, Sie haben N. geschrieben, mir erscheint fast notwendig, dass wir nochmals Korrektur bekommen, bevor der definitive Reindruck beginnt.

An *Vietta* habe ich allerdings nicht geschrieben, da Sie mir erzählten, dass er Anfang September nach Paris reise. Ausserdem gefiel mir sein Brief auch nicht. Und um das Elend voll zu machen, habe ich in Phase II ihn zitiert und einiges aus seinem „Welt"essay leicht abgewiesen mit Namensnennung, – schlimm? Aber lesen Sie selbst, anbei Abschrift.
Anbei auch Benseaufsatz. Bitte beides zurück.
An *Schaeder* sandte ich gleich am nächsten Morgen ein Danktelegramm. Eigentlich kenne ich ihn kaum, er war wohl mal in der Bellealliancestr. aber Näheres weiss ich nicht mehr über ihn.
Über *Schädelstätten* soll der Raum des noch freien Bogens entscheiden. Bitte schreiben Sie doch wegen „Gesänge" nochmals an den Verlag, vielleicht nicht an N. persönlich, da er ja anscheinend auf Reisen ist, ich habe nichts Näheres von ihm gehört, ob er eigentlich herkommt.
Ich war im „Mord im Dom" von Eliot. Kostümlich, figürlich, schauspielerisch gut, das Stück als solches scheint mir reichlich harmlos und konfus. Die katholischen Blätter jauchzen. Es müsste in Bonn aufgeführt werden als Propaganda für die schwache Adenauermehrheit.
Würden Sie wohl so gut sein und mir baldigst die Namen der beiden amerikanischen Schriftsteller aus dem „Lot" schreiben, deren Lektüre ich Ihnen empfahl? Herr Paeschke will den von mir genannten Miller nicht gelten lassen, vielleicht setze ich einen der beiden anderen Namen ein.
Tausend Grüsse, immer sehr dankbar. Wir gedenken Ihres Besuches oft. Grüsse von meiner Frau an Sie beide, bitte auch von mir an Ihre Gattin.

Ihr
G B

Eine schlaflose Nacht wegen plundriger Gedichte, – lieber Herr Oelze, ça ne vaut pas la peine! Es ist schon höflich von Ihnen, wenn Sie einen Mann, der Gedichte fabriziert, *nicht* lächerlich finden. (Ich tue es manchmal). Also, ich meine, man soll nun den Band ruhig als „Trunkene Flut" laufen lassen. Lyrik ist doch schliesslich immer romantisch u. sentimental, u Weigands Buchtitel sind mir völlig unbekannt u. vermutlich anderen auch, u. wenn sich der Band als solcher nicht von der Popularlyrik abhebt, nützt ihm ein sachlicherer Titel, in Ihrem Sinne, auch nichts. Wenn Sie weiter noch dabei behilflich sein wollen, dass keine Seiten fehlen u. dass die „Gesänge" hereinkommen, haben Sie wirklich das Äusserste an innerer u. äusserer Mitverantwortung getan u ich werde Ihnen sehr dankbar sein. Ein Satz aus Ihrem Brief vom 24. IX. hat mich wahrhaft gelabt, beruhigt u. gerührt: „wo Gedankenstriche stehen, muss das Komma fehlen –", wer das so sicher hinschreiben kann, bei dem ist Alles in guten Händen. Ein Satz aus Marmor und geistigen Himmeln, die nur Gutes senden können. Ich persönlich bin so sehr mit neuen Fragen u. Versuchen beschäftigt, dass ich mich für diesen Gedichtband im Augenblick nicht sehr interessiere; er muss, so gut oder so schlecht es geht, seinen eigenen Weg machen.

Wann kommt Herr tom Möhlen?

Eine *Privatfrage*, die meine Frau u ich erörtern, wenn wir an Sie denken: sind Sie eigentlich der alleinige Chef Ihrer Firma oder Ihres Geschäfts? Wie u wo grenzt sich bei Ihnen das Kaufmännische und Rechnerische gegen die extreme Spiritualität ab? Trifft Ihr Hochspannungsgehirn, allein ohne Partner, die finanziellen Entscheidungen, die Entschlüsse, die Kalkulationen? Das wäre interessant zu wissen. „Das Geschäft und die Halluzinationen" – (Ptol.).

Dank u. Grüsse. Ihr G B

Lieber Herr Oelze, ich hoffe, Sie haben Ihre Reise nach Düsseldorf gut überstanden und die Geschäfte haben die Fahrt gelohnt. Haben Sie vielen Dank für die letzte Sendung mit Brief, Ihren Anruf am 28. IX, Ihr Telegramm in Sachen „Trunkene Flut“ an Limes, Ihre Zustimmung zu Phase II – kurz, wieder eine Fülle von Danksagungen ist fällig!
Am Donnerstag telegrafierte Herr N.: „Komme Freitag früh“. Was nun? Also er traf morgens um 9h bei uns ein u. wir mussten ihn in dem von Ihnen geweihten Zimmer, das immer noch leer stand, unterbringen. N. blieb bis Sonntag. Also: eine sehr angenehme Enttäuschung! Ich war sehr skeptisch, aber zu Unrecht. Eine überraschend angenehme Person. Die Charakterisierung von Hürsch „elegante Sporterscheinung“ greift völlig daneben. Er ist zwar ein grosser Hockeyspieler, aber eher zart u. asthenisch als robust. Etwa Ihre schlanke, etwas gebrechliche Figur, ein wenig grösser als Sie; schmales gutes Gesicht, auf dem ein grosser Ernst liegt, der überhaupt über der ganzen Persönlichkeit liegt u ihr fast gelegentlich etwas Tragisches giebt. Sehr zurückhaltend, sehr bescheiden, vielleicht etwas befangen aus Unsicherheit mir u. der ihm unbekannten Situation gegenüber. Von Herkunft ist er wohl familienbezogen nicht Gentry, sondern selfmademan. Als Intelligenz wohl ebenfalls von Bildung u. Schule her nicht zu „höherem Orden“ bestimmt. Ich nehme an, er war vielleicht in der Druckerei seiner Frau etwa Prokurist u. hat hineingeheiratet, aber das vermute ich nur. Er stammt vom Chiemsee u ist katholisch. Über seine finanzielle Lage habe ich kein sicheres Urteil gewonnen. Er kam hier an mit 5. M in der Tasche u, wenn er nicht hier bei Schuldnern etwas Geld aufgetrieben hätte (was ja in Berlin z.Z. durchaus unsicher ist), hätte er kein Fahrgeld für die Rückreise gehabt. Er hatte eigentlich überhaupt nichts mit, wohl aus Furcht, an der Grenze alles abgenommen zu be-

kommen, meine Frau, die sein Zimmer oben betreute, war ganz gerührt von dem Abwesendsein jeglichen Komforts, ja fast jeglicher Toilettengegenstände (aber Frauen rührt ja sowas tatsächlich), trotzdem war er gut angezogen u. trug sich gut. Er friert leicht u. viel u. eigentlich immer – ein netter Zug. Ich schreibe Ihnen das so ausführlich nicht aus Klatscherei, sondern weil er ja wirklich eine grosse Rolle plötzlich in „unserem" Betrieb spielt u. voraussichtlich noch weiter spielen wird. Ich will also damit sagen, er ist kein schlechter Partner u wir, Sie und ich, können ihm, scheint mir, Vertrauen schenken. Es wäre natürlich sehr sehr gut, wenn Sie sich auch kennen lernen würden, damit Sie sich ein Urteil bilden können.
Hinsichtlich des Gedichtbands wird er nochmals eine Korrectur senden. Im übrigen haben wir wenig über Pläne gesprochen, bezw. mehr über seine eigenen Verlagspläne als über meine Angelegenheiten. Mich interessierte es mehr, ihn zu studieren u kennen zu lernen als ihn für mich zu erwärmen.

Viele herzliche Grüsse u Dank

Ihr

G B

Nr. 441 9/X 49.

Lieber Herr Oelze, Dank für den Brief vom 5 X, gestern eingetroffen. Aber Ihre Auslegung meines Briefes vom 28 IX ist völlig falsch. Ich bin Ihnen über Alles dankbar, dass Sie zu dem Gedichtband Stellung genommen u. sich mit ihm nicht nur formalistisch in Bezug auf Druckfehler und Interpunktion beschäftigt haben, sondern thematisch unter die Lupe nahmen. Wenn ich am Titel nichts änderte, so nur, weil ich wiedermal zu müde war, um principiell über das

ganze Buch nochmal nachzudenken. Ich rühme mich dessen wahrlich nicht, aber Sie wissen, dass ich den Blick nur ungern rückwärts wende u. dass ich überhaupt hinsichtlich meiner Person, die nun historisch u. stilkritisch u. kulturanalytisch schon viel zu viel beachtet u. durchleuchtet wird, sehr zur Reserve neige. Auch verdecke ich die Blössen, die ich habe, garnicht; im Grunde sind sie mir ebenso fremd u. gleichgiltig wie die bedeckten Teile.
Über den Briefwechsel Goethe-Voigt hatte schon neulich eine Notiz in einer Zeitung mich sehr aufmerksam gemacht u. hatte die Absicht, mich mit ihm zu beschäftigen. Nach Ihrem Hinweis werde ich es nun tun.
Anbei eine Zeitung von heute – u. am Mittwoch abends 11h.-11^{15} von Neuem N.W.D.R – das übliche Interview, in dem ich mich auslasse, ich konnte mich dem nicht entziehn. Radio ist sehr gegen meine Neigung. Ich kann u will nicht unter mein Niveau u fühle doch deutlich, dass es fehl am Orte ist. Es ist aber nun das letzte Mal. Ich rede mein Neues Thema: Phase II, das wird schon an sich nicht Ihr Geschmack sein, also bitte ich Sie, zu schlafen, es lohnt für die Viertelstunde nicht, zu einem Apparat zu gehn.
Zum Thema N.: er ist 45 Jahre, hat sich ein neues Auto gekauft u. das alte mit 1500 M. in Kauf gegeben; er hat Anfang des Jahres M. 10 500. bar an Brentano ausgezahlt für 2 Romane, die in dem letzten Jahr erschienen u. gingen. Also ein gewisser Umsatz in seinem Verlag muss doch sein.
Lieber Herr Oelze, Sie können Ihre Kompetenzen nicht überschreiten, Sie machen mir grossen Kummer, wenn Sie sowas schreiben. Sie wissen, wie ich auf niemanden höre ausser auf Sie, dass ich trotzdem gelegentlich meine eigenen Wege gehe, müssen Sie verstehn. – Dank für Ihre Erzählung Ihrer kommerziellen Tätigkeit. Interessiert mich ungemein.

Tausend Grüsse. Immer Ihr

G. B.

Zu dem Aufsatz im „Tagesspiegel":
mehrere Druckfehler.
An wen der Brief war mit „Apfelsinenartig", weiss ich im Moment garnicht. Ich kenne den Herrn Hering nicht u. habe nie an ihn geschrieben. Er soll in Süddeutschland leben.

Be

Selbst West-Berlin erinnert sich seines sonderbaren Bürgers!

Be.

Nr. 442 10/X 49.

Lieber Herr Oelze, ich sah Ihrer Rücksendung von Phase II mit Sorge und Angst entgegen. Diese kurze Sache hat mir – nachträglich – in meinen Meditationen viel Schwierigkeiten gemacht. Ich schiesse so oft im Ausdruck über das Ziel hinaus, tue es absichtlich, um mich selber zu reizen u. zur Umkehr zu bewegen. So auch hier. Ich erhielt gestern per Eilbrief aus Baden-Baden Korrektur u. strich einiges des zu u. nur Provokanten, darunter den Familiencafé, den Sie auch monieren, ferner die Sache mit dem *Tabakhandel*, ersetzte es durch einen anderen Passus, nicht so plastisch, nicht so extravagant, aber, um meine innere Ruhe wiederzubekommen! (Meine Frau übt in dieser Richtung einen guten, mildernden Einfluss aus, im Sinne Oelzescher Kavaliershaltung u. prosaistischer Befriedung). Ich eile, Ihnen das mitzuteilen. – Am Mittwoch im Radio rede ich schon gepflegter, ja am Schluss demokratisch-pastoral. Eine kuriose Welt – dies Geistesleben u. Innendasein! Man stösst in sich selbst auf immer neue Überraschungen.
Sie erhalten wohl morgen die 2. Korrektur von „Trunkene Flut". Bitte Sie herzlich, sie zu studieren. N. ist äusserst aktiv in Bezug auf den neuen Prosaband, ich dämpfe eher.

Herzliche Grüsse.

Ihr G. B.

Bestätige:
1 x Bense
1 x Vietta
1 x Phase II.
Bitte schränken Sie Ihre Beziehungen u. Beratungen zu N. nicht ein!
Der Artikel im „Tagesspiegel" hat eingeschlagen!

Nr. 443 nochmals: 10 X. 49.

L. H. Oe. Ich habe eben den Aufsatz von Vietta gelesen. Ich finde ihn grossartig. Nur den Schluss verstehe ich nicht ganz. Der Sprung von S. 8 zu S. 9 ist nicht basiert. Gerade aber diese Stelle wäre ungemein interessant, fortgeführt zu sehn. Welches ist die Bindestelle, an der die wichtigsten philosophischen Denker des Abendlandes arbeiten? V. *muss* mir das sagen. Das wäre wichtig. Und ebenso, welche ganz andere Lösung auf den Menschen zukommen könnte. Da ich V. ernst u. wörtlich nehme, muss er bereit sein, das zu explizieren.
Formal nicht verständlich ist mir der Satz S. 9: „weil er aber auch als reiner Dichter spricht *und das heisst, den Willen zum Ausdruck sich erschlaffen lässt* –": wenn man den Willen zum Ausdruck sich erschlaffen lässt, ist man doch – jedenfalls in dem Moment – kein reiner Dichter? Oder wie soll der Satz verstanden werden? Ich werde an V. schreiben. Dank Ihnen sehr für Zusendung! Ihr

Be.

Ich bin immer so beschämt, wenn ich solche eindringlichen Aufsätze über mich zu lesen bekomme –, alle diese Mühe, die sich die Verfasser mit mir machen und ich sitze hier und kann mich nicht revanchieren.

Be

P.S.
In einem sonst recht banalen Aufsatz einer Französin fand ich als Zitat einen seltsamen Satz von der Colette: „*Schreiben führt zu nichts anderem als zum Schreiben.*"
Trifft wohl zu??

Nr. 444 Sonnabend 15 X 49.

Lieber Herr Oelze, die Tabakfirma hatte ich Ihnen zum Opfer gebracht und nun schlagen Sie meinen Rauch nieder und nun wird es zu spät sein, es zu redressieren. Also, bleibt es bei der feineren Fassung. Übrigens, nicht Ihnen ganz allein, ich dachte auch, dass es vielleicht auf meine so bemühten Kritiker (Rychner) nicht sehr dankbar wirkte, wenn ich so gleichgiltig davon spräche.
N. ist kolossal aktiv wegen der Prosabände. Hier werden Sie leider wieder ein ausschlaggebendes Wort mitzureden haben, was die Auswahl angeht. Ich selber finde keinen rechten Standpunkt dazu. Ich, der ich mich doch schonungslos durchblicke und durchleuchte, komme zu keinem Ergebnis, warum mir eigentlich die Beziehung zu meinen früheren Arbeiten so weitgehend verloren gegangen ist. Es ist vielleicht die unsägliche Müdigkeit u. Skepsis, die ich allen Dingen des Geistes gegenüber so niederdrückend stark empfinde, obschon ich immer verkünde und predige, dass nur der Geist das Absolute ist. Vielleicht auch, dass ich neue und anders gerichtete Dinge in mir betreibe und es gehört ja zu den rührenden Infantilismen der Autoren, dass sie immer das neue und in Arbeit befindliche für das wichtigste halten. Also, bitte, stellen doch Sie in Gedanken den ersten (oder beide) Bände zusammen und legen Sie das nieder. Ich lege Ihnen zu Ihrer weiteren Orientierung noch den Brief von N. vom 7. X und vom 11. X. bei. Wenn Sie sie mir gelegent-

lich zurücksenden, wäre es mir angenehm. Da Sie sich leider vermutlich die Mühe machen werden, einzelne Stücke der Prosa noch von Neuem anzusehn, notieren Sie doch bitte auch gleich die Stellen, die Sie für korrekturbedürftig halten im Hinblick auf die veränderten politischen Verhältnisse. Ich erwäge, den Lebensweg fortzuführen bis zu Heute, nämlich die Zwischenzeit von 34-49 historisch-biographisch und als Abschluss Phase II, – dann ist das halbe Jahrhundert ausgefüllt.
Am letzten Sonnabend rief Herr N. an, war schwer zu verstehn sagte aber meiner Meinung nach, am Mittwoch würde die 2. Korrektur von Trunkene Flut bei Ihnen und mir sein, ich erhielt sie jedoch bis heute, 15., nicht, die Post geht allerdings wieder etwas schlechter.
Was hat denn Herrn N. hier so erschüttert? Ich glaube, die Stadt in ihrer Trostlosigkeit mit ihrem Geschäftsruin, der allerdings jetzt täglich fühlbarer wird.
Ich wollte, ich könnte Ihnen per Stadttelefon einen guten Sonntag wünschen, aber bis Bremen ist zu weit.
Bitte grüssen Sie Ihre Gattin, vielmals, meine Frau ist eine grosse Bewunderin und Verehrerin von ihr geworden!

Tausend Grüsse u Dank an Sie

Ihr

G. B.

Anlage: Radiokritik.
Wie denken Sie über das *Schaeder*projekt? Ist nicht *Vietta* doch etwas konventionell in seiner inneren Anlage?

Nr. 445 15 X. 49

Lieber Herr Oelze,
in Ergänzung meines heutigen Vormittagsbriefes, mit der Bitte um Entschuldigung für diese 2. Post:

1) vorhin kam die Endkorrektur der Gedichte. Ich hätte zu bemerken:
a) bei „Wie lange noch", S. 49 müsste, wenn am Schluss Anführungsstriche stehn, solche auch am Anfang stehn. Ursprünglich, in nascendi, war das Gedicht als Sprechen einer Frau an den Mann gedacht, darum standen bisher „ ". Man kann sie natürlich auch fortlassen. Bitte entscheiden Sie
b) Ich fände es hübscher, wenn S. 106 der Titel „Epilog 1949" stünde u. dann S. 107 nicht mehr, sondern dann die 5 Gedichte folgten (also ohne die Überschrift auf S. 107.) Bitte entscheiden Sie. Mir scheint es proportionierter, als wenn S. 106 leeres Blatt.
2) Das Bild im „Tagesspiegel" hatte dieser 1 Woche vorher bei mir machen lassen, Zenker ist die renommierteste Pressephotographin Berlins
3) Florens Christian Rang habe ich nie vernommen. Ein mir gänzlich unbekannter Name.
Ich schlage vor, Sie notieren für Limes Ihre neuen Beanstandungen u schreiben das nur brieflich hin, behalten die Korrectur, das ist einfacher für Sie u. geht schneller.

Dank, wie immer.

Ihr G B

Nr. 446 19 X 49.

Lieber Herr Oelze, nun haben Sie auch noch Geschäftssorgen, Spannungen wirtschaftlicher Art, Finanzkrisen und dazu diese ewigen G.B.Briefe! Abscheulich und zudringlich. Darum heute kurz und mit Unterhaltungsbeiwerk.
1) Dank für den Brief vom 16. mit den letzten Vorschlägen über die Gedichte. Ich fürchte, die können wir Herrn N. nicht mehr zumuten. Das sind grosse Umstellungen in dem

schon gesetzten Text und bringen Kosten mit sich. Ich weiss nicht, ob er gerne darauf eingeht. Im Einzelnen haben Sie sicher Recht – bis auf das Rosengedicht, das ganz am Schluss doch vielleicht zu lose anhinge. Sollte alles so bleiben, wie es jetzt schon ist, so haben Sie dafür für den Prosaband entscheidende Funktionen, ja ich frage Sie, ob Sie nicht die Einleitung zu dem Band verfassen könnten, von dem N. in einem seiner Briefe schreibt, die ich Ihnen sandte.
2) in der Anlage einen Brief von Vietta. Ich bin immer noch nicht ganz sicher, dass er im Kernpunkt ein klarer Kopf ist. Übrigens mit Heidegger lasse ich mich gern zusammenstelln, das ist mir eine Ehre im Gegensatz zu dem J.parallelismus. Hierzu ein „Tat"aufsatz anbei.
3) Kennen Sie den Namen Henry Miller? Den habe ich auf Bitten von Paeschke aus dem PhaseII-Aufsatz gestrichen. Ich wusste nicht recht, warum er das erbat. Jetzt weiss ich es. Lesen Sie bitte im anliegenden Heft des Freiburger Kreises: „Der Wendekreis des Krebses". Lesen Sie es für sich allein, lassen Sie es nicht herumliegen, zeigen Sie es keinesfalls Ihrer Gattin, es ist wirklich von einer Säuischkeit, die unüberbietbar ist, aber – ich kann nicht anders – es ist nicht schlecht, hat eine Wucht, die man anerkennen muss. „Fud" ist offenbar ein deutscher Slangausdruck für vagina, der mir bisher trotz meiner reichen Kenntnis dieses Milieus unbekannt war. Bitte dann um Rücksendung.

Tausend Grüsse und immerwährenden Dank!

Ihr

G. B.

Nr. 447 Mittwoch, 26 X 49.

Lieber Herr Oelze, haben Sie vielen Dank für den Brief mit der ausgezeichneten Analyse von Miller. Sie haben sofort den Flair für die wesentlichen Punkte gehabt, wie Sie ja

überhaupt einer der erstaunlichsten Empfinder von Stil- und Ausdrucksdetails sind, dem ich begegnet bin. Darum kann ich Sie auch nicht von der Verantwortung für den Prosaband entbinden, selbst für den Fall, dass Sie sich nicht entschliessen wollen, den Einleitungsaufsatz zu verfassen. Bitte stellen Sie in Gedanken die Stücke zusammen, Herr N. wird inzwischen auch dieserhalb an Sie geschrieben haben. – Zum Glück hat seine Sekretärin im ersten Epiloggedicht – letzter Vers, erste Zeile – noch einen Fehler entdeckt, nämlich statt Farben: Flammen gesetzt, was ich gemeint hatte, nein, schon wieder verkehrt: *Fragen* – damit es sich auf geschlagen reimt (wie primitiv ist eigentlich diese ganze Dichterei!)
Was ziehn Sie an, was zieht ein feiner Mann an, wenn er – –: ich bin von englischer Seite angefragt worden, ob ich in ganz kleinem Kreis an einem Abend mit Eliot hier zusammen sein wolle. Ich habe abgelehnt, da ich diese herumreisenden Stars nicht zu amüsieren gedenke, sollen die Einlader sehn, wie sie ihm die Zeit vertreiben. Ich habe das natürlich nicht ausgesprochen. Aber ein wesentlicher Grund war auch, dass ich ja kein Englisch kann und vor Allem, dass ich keinen anständigen Abendanzug besitze, im Strassenanzug aber nicht abends bei Engländern herumsitzen mag, auch der Strassenanzug ist nicht mehr ersten Ranges. Aber, wie Sie wissen, interessiert mich alles Gesellschaftliche und Modische sehr – also was zöge man da passend an? U.A.w.g., bitte! Auch z. B. Schuhe: wann zieht man eigentlich Lackschuhe an, nur zu Smoking und Frack? Sonst schwarze Halbschuhe? Sie sehen, Sorgen hat man, nicht bloss lyrische.
Ich bekomme jeden Tag 3-4 neue Bücher geschickt, teils mit teils ohne Widmungen, alle lesen ist ausgeschlossen. Darunter ist ein neues Buch von Bense: „Technische Existenz“, das habe ich mir genau angesehn, sehr interessante Einzelheiten, sehr klug, und trotzdem kommt es mir wie Zwischenreich vor, nicht auf Ausdruck gearbeitet, aber auch keine autochthone Philosophie, es bleibt im Grunde doch hoch-

stehende Diskussion, Ventilieren, Vergleichen, Heranrücken von Getrenntem, aber im Rahmen jenes dialektischen Milieus, das in der Krisenphänomenologie üblich ist. Es fehlt nicht an Schärfe, aber an Wurf, an Freimachung vom Stoff. Wenn es Sie interessiert, sende ich es Ihnen. (Darf ich bitten, mir die Sache Henry Miller zurückzusenden). (Das Übrige nicht.)

Heute nur dies. Herzliche Grüsse. Und was macht das Bromnervacith?

Ihr

G. B.

Ich habe meine gesellschaftliche Bildung aus 2 Milieus: dem der Finckensteins, mit denen ich gross wurde, also altes Hofzeremoniell; u. dem des preussischen Militärs, beides kein internationales. In Dänemark, bei meinen wohlhabenden Freunden, wo meine Tochter aufwuchs, kam dann etwas Skandinavisches hinzu, aber alles Englische ist mir völlig fremd.

Be

Nr. 448 28 X 49 Freitag

Lieber Herr Oelze, ich zerre Sie schon wieder in eine schreckliche Sache hinein! Sie erinnern sich vielleicht an unser Gespräch im August über den Maler Oelze in Bremen. Dessen Adresse wollte Frau Thea Sternheim in Paris gerne wissen. Sie schreibt nun heute an mich, es seien gerade amerikanische Freunde bei ihr, die diesen Oe. kennen und seine Adresse so gerne wüssten. Wäre es Ihnen keine zu grosse Mühe, Frau Sternheim die Adresse mitzuteilen oder den Maler zu veranlassen, sich selber dahin zu wenden? Der Maler Max *Ernst*, soweit ich mich erinnere, ein bekannter Sur-

realist, ist der Besucher und vielleicht liegt Ihrem Namensvetter daran, mit ihm zu korrespondieren. Adresse: Madame Thea Sternheim, Paris XIV, 7 Rue Antoine-Chantin. Ich habe auch Ihre Adresse eben an Frau St. geschrieben, für den Fall, dass etwas Dringendes vorliegt und Sie vielleicht gütigerweise eine Postsache an den anderen Herrn Oe. weiterleiten würden. – – Nichts wie Scherereien durch mich! Werden Sie nicht böse!
Ich wollte noch zu Ihrem gestrigen Brief sagen, wie verblüffend gut Ihr Urteil wieder über v. W. in Heidelberg ist. Ganz meine Meinung. Er war vorzüglich vor etwa 15 Jahren mit seinen klinischen Publikationen, die ich damals sehr genau studierte, eine glückliche Mischung von Psychoanalyse und interner Medizin. Aber seine Philosophie finde ich auch äusserst banal. Übrigens ist er der Schwager von Curtius, der an sich als h-s-l gilt, aber mit dieser sehr schönen Schwester von v. W. seit einiger Zeit verheiratet ist.
Und heute kam Ihre Rücksendung von Miller und der Brief von E. V. Das mit Heid. wird ja nun etwas viel. Ich muss Ihnen gestehn, dass ich manchmal denke, bei H. handelt es sich um längst bekannte Dinge, uralte Bestände der Philosophie, die er nur neu „deutet", etwas Angeberei ist wohl manchmal dabei. Und nun reist er auch noch herum! Nicht schön! – Tausend Grüsse

Ihr G. B.

Nr. 449 2 XI 49 (Allerseelen)

Lieber Herr Oelze Mittwoch Nachmittag und keine Praxis, meine Frau zum 2. Mal zu Eliot mit der englischen Clique, mit der sie sich angefreundet hat – darüber später. Zunächst vielen Dank für Ihren Brief vom 30. X. Den Bense sende ich. Merkur schrieb mir gestern, dass er den Benseaufsatz

Mauretanier und Ptl. bringen wird, allerdings seien noch einige formale Änderungen nötig (wahrscheinlich meinen sie: kürzen, was ich sehr gut fände). Ferner schreiben sie, dass Phase II erst im Dezemberheft kommen kann, da die D.V.A das nächste Heft nahezu blockiert habe mit Vorabdrucken aus eigenen Publikationen, die sie zum Weihnachtsgeschäft noch starten wollen. Verständlich, mir eilts nicht.
Der Prosaband: alles, was Sie schreiben, finde ich gut. Meine Frau sagt zwar, wer solche Briefe schreiben kann, kann die Einleitung schreiben – „*du musst ihn zwingen*" – aber wenn Sie nicht mögen, lassen wir sich Niedermayer darüber den Kopf zerbrechen, er wird ja dabei geschäftliche Gesichtspunkte haben und das ist garnicht schlecht. Sagen Sie, Herr Oelze, besitzen Sie eine Abschrift von *Block II, Z. 66*? Ich überlege, ob ich das für den Lebenslauf verwenden kann, das vereinfachte mir Vieles, aber ich glaube, Sie haben mir das Original gesandt – und das kann ich nicht finden, ich bin ja mit meinen Manuscripten sehr radikal, wenn mir in einem Augenblick etwas nicht daran gefällt, schmeisse ich es fort.
Eine Menge neuer Kritiken sind erschienen, auch Rundfunksendungen, einiges ganz interessant, anderes weniger. Mein Bruder, der Kirchenpräsident, brachte mir ein evang. Sonntagsblatt aus der Pfalz, in dem ich als Christ geschildert bin und als einer, den sein Weg zum Heiland geführt habe. Überraschend! Aber ganz nett. Bemerkenswert eine Kleinigkeit: diese frommen Christen erlauben sich eine kleine Korrektur in dem Gedicht „Verlorenes Ich", indem sie im vorletzten Vers, 2. Reihe statt „*den* Gott" setzen: „*an* Gott", was den Charakter des Verses stark verändert. Amüsant und rührend! – Ein anderer schliesst: B. ist kalt, man kommt ihm nicht näher, man kann ihn nur als Phänomen registrieren (im Übrigen auch eine gute Besprechung), aber darüber habe ich nachgedacht, es hat mich beeindruckt. Die ganze Isoliertheit und Gefahr meiner inneren Position trat mir von Neuem entgegen, die man ja gelegentlich vergisst. Ma-

raun schreibt mir, ein Aufsatz von ihm sei abgelehnt von einer Zeitung: „wir müssen wieder zu den Klassikern, mit sowas „*kommen wir nicht weiter*"." Auch darüber lassen sich Betrachtungen anstellen. Aber ich habe ja schon im Ptl. deutlich gesagt, es gilt alles nur innerhalb meiner Sätze und reicht nicht über den Bereich meiner Zimmer hinaus. Aber wahrscheinlich bin ich immer noch nicht deutlich genug geworden, und muss nochmals diese Dinge zusammenfassen. Ahnte doch jemand, welche Last man auf sich nimmt, wenn man seinen inneren Auftrag ausführt, gegen den man alle Einwände genau kennt und den man doch vertreten muss, wenn man einmal angefangen hat. (Auch für Miller gilt das, es ist kein Einwand, dass es wenige lesen und erfahren, dass es nur nichtöffentlich von Hand zu Hand geht, das Esoterische ist das Gesetz der Stunde).

Eliot: meine Frau war sehr beeindruckt von seinem Äusseren, sie sagt: alt, müde, gebeugt, völlig in sich gekehrt, abgezehrt und dabei elegant – und dann sagte sie: „demütig". Immer dies Wort, das ich neuerdings sooft höre und mit dem ich mich auch von Neuem auseinandersetzen muss. Ich hörte E. gestern im Radio, ein Interview, das mir gefiel, er sprach gut deutsch, er sagte: zurück zu den Klassikern, zurück zu den alten Mächten, zurück zum christlichen Abendland, aber er sagte auch, ein Volk, das keinen Dichter mehr hat, ist am Ende, schon tot und leer, und natürlich kann ein Dichter heute nicht mit der Sprache seines Vaters oder Grossvaters reden, sondern eben neu, von heute.

Sie schlagen in Ihren Briefen soviele Themen immer an, auf die ich aus Zeitmangel nicht jedesmal eingehn kann. Vielleicht sende ich Ihnen eine neue Studie, die manches davon enthält und die bis ans Äusserste geht dessen, was nach meinem Gefühl im Stil möglich und notwendig ist. Aber natürlich auch von einer Bitterkeit und Verrücktheit, die Sie nicht mit Entzücken erfüllen kann.

Der neue Staat und die Intellektuellen werden Sie doch auf

keinen Fall kaufen, ich habe davon noch, wenn Sie keines haben, schreiben Sie mir bitte.
Dank u herzlichen Gruss! Immer Ihr

Benn

Werden Sie noch verreisen? Sanatorium?

Nr. 450 9. XI. 49.

Lieber Herr Oelze, der *Weserkurier* ist unvergleichlich! Sowas könnte man nicht erfinden, kein Satiriker; das kann nur unmittelbar aus dem Herzen eines deutschen Provinzliteraten strömen. Dank für die Zusendung! Aber lassen wir Manfred mit der Mundharmonika fort – einige Probleme bleiben aus dem geschilderten Milieu, denen nachzugehn ich diesen Winter wohl (oder übel) dazu verwenden werde.
Dank für Block II. – Dank für Ihren Brief vom 6. XI. u. das Gauguinzitat. – Dank für das Schreiben vom 3 XI mit den Addicksgedichten. Ist Dr. A. Ihr Arzt? Behandelt er Sie regelmässig? Über die Gedichte bald Näheres. (Ob Erfreuliches, weiss ich nicht.)
Wann kommt Ihr Bruder? *Ich frage, weil ich Sie in der Zeit mit Episteln verschonen will.* Anbei Ihrem Wunsche gemäss einige Kritiken. – Vom 2. Besuch meiner Frau bei Eliot noch Folgendes: er trug einen blauen Anzug, silbernen langen Schlips („wie ein Hering") u. – bleiben Sie bitte sitzen – *L a c k* schuhe!
Die Volkshochschule Darmstadt hat mich zu einer Vorlesung eingeladen u will sogar dafür bezahlen. Aber jetzt im Winter fahre ich natürlich nicht.
Frau Sternheim schreibt aus Paris: „wie ich von einem Bekannten, der aus der Schweiz zurückkam, höre, werden Sie in Winterthur einen Vortrag halten". Ich weiss von nichts, fahre auch nicht.

Herzlichen Gruss. Immer Ihr G. B.

(Schlechte Feder, die Tintenstifte, Kugelschreiber u.sw kaput – pardon!)

Nr. 451 14 XI 49.

Lieber Herr Oelze, Dank für Rücksendung von A R Meyer, wäre nicht nötig gewesen. (Pardon) Dann die Gedichte Ihres Arztes! Wir müssen hierbei auf beiden Schultern tragen: auf der einen das für Sie, auf der anderen das für ihn. *Für Sie:* Dionys u. Korybant u. Subcortical u Pythagoräer u. Galiläer u. Julian Apostata u. Nikolaus von Cusa und Nietzsche u Golgatha – ich persönlich finde das ganz furchtbar, weil nämlich dazu die flott u. firm gereimten Vierzeiler so garnicht passen u. dem Thematischen, das auf Vulkanisch u. Zerrissenheit abgestellt ist, einen geradezu munteren, fast kommersliedhaften Überguss verleihn. Ich muss es aussprechen u. bitte Sie mir zu verzeihn, ich halte das Alles für reinen Dilettantismus, der gar keine Hoffnung auf eine Zukunft offen lässt – eigentlich fragt man sich, warum jemand, der so fix u. wohlklingend reimen kann – – – –, dichtet.

Aber *für ihn:* gedanklich recht interessant, formal geradezu glänzend; in „Zeit" habe ich eine Strophe angestrichen, die mir gefällt. Er möchte mal ein Gedicht ohne Reime machen u. ohne Fremdworte, ein lyrisches Gedicht auf einen Garten oder eine Blume oder ein Liebesgedicht. – – – Lieber Herr Oelze, das war ein schweres Stück Arbeit, diese Gedichte lesen! Aber Ihnen geweiht, darum wurde sie mir leichter. Im Anfang war das Wort, das wird mir immer klarer, aber man muss es anwenden u. *weglassen* können.

Ihr Gedanke, Herrn N. gelegentlich zu besuchen, entzückt und ergreift mich. Das wäre viel, was Sie damit für mich täten. Zu den Prosaprojecten bitte ich Sie zu verfahren, als ob ich tot wäre u. Sie der Nachlassverwalter. Allerdings

müssen Sie dann bei der Einleitung als Mitarbeiter auch mitgenannt werden und Ihre Unterschrift mit unter das Dokument setzen.
In der Anlage erlaube ich mir, Ihnen 2 Sachen zu senden mit der Bitte um baldige Rückgabe:
1) eine Bemerkung aus dem „Tagesspiegel", – eine solche freut mich meistens mehr als die frontalen Erörterungen meiner Person. 2) einen Aufsatz jenes jungen Curtius-Schülers, der im Sommer ein par Mal bei mir war u. mir von den jugendlichen Besuchern der letzten 2 Jahre den besten Eindruck machte. Er schreibt mir, dass im nächsten Blatt der „Zeit" jenes Interview stünde, das sich dann bei mir zu „Phase II" entwickelte, u. das in der Zeit sicher nur einen aphoristischen Eindruck machen kann. Diesen beigelegten Aufsatz hat er auf Anregung des „Rias" verfasst, bezweifelt aber, dass er gesendet wird. Ich auch, da bei den Amerikanern ja stark rassisch bestimmte Exponenten massgeblich sind, – tut auch nichts, in Berlin will ich ja nicht stark hervortreten ...
A propos, ich erzählte Ihnen, dass im Sommer Prof. Ludwig *Marcuse* aus Los Angeles bei mir war, 3 Stunden lang, sehr nett bei uns aufgenommen, er hatte 3 x telefonisch um diesen Besuch gebeten. Von Lüth höre ich, dass er dann zu Kesten sich in übelster Weise über mich ausgesprochen habe – wenn es stimmt, ich traue Kesten natürlich jede Gemeinheit zu, M. eigentlich nicht.
Tausend Grüsse. Ihr G B

Nr. 452 19 XI 49

Lieber Herr Oelze, vielen Dank für den Brief vom Busstag. Was Sie hinsichtlich Gide andeuten, kann ich nur bestätigen, er ist mir von den grossen old mans der liebste, aber ausserhalb seiner Zeit hat er sich nie gestellt, das kann ein Franzose wohl auch garnicht. Aber immerhin, er hat sich das Artistische und Literarische doch sein Leben lang unverhüllt bewahrt, erst in den letzten Jahren wird er etwas weich und erzieherisch und fühlt sich der Jugend gegenüber als Bewahrer verpflichtet. Sie wissen, dass er mich zwischen den Kriegen, als er öfter nach Berlin kam, mehrere Male in der Bellealliancestrasse besuchte, der Eindruck von ihm war ein guter, schweigsam und zurückhaltend und nicht bonzig.

Was Herrn Italiaander angeht, so ist wohl *Traum* zu zart und abwegig, um in Holland gefallen zu können. Wie wäre es mit einem Gedicht, das in keiner Ausgabe steht, dem ich aber in gewisser Weise anhänge: dem *Monolog*, dessen Beginn ja zwar politisch und dessen ganzer Inhalt ja sehr aggressiv und zeitbestimmt ist, das aber sprachlich mir nicht ohne Gehalt erscheint. Und da die wackeren Holländer doch wahrscheinlich ganz gern etwas Antifaschistisches lesen, wäre es vielleicht am Platze. Erinnern Sie sich daran und haben Sie es zur Hand? Dabei fällt mir ein, Sie fragten vor einiger Zeit im Auftrag von Herrn Westphal nach *1886*, die gleiche Frage kam von W. nochmal über Niedermayer an mich. Ich sende es Ihnen anbei – was ist eigentlich mit der Übertragung von 3AM – haben die Bremer Rundfunkleute kalte Füsse bekommen und Ihre Stimme wird nicht durch den Äther gelangen?

Ist Ihr Bruder älter wie Sie? Hat er ein eigenes Bankhaus im Haag? Er ist ja wohl jetzt Holländer geworden?

Schliesslich, bitte, Sie erhielten, wie mir N. mitteilte, 2 Exemplare *Trunkene Flut*. Wollen Sie bitte in das eine Exemplar den beifolgenden Karton kleben und es Ihrer Gattin übergeben?

Hinsichtlich des „Lebensweg – –“ könnte ich eine Fortsetzung machen: „Zwischenzeit“ und einmal authentisch meine Erfahrungen mit der Reichsschrifttumskammer darstellen mit den Originalschreiben an meinen Verlag und mich, dazu die

Angriffe im Schwarzen Korps und im Völkischen Beob. u.sw. Es wäre kein uninteressantes Dokument –; dann Block II, Zimmer 66, das mir auch garnicht so dow vorkommt, wie ich es in Erinnerung hatte. Und dann zum Schluss etwa das Interview Phase II. – Das schwebt mir vor, ob es Sinn hat und den Beifall von Ihnen und Herrn N. hat, lasse ich offen. Aber wenn es schon eine Autobiographie ist, kann man sie ja auch nach dem Tatsächlichen komplementieren. Ich persönlich bin so sehr für diese Sonderausgabe der Biographie nicht eingenommen, es wird wieder bloss so ein dünner Band und was mit Rönne und Pameelen ist, wird keinem klar bei der Lektüre. (Ich finde auch, Herr N. hätte ruhig etwas dickeres Papier für die Trunkene Flut nehmen sollen, jetzt ist der Band dünner als die Statischen Gedichte, auch der grüne Anstrich oben gefällt mir nicht sehr – grün ist nicht trunken, sondern Kater.)
(S 10 ein m ausgesprungen: I*m*
S. 97 nicht dämmend, sondern dämme*r*nd).

Ich schliesse den Brief u sende die Beilagen extra. Aber beachten Sie den *Kurier*!

Herzlich u immer
Ihr
G Be

Nr. 453 — 19 XI 49

Lieber Herr Oelze,
Dank für Karte mit Elternhaus u. Allmers! Das beifolgende „*Radar*“ ist auch nichts anderes als Allmers in der Eisenbahn .... Als Antwortversuch auf viele in unseren letzten Briefen wieder ventilierte Fragen. Seltsam, dass der von mir zitierte „Diplomat“ jener B. ist, der als „Europäer in Paris“

von dem Schreiber mit mir in Verbindung gesetzt wird – wahrscheinlich zur gleichen Zeit, als ich ihn diskutierte. Also auch hier Magie (ausserhalb Dr. Addicks) –.

Herzlichen Gruss

Ihr

G B

Nr. 454 Montag 28 XI 49

Lieber Herr Oelze, Dank für Ihren Brief, der eben kam. Auf den Radardenker antworten Sie nur nicht, ehe Sie nicht noch einen Nachtrag dazu bekommen haben, einen kurzen Teil *II*, der den ersten nahezu aufhebt. Schreiben Sie also eine römische I über die Blätter, die bei Ihnen sind.

Was Sie aus der Bremer Gesellschaft schreiben, ist ja nicht erfreulich, aber wollen Sie nicht sich entschliessen, nicht so heroisch für andere vorzugehn? Die Verbrecher sind gewiss nicht schlimmer als die anderen, aber sie sind doch wohl beide nicht sehr der Rede wert. Auch Herr Marcuse nicht, auch Herr Kesten nicht. Zu den wenigen Glücken meines äussren Lebens gehört jedenfalls, dass ich nirgends hingehn muss und nirgends hingehe, – lass sie murmeln, lass sie sich echauffieren hinten und vorn, je m'en fiche, ich bleibe chez moi.

Sonnabend rief N. an und ich hatte mich eigentlich mit ihm darauf geeinigt, ihm bis Ende Dezember das Nach-manuskript für die Autobiographie zu senden. Vertiefte mich dann gestern am Sonntag in die Sache und sie langweilte mich so an, dass mir die Lust vergangen ist. Diese ollen Kamellen alle wieder vorholen, glossieren, sich rehabilitieren – vor wem eigentlich und für was, ich glaube, dass ich meine Zusage wieder zurücknehmen muss. Nun hat es N. auch Block II, Z. 66 angetan, das ich ihm schickte und das er

mithereingebracht haben möchte, aber ich weiss nicht, ob ich nicht das ganze Projekt aufgebe.
Mir wird überhaupt alles immer schwieriger und dunkler, jeder Satz, den ich schreibe oder denke, trägt schon sein Gegenargument und seine Aufhebung in sich, kommt mir müssig vor, trostlos, unerheblich. „Du hättest singen sollen, meine Seele" – eigentlich hat *Jener* tatsächlich schon alles, aber auch restlos alles vorweggenommen und ausgesprochen, woran wir herumstochern, diese 50 Jahre sind ein reines Nachplappern und Auswalzen seiner gigantischen Gedanken und Leiden. So auch dies mit dem Singensollen, ach wie Recht hatte er mit dieser finalen Erkenntnis.
Hinsichtlich Herrn Italiaander bitte ich Sie zu verfahren, wie Sie wünschen. Anbei das Gedicht 1886 – ein geistloses statistisches Feuilleton – ach, man hasst den Intellekt, man hasst aber auch das Gefühl, man verdenkt sich das Menschliche und man verdenkt sich die Kälte, man verdenkt sich den Hass und kommt doch nicht mehr zur Liebe – eine üble Lage!
Das Radio Bremen werde ich wohl leider nicht hören können, da mein alter Apparat das nicht schafft. Ich werde sehn, dass ich einen guten geliehn bekomme, allein, um Ihre Stimme zu hören.
Immer Dank und Grüsse! Ich flehe Sie an, Ihre Gattin zu bestimmen, mir nicht etwa für den Karton zu danken, ich wäre deprimiert, wenn sie die Feder dafür ansetzte.

Herzlich (u verdüstert und heiser u
bronchitisch, innerlich u äusserlich
angefault)

Ihr

G. B.

Nr. 455 29. XI ⟨1949⟩

An Oe.

Das ist es ja: alles, was nicht grundsätzlich u beabsichtigt: *künstlerische Prosa* ist, ist einfach nicht mehr zu ertragen. Zu Bense; auch *Heidegger:* Feldweg,: tritt so ein Philosoph aus seiner Wort- u Gedanken u Nomenclaturwelt heraus – was ist er dann? Ein Idylliker, ein Bua, fern aller Problematik u. dialectischer Tragik, ein erstaunlich harmloses Etwas, einer, dem man nicht glauben kann, dass er an der Situation leidet u von dem man nicht sieht, wie er auf Lebensangst u. Geworfenheit u das Leiden am Sein gekommen ist. Ein merkwürdiges Phänomen, diese Spaltung in Denker u. Schriftsteller, der erstere vielleicht echt, ja tief, der letztere irrelevant u. unergiebig – oder ist der Erstere vielleicht nicht tief??

2) Stockholm: aus einer Schilderung in einem amerikan. Aufsatz. Ich war nie in St. Die Worte verlangen andre Hintergründe u. Farben als die Tatsächlichkeit. –

3) Burckhardt: in dem Gutachten zum Fall Weizsäcker, also für die *jetzige* Lage.

4) Dank für Druckfehlerkorrectur.

Nochmals zu Nr. 1: Sie haben also in Ihrem Brief vollkommen recht. Es giebt nur 1) die mathematischen Lehrsätze u 2) Prosa als Kunst. Der Rest nicht mehr zu ertragen.

Furchtbar, furchtbar – vor solchen Erkenntnissen, Erfühlungen zu stehn. Man möchte *harmonisch* sein u denken –, die andern beruhigen u. ihnen schön tun, aber es geht nicht. Durch alles fasst man durch, bis die Hand wieder in der eisigsten Polarkälte blau wird u. erstarrt, Frostbeulen an Hand u Herz – ein Herz, das eigentlich lyrisch u weich ist.

Be

60 Jahre – u des Lebens Verfall u. Verwahrlosung in einige Sätze gebündelt, in einige Verse balanziert – ach, man sollte wohl nicht alt werden, nicht *so* alt, dass man noch seine Leiche vor sich liegen sieht u. über sie lacht – ein feiner Lebensabend u der Butler schnarcht in Porterträumen – aber schnarchen ist wohl noch eine viel zu anständige Bezeichnung für ihn. – Be.

Nr. 456 4. XII. 49.

Halloh, Herr Oelze, was höre ich aus Stuttgart? Herr Maraun schreibt mir und offenbar überschätzt er das Vertrauen, das ich bei Ihnen geniesse, Sie hätten gewisse Bedenken gegen gewisse „konformistische" Formulierungen in der Vorrede zu „Ausdruckswelt". Welche Formulierungen sind das, das würde mich ernstlich interessieren? Habe ich nicht bestimmte Sätze zusätzlich erst angefügt, nachdem Sie so stichhaltige Einwände gegen allzuviel Schärfe und Schroffheit mir bekannt gegeben hatten? Schreiben Sie mir doch bitte einmal ganz offen, was Sie eigentlich Herrn Maraun darüber mitgeteilt haben. Herr Maraun fügt hinzu, dass er Ihre Bedenken teile.
Es ist seltsam, die Einen finden mich konformistisch, die anderen artistisch, die dritten romantisch („Flucht in die Südsee" und in die Vorzivilisationsstufen), andere kritisieren die „endogenen Bilder" („Haltung eines Selbstmörders") u.s.w. – ich höre das Alles weniger aus öffentlichen Kritiken als aus Briefen, wo von anderen über andere berichtet wird. Dilemma! Was soll man machen, wie soll man dichten, wie soll einer, der Gedichte macht und ausserdem Theorieen entwickelt, verfahren? Einer verlangt, dass ich in den Statischen Gedichten hätte praktisch zeigen müssen, was ich unter Ausdruckswelt verstehe. Einer nennt sogar die Statischen

Gedichte – Verrat an Gottfried Benn. Kurz – also bitte: was ist in dem Vorwort „konformistisch"? Sie hülfen mir weiter, wenn Sie mir erzählten.

6 XII.
Verehrter Senhor, anbei eine ganz interessante Radiosache. Bitte senden Sie es nach Einsicht an Herrn N. zurück.
Haben Sie Ihre Stimme im Sender gehört? Radio Bremen ist so schwach, dass es hier selbst Spezialisten (vom NWDR) nicht fassen können. –
Haben Sie Ihren Monet in die Schweiz gesandt?
Was erhielt ich gestern? „Heliopolis" mit langer eigenhändiger Widmung von Herrn Jünger! Merkwürdige Sache.
An der Fortsetzung der Selbstbiographie arbeite ich ständig. Herr N. ruft öfter an u. animiert mich kräftig. Vielleicht entstehn ganz interessante Partieen dabei im Rückblick auf die Jahre.

Herzlichen Gruss! Ihr

G B

Nr. 457 11/XII 49

Lieber Herr Oelze, vielen Dank für den Brief vom 8. ds. Ms. Die Sache M. lässt keine andere Erklärung zu als die, dass dieser vielbeschäftigte Mann, der vier Kinder und drei Frauen, eheliche und uneheliche, zu versorgen und für 4 Zeitungen und Zeitschriften Film-Theater-Rundfunkkritiken schreiben muss, sich irrt oder etwas verwechselt hat. Ich vermute, ich habe ihm seinerzeit geschrieben, dass ich auf ernste Vorhaltungen von Ihnen und Herrn N. einige konziliante Zu-sätze in dem Vorwort angebracht habe. Das hat sich bei ihm verwirrt und er bringt das nun durcheinander. Er schrieb wörtlich das, was ich Ihnen mitteilte, setzte

sogar hinzu, dass auch er der Ansicht sei, ich sollte diese Sätze bei einer Neuauflage fortlassen. Ich werde gelegentlich bei ihm das richtig stellen. Meine Korrespondenz mit ihm ist nicht so häufig, dass ich es unmittelbar sofort tun werde. Er ist ja auch ein netter Kerl und hat viel für mich getan.
Dank für Ihre Schilderung des H. Abends. Einerseits wäre ich natürlich gerne dabei gewesen, aber unterhaltlich bin ich ja kein starker Mann und hätte wahrscheinlich ziemlich schweigsam dabei gesessen. Ich komme lieber zu Ihnen, wenn nächstes Jahr die Quitten blühn. Merkwürdig ist, dass mir ein Mann aus London schreibt, ein Emigrant, der aus Anlass meines neulichen N.W.D.R.gesprächs sehr eingenommen an mich geschrieben hatte, im zweiten Brief schreibt, H. nähere sich in den Holzwegen sehr meinen Definitionen u. ich sollte doch mit ihm in Verbindung treten. Nebenbei sehe ich daraus, dass die Leute in den Hauptstädten sehr orientiert über Alles sind und uns hier sehr genau verfolgen und zwar, wie in diesem Fall, sogar wohlwollend.
Was soll ich dazu sagen, dass Herr J. mir sein Buch sandte! Ich las darin und – denken Sie – es ist nicht uninteressant. Es ist gestelzt, frisiert, altmodisch-archaisch, aber eine gewisse Begabung zur Stilisierung ist ihm nicht abzusprechen. Eigentlich bin ich überrascht. Über das Buch als Ganzes habe ich noch kein Urteil. Einzelheiten sind bestimmt interessant. Da eine seiner Figuren sich über das *Weiss* als Königin der Farben auslässt, sandte ich ihm als Gegengabe den Goetheaufsatz in Bezug auf dessen Weisstheorie, s. S. 30/31. Ich schrieb ihm einen Vers hinein, den ich als ritterlich empfinde im Hinblick auf die Gesamtlage zwischen uns, er lautet:

„wir sind von Aussen oft verbunden,
wir sind von Innen meist getrennt,
doch teilen wir den Strom, die Stunden,
den Ecce-Zug, den Wahn, die Wunden
dess', das sich das Jahrhundert nennt."

Sein Sekretär schrieb mir bei Übersendung des Buches, Herr

J. liesse mir sagen, der Einzige, der ihm einen Brief nicht beantwortet habe, sei ausser mir Spengler gewesen. Herr J. habe mir in den 20ger Jahren einen Brief geschrieben, den ich nicht erwidert hätte. Ich kann mich nicht erinnern, aber möglich ist es schon.
So Gott will, werde ich noch in diesem Jahr an Vietta einen Brief schreiben. Ach, ich habe noch ganz anderen Leuten noch nicht geantwortet z. B. Rychner, Bense u. a. Ich lebe in einer Krise, in der ich weder mit mir noch mit anderen mich unterhalten kann.
Ich arbeite intensiv an der Fortsetzung der Autobiographie. Es kommt allerlei zusammen. Ich mache es in keiner Weise tiefsinnig und abgründig, sondern mehr erzählerisch und unterhaltend. Trotzdem tauchen einige Sachen auf, die ganz interessant sein werden – hoffe ich im Interesse von Herrn N.
Ihre Hinweise auf die 3 Aufsätze in dem neulichen Merkurheft haben mir sehr genützt. Ich hatte sie nicht gelesen, las sie nun – ausgezeichnete Sachen! Der Schluss der Autobiographie, so wie ich ihn augenblicklich vorhabe, greift auf diesen Eindruck zurück – dank Herrn Oelze!
Soweit heute. Bleiben Sie gesund. Bleiben Sie mir gewogen.

Ihr
G B

Bitte: was enthielt der 3 Absatz in jenem Brief von mir? Bitte deuten Sie an! Sie wissen, bei mir hapert es an verschiedenen Stellen.

Nr. 458 20 XII 49. Dienstag.

Lieber Herr Oelze, heute kam Ihr Rum, in der Verpackung, die solcher Rarität gebührt, das ist ja was für einen alten Seefahrer und in dem Punkt bekennt er sich keineswegs in

Gegensatz zu Schifferkreisen. Ich wusste nicht, dass es sowas giebt 70-75% Rum! Das ist ja ein Extrakt ohne Gleichen, vermutlich fällt man schon um, wenn man dran riecht. Nun fehlen noch Eis und Schnee und ein Kamin und dann kann das Leben für einige Stunden strahlen.

Anbei den Brief von Herrn I. zurück. Ganz schlau bin ich nicht draus geworden – wer und was. Vielen Dank!

Die Widmung von Ernst J. lautet: „Zweite Botschaft an g--b--. Die erste vor dreissig Jahren hat ihn nicht erreicht. Wenn Sie kein Monument darin erblicken, so nehmen Sie es als Marmorbruch. Vielleicht sind auch Fossilien darin. Ihr e--j--" Also einen Dank war ich ihm schon schuldig, meine ich, während meine Frau sagt, ich hätte es nicht beantworten sollen. (Die Namen sind natürlich beide Male ausgeschrieben.)

Zu Ihrem Brief. Ich las in diesen Tagen den Hamsun. Ein glänzendes Buch. Vielleicht ist er ein bischen senil, giebt auch reichlich an mit seiner Taubheit und Blindheit, mit denen es doch nicht so schlimm sein kann, wenn er noch so schreiben kann. Aber das ganze Buch ist in seinen besten Partieen so süss und albern, wie alle seine Bücher, so menschenfreundlich und gleichzeitig so cynisch, und ernst kann man eigentlich keinen Satz nehmen und er nimmt sie auch nicht ernst, er kommt mir vor wie ein grosser alter Löwe, der verächtlich durch das Gitter auf die Zoobesucher blinzelt. Herr Niedermayer sandte es mir und wenn es Sie interessiert, schicke ich es Ihnen zu.

Wenn ich schrieb, Herr N. animierte mich, so war das nicht in dem Sinne gemeint, den Sie daraus lasen. Im Gegenteil, ich empfand sein Drängen als Interesse und als Wohlwollen. Es trieb mich an, sehr intensiv zu arbeiten und nun ist es nahezu fertig. Nur das Kapitel, in dem ich die Phase II verwerten will, ist noch offen, da ich natürlich keine Abschrift davon habe und warten muss, bis es erscheint, was zwischen Weihnachten und Neujahr sein wird. Herr Paeschke schrieb

gestern, dass er es jetzt nochmals gelesen habe und es wirke stärker auf ihn als je, es enthalte alles über Kunst und Nihilismus, was darüber zu sagen sei. Ich rahme aber das Kapitel in dem Buch noch mit manchen anderen Perlen ein, die ich noch gefischt habe. Ich könnte mir denken, dass das Buch als Ganzes recht von sich reden machen wird, da ich ja die Emigrantenfrage, auch die Judenfrage, auch das Verhalten der Wehrmacht mit neuen Unterlagen belege, auch der Brief von Klaus Mann, der damals der Anlass war, wird von mir im Original veröffentlicht. Ich gebe dem Klaus sehr sehr freundliche Worte in sein Grab in Cannes hinab. Haben Sie eigentlich damals den Brief gelesen? Er ist rührend und wunderbar demütig, sodass meine Antwort dagegen schroff und hart klingt. Aber ich nehme dann von Neuem zu den Fragen Staat und Macht u.sw. Stellung und rechne sie zu den Fragen, die wir auch heute genau so wenig beantworten können wie damals. Auch Sie, Mister Oelze, treten auf. Ich hoffe, Sie werden mit der Form einverstanden sein. Ganz, ganz wohl ist mir bei der ganzen Sache nicht, aber der Tiefsinn und die Verschwiegenheit und das Nie-persönlich-sein-wollen führt ja auch zu nichts. A propos: haben Sie eine Abschrift von Phase II? Wenn ja, würden Sie es mir leihen, sodass ich über Weihnachten das Buch beenden könnte? Das wäre mir eine grosse Genugtuung, ich möchte es los sein.
Meine Gedanken sind oft bei Ihnen. Grüssen Sie bitte Ihre Frau und nehmen Sie beide unseren Dank für den Gruss aus Jamaika.

Verreisen Sie zu Neujahr? Herzlich
Nach Häcklingen? Ihr
G. B.

Nr. 459 25. XII 49.

Lieber Herr Oelze, nun ist auch noch die Stolle angekommen, nicht die vulgär-zuckerüberladene Dresdener, sondern die vornehm zurückhaltende, innerlich geladene Bremer. Unseren Dank an die Spender – ich bemerke bei dieser Gelegenheit, dass Stolle mein Lieblingskuchen ist und immer war, diese Kombination von Semmel und Torte, also meine persönliche Freude war gross und ich habe sie fast alleine aufgegessen. Bitte legen Sie mich Ihrer Gattin zu Füssen und übermitteln Sie ihr unseren Dank, ebenso für die hübsche Karte mit St. Stephani um 1876 mit den weitgeschweiften breiten Strassen um sie herum, die Ruhe und Bequemlichkeit ausstrahlen.
Dies hiermit angewandte Briefpapier ist ein Geschenk von Herrn N. an mich, meine kleinen Bogen fand er offenbar zu wenig eindrucksvoll. Mir wiederum ist dies Format zu gross und die Schrift hätte ich auf ein Drittel reduziert, die Schrift des Namens, etwa so wie „Bozenerstrasse“ im Höchstfall, aber es ist ja sehr liebenswürdig von ihm, wahrscheinlich ist es ein Produkt der häuslichen Druckerei Bechtold u. Co. Auch ein so schönes Exemplar der Gedichte hat er mir geschenkt wie Ihnen.
Heiligabend ist vorüber, wir haben unsere Angestellten bescheren können, gottseidank, was in Berlin zur Zeit bestimmt nicht allen Firmen möglich war. Und nun muss ich wieder zur Literatur zurückkehren und Ihnen einiges berichten. Was Sie über Marcuse sagen, hat mich entschieden beeindruckt. Ich hatte eigentlich mehr den Eindruck, er wolle sich überhaupt nur bemerkbar machen und mitreden. Inzwischen hat er mir durch einen Schweizer Verlag ein Buch von sich senden lassen: „Philosophie des Glücks“, was mir ein echtes Kind der USA-pragmatisch-optimistischen Lebensphilosophie zu sein scheint, sehr entfernt von Gedanken und Tiefe. Ferner habe ich schon wieder einen, hand-

geschriebenen, Brief von Ernst J. erhalten, in dem er mir mitteilt, dass Herr Becher im Penclub sich in „gehässigster und subalternster Weise" über ihn und mich geäussert habe; J. scheint davon arg betroffen zu sein, während es mir peinlich wäre, wenn B. anders über mich redete. Schwerwiegender dagegen erscheint mir das, was mir N. gestern abend bei seinem weihnachtlichen Anruf erzählte. Er habe am Tage vorher „interessanten Besuch" gehabt von Döblin und Frau, der ihn gebeten habe, in seinem Verlag das *Goldene Tor* erscheinen zu lassen, das von jetzt an das Organ der Mainzer Akademie sein solle, an deren Spitze Herr D. steht, der daraufhin und nunmehr seinen Wohnsitz nach Mainz verlegt habe, also in die Nähe von Herrn N. Hinsichtlich meiner nehme D. weiter den schroffsten und ausfälligsten Standpunkt ein, allerdings sei es N. gelungen, im Verlauf des Gesprächs ihn etwas „umzustimmen". Nun, sowas höre ich nicht gern. Wegen meiner braucht man niemanden umzustimmen, sollte allerdings N. diesen erbitterten Gegner von mir, der ja doch noch kürzlich, wie Lüth mir schrieb, mich als Schuft bezeichnet habe, an sein Herz ziehn, wäre es doch möglich, dass ich meine Beziehungen zu N. etwas modifizieren müsste. Andererseits kann ich ihm nicht verdenken, jeden Vorteil wahrzunehmen, der ihm geschäftlich oder literarisch etwas zu versprechen scheint. Angebote von anderen Verlägen habe ich ja genug, darunter von der D.V.A. Stuttgart neuerdings ein wirklich überragend liebenswürdiges Schreiben des jetzigen Inhabers, aber natürlich will ich N. auch nicht ohne Weiteres verlassen. Besonders nicht, da ich den Vertrag über diese Selbstbiographie ja unterschrieben habe und das Buch nahezu fertig ist und wahrscheinlich ein gewisser Erfolg werden wird. Es ist ein sehr persönliches Buch, auch kein ganz ungefährliches und ich muss mit dem Verleger schon Hand in Hand gehn bei einer so prekären Sache. Sehr bedaure ich, dass ich Ihnen von dem Manuscript nichts zeigen konnte. Schuld daran ist meine Ihnen bekannte

Manier, keine Durchschläge zu machen und was fort ist von meinem Schreibtisch, fort sein zu lassen. Aber wie mir N. gestern Abend sagte, ist schon in der nächsten Woche die erste Korrektur fertig und dann erhalten Sie sie, wie ich bat, sofort zugesandt. Ich kann nicht mit Ihrer Zustimmung in Allem rechnen, ich schneide ja sehr gewagte Themen an z. B. die Judenfrage und beantworte sie sehr positiv. Positiv im Sinne der literarischen Teilhaberschaft an der Literatur meiner Epoche. Und anderes wird Ihnen, fürchte ich, auch nicht zusagen. Aber es blieb mir ja nichts anderes übrig, nachdem ich die Sache mal übernommen und angefangen hatte, konsequent in meiner Art zu verfahren. Auch das Fortlassen und Verändern gewisser Sätze aus dem I. Teil (1934) war schwierig. Erinnern Sie sich, wie unaufhörlich bis heute man Th. M. seine Veränderungen an „Friedrich u. die Grosse Koalition" und „Betrachtungen eines Unpolitischen" vorgeworfen hat. Schliesslich habe ich mir gesagt, man muss auch nicht zu schwierig und bedenklich in allem sein (wozu ich ja neige), sondern ruhig 5 gerade sein lassen, bzw. aus 5 Vier zu machen. Wer will, kann immer aus den alten Sachen mir tausend Stricke drehn und aus den mannigfachsten Stellen sich Gift für seine Pfeile holen.
Übrigens hinter der Sache Döblin steckt sicher unser guter Lüth, der ja einerseits mit Becher, Döblin, Kesten unter einer Decke steckt und anderseits mit Blunck und Halder konform geht. Ich erhielt eben ein Telegramm von ihm, dass er am nächsten Dienstag herkommt (aus Perleberg, wo er seine Familie besucht), da werde ich ihm etwas auf den Zahn fühlen.
Literatur, Gewäsch, Gemähre – seien Sie nicht böse, wenn ich Ihnen wieder soviel davon hier vorbete. Fahren Sie zu Neujahr nach Häcklingen? U.A.w.g.
Es würde mich interessieren, was Ihr Monet darstellt, thematisch.
Was die Theologie angeht, so habe ich zwei Jahre Philolo-

gie und Theologie studiert, bevor ich Mediziner wurde. Mein Vater wollte mir zunächst die Medizin nicht erlauben, da sie sehr teuer war und er alle Mediziner für Atheisten und Materialisten hielt, was ja wohl stimmt. Dann aber sah er, dass ich in diesen Fächern überhaupt nichts tat und arbeitete, da liess er sich dann erweichen, wenn ich auf die militärärztliche Akademie aufgenommen werden konnte. Das wiederum gelang, weil einer seiner Patrone (d. h. Kircheninhaber oder dergl) ein alter Kavallerieoberst war, Herr von Rohr, und mich dahin empfahl. Soweit ich weiss, steht das auch in meiner Biographie, I. Teil, 1. Abschnitt. So kam es, dass ich in Marburg bei Jülicher über den Römerbrief hörte und Hebräisch lernen musste und bei Harnack Dogmengeschichte.

Leben Sie wohl. Alles Gute für das Jahresende. Ihnen und Ihrer Gattin nochmals Dank für die irdischen und Ihnen persönlich für die unersetzlichen seelischen Geschenke.

Toujours à vous,
Ihr
G B

Lüth kam nicht.

Nr. 460 — 27 XII 49, Dienstag.

Lieber Herr Oelze, melde Ihnen gehorsamst, dass ich gestern an Vietta geschrieben habe: sehr höflich, sehr dankbar, sehr ergeben, etwas floskelhaft, etwas distanziert. Ich las inzwischen von ihm neue Bemerkungen, die mir sein Urteil doch recht fragwürdig erscheinen liessen (Anbei). Aber wenn er Sie in den Kreis hübscher junger Theaterdamen gebracht hat, ist alles gut – nur so kann man das Leben noch nehmen, u Sie sind ja noch im „Alter für alle“! (Bis 3 I 1951, dann kommt die Rückreise) Dank für Brief vom 25 XII. Wer schenkt Ihnen die vielen Bücher? (Meine Frau liest gerade „Theseus" von Gide, übersetzt von E. R Curtius, ist entzückt, offenbar eine nette kleine cochonnerie.)

„Da trat jener Herr Oelze aus Bremen in mein Leben ..." so beginnt meine Suite über Sie, kein langer Erguss, einige Sätze, aber prägnant. –

Das neue Buch ist ein grosses Tohuwabohu –, Biographisches, Literarisches, Politisches, Feuilleton und Tiefsinn alles durcheinander. Absichtlich, ich mag nicht mehr ordnen u. regeln. Ich sehe jetzt ein, warum Nietzsche *aphoristisch* schrieb. Wer keinen Zusammenhang mehr sieht, keine Systematik, kann nur noch episodisch verfahren. Ihr Phase II-manuscript fand ich heute nach Ihrer kategorischen Erklärung, dass es hier sei. Entschuldigen Sie meine dummdreiste Bitte.

Dank, Gruss. Ihr
GB

Mon cher capricorne!

Giessen Sie das Blei,
Deuten Sie die Splitter
und Ihr Leben sei
weiter süss und bitter,

Giessen Sie das Blei –
ach, es wird nicht trüber, –
eine Träumerei
trage Sie hinüber.

28 XII 49 GB

ERLÄUTERUNGEN

Hinweise zur editorischen Behandlung der Brieftexte und zu den Erläuterungen sind für das Nachwort im zweiten Teil des zweiten Bandes vorgesehen. Hier ist lediglich anzumerken, daß Auslassungen der Herausgeber im Brieftext durch ⟨...⟩ gekennzeichnet sind.

Bei Briefen, die bereits früher (vollständig oder in Auszügen) veröffentlicht wurden, ist in den Erläuterungen auf diese Publikationen verwiesen. Es handelt sich um die folgenden:

Gottfried Benn, Ausgewählte Briefe, hrsg. von Max Niedermayer und Marguerite Schlüter, mit einem Nachwort von Max Rychner, Wiesbaden 1957 (abgekürzt: Ausgew. Briefe); Gottfried Benn, Lyrik und Prosa. Briefe und Dokumente, Eine Auswahl, hrsg. v. Max Niedermayer, Wiesbaden 1962 (abgekürzt: Lyrik und Prosa); Dichter über ihre Dichtungen, Gottfried Benn, hrsg. von Edgar Lohner, München 1969 (abgekürzt: Lohner); Harald Steinhagen, Die Statischen Gedichte von Gottfried Benn, Die Vollendung seiner expressionistischen Lyrik, Stuttgart 1969 (= Veröff. der Deutschen Schillergesellschaft 28), (abgekürzt: Steinhagen).

Außerdem wird in den Erläuterungen verwiesen auf:

Gottfried Benn, Gesammelte Werke in vier Bänden, hrsg. von Dieter Wellershoff, Wiesbaden 1958–1961 (abgekürzt mit römischer Bandziffer). Gottfried Benn, Texte aus dem Nachlaß (1933–1955), hrsg. von Harald Steinhagen, Schiller-Jb. 13, 1969, S. 98–114 (abgekürzt: Texte aus dem Nachlaß). Gottfried Benn, Den Traum alleine tragen, Neue Texte, Briefe, Dokumente, hrsg. von Paul Raabe u. Max Niedermayer, Wiesbaden 1966 (abgekürzt: Den Traum alleine tragen). Max Niedermayer, Pariser Hof, Wiesbaden: Limes 1949–1965, Wiesbaden 1965 (abgekürzt: Pariser Hof). Marguerite V. Schlüter (Hrsg.), Briefe an einen Verleger. Max Niedermayer zum 60. Geburtstag, Wiesbaden 1965 (abgekürzt: Briefe an einen Verleger). Nele Poul Soerensen, Mein Vater Gottfried Benn, Wiesbaden 1960 (abgekürzt: Mein Vater Gottfried Benn).

Nr. 293
Ohne Ort u. Datum (Poststempel: Hannover 5. 10. 1945). Postkarte, von fremder Hand geschrieben. Unveröff.

Herta: Benns zweite Frau H. Benn (geb. von Wedemeyer), die er im Januar 1938 geheiratet hatte. (Vgl. die Briefe Nr. 132/133). Er hatte sie am 5. 4. 1945 aus dem bedrohten Berlin nach Neuhaus geschickt; sie nahm sich dort am 2. 7. 1945 das Leben. Vgl. Benns Brief v. 18. 11. 1945, *Ausgew. Briefe*, S. 95 ff.

Nr. 294
Berlin 7. 11. 1945. Hs., 3 Bl. Unveröff.

Ihr Brief: v. 10. 10. 1945. Die Briefe Oelzes sind von diesem Datum an bis 1956 fast vollzählig erhalten.
ob sie an Ihrer Seite: Benn schreibt versehentlich „Sie".
Häcklingen: Landbesitz Oelzes bei Lüneburg. Oelze erwog eine Übersiedlung dorthin, weil ihm in Bremen „Schippen und Hafenarbeit" drohte.
die Manuscripte: die seit 1936 entstandenen unveröffentlichten literarischen Schriften Benns, die er während der Kriegsjahre zur Verwahrung an Oelze gesandt hatte. Dieser brachte sie am 16. 4. 1945 zu Clara Rilke nach Fischerhude und holte sie am 25. 9. 1945 wieder zu sich nach Bremen. Vgl. Briefe Nr. 285/286.
Aufsatz mit Bild: unter dem Titel *Köpfe der Woche* von Adolf Frisé in der Neuen Hamburger Presse v. 24. 10. 1945, S. 2.
Kulturleitung: zu dem politischen und kulturellen Re-Education-Programm der amerikanischen Besatzungsmacht gehörte auch die Kontrolle und Steuerung des Buch- und Zeitschriftenmarktes. Dafür verantwortlich, unter der Oberbehörde „Information Control Division" (ICD), war die „Publication Control", die vor allem durch Lizenzerteilung oder -entzug, durch Vermittlung von Verlagsrechten und die Papierzuweisung auf die Verlage einwirkte. Auf ihrer „schwarzen Liste" (Illustrative List of National Socialist and Militarist Literature) stand G. Benn nicht. Vermutlich sorgte der seit Ende Juni 1945 bestehende „Kulturbund zur demokratischen Erneuerung Deutschlands", zu dessen Präsidenten J. R. Becher am 8. 8. 1945 gewählt worden war, in Berlin dafür, daß die Schriften Benns auch nach Kriegsende weiterhin faktisch mit einem (wenngleich ungeschriebenen) Veröffentlichungsverbot belegt blieben. Auf der *Liste der auszusondernden Literatur*, hrsg. v. der dt. Verwaltung für Volksbildung, vorläufige Ausgabe nach dem Stand vom 1. April 1946, standen zwei Bücher Benns: *Der neue Staat und die Intellektuellen* (1933) u. *Kunst und Macht* (1934).

Vgl. Hansjörg Gehring: *Amerikanische Literaturpolitik in Deutschland 1945-1953. Ein Aspekt des Re-Education-Programms*, Stuttgart 1976 = Schriftenreihe der Vierteljahreshefte für Zeitgeschichte, Nr. 32. Zur weiteren Geschichte der Veröffentlichungsversuche Benns bis 1948 vgl. H. Steinhagen, S. 60-87 u. insbesondere Benns Briefe an Carl Werckshagen und Johannes Weyl in dieser Zeit. Vgl. *Ausgew. Briefe* u. II, 252 f.
Bremen soll ... englisch werden: die amerikanische Besatzungsenklave wurde am 10. 12. 1945 in die britische Zone eingegliedert, behielt aber eine örtliche amerikanische Militärregierung. Ab 1. 1. 1947 wurden Bremen und der Stadtkreis Wesermünde als neues Land endgültig der amerikanischen Zone eingegliedert.

Nr. 295
Berlin 8./13. 11. 1945. Hs., 1 Bl. Steinhagen S. 60 (Auszug).

Satz aus W. Meister: „ich sehe nun wohl, daß es vergebens ist, in dieser Welt nach eigenem Willen zu streben."
Brief von Th. M.: der Brief Th. Manns erschien unter dem Titel *Warum ich nicht zurückkehre* am 12. 10. 1945 im Augsburger Anzeiger, als Antwort auf die öffentliche Aufforderung durch Walter v. Molo, den ehemaligen Präsidenten der Preußischen Dichterakademie, möglichst bald nach Deutschland zurückzukehren. (Brief v. 4. 8. 1945, veröffentlicht am 13. 8. 1945). Die Briefe wurden rasch von anderen Zeitungen und Zeitschriften nachgedruckt und lösten ein lebhaftes öffentliches Streitgespräch aus, das sich zu einer prinzipiellen Auseinandersetzung zwischen den emigrierten und nichtemigrierten Künstlern zuspitzte, die für sich den Status der „inneren Emigration" in Anspruch nahmen. So der Aufsatz *Die innere Emigration* von Frank Thiess, der am 18. 8. 1945 in der Münchner Zeitung erschien. In Berlin nahm der Kunsthistoriker Prof. Edwin Redslob im Tagesspiegel v. 23. 10. 1945 Stellung. Vgl. *Die grosse Kontroverse. Ein Briefwechsel um Deutschland*, hrsg. u. bearb. v. J. F. G. Grosser, Hamburg, Genf, Paris 1963.
Oberneuland: Oelzes Haus in Bremen-Horn war von den Amerikanern beschlagnahmt worden. Oberneuland liegt 6 km von dort entfernt.

Nr. 296
Berlin 2. 12. 1945. Hs., 1 Bl. Lohner S. 268 (Auszug), Steinhagen S. 62 (Auszug).

Frl. O.: ein Fräulein Opphard.
ob sie Ihren Namen kenne: Benn schreibt versehentlich „Sie".

Heimat der Agapanthus: gemeint ist Oelzes Geschäftsreise nach Jamaika im Februar/März 1939. Vgl. Brief Nr. 160.
Essayistik: Benn schreibt „Essaystik".

Nr. 297
Berlin 16. 12. 1945. Hs., 1 Bl. Lyrik und Prosa S. 159 ff. (Abdruck des Briefentwurfs).

wüstenumdröhnte Stille: wohl Anspielung auf den Dionysos-Dithyrambus *Die Wüste wächst: weh dem, der Wüsten birgt!* in Nietzsches *Zarathustra*-Kapitel „Unter Töchtern der Wüste". Vgl. *Den Traum alleine tragen*, S. 107.
„man muss sehr viel sein ...": aus *Weinhaus Wolf* (II, 151).
Futa Nutri: im Araukanischen Dialekt heißt „fucha, fuchi" groß, erhaben. Im Briefentwurf v. 15. 12. 1945 liest man „Futa Nutru".

Nr. 298
Berlin 25. 12. 1945. Hs., 2 Bl. Unveröff.

Th. M.s Antwort: Th. Mann hatte in dem angegebenen Brief u. a. geschrieben: „Ich hebe keinen Stein auf, gegen niemanden. Ich bin nur scheu und ‚fremde' wie man von kleinen Kindern sagt. Ja, Deutschland ist mir in all diesen Jahren doch recht fremd geworden. Es ist, das müssen Sie zugeben, ein beängstigendes Land. Ich gestehe, daß ich mich vor den deutschen Trümmern fürchte, daß die Verständigung zwischen einem, der den Hexensabbat von außen erlebte, und Euch, die ihr mitgetanzt und Herrn Urian aufgewartet habt, immerhin schwierig wäre." Und: „Es mag Aberglaube sein, aber in meinen Augen sind Bücher, die von 1933 bis 1945 in Deutschland überhaupt gedruckt werden konnten, weniger als wertlos und nicht gut in die Hand zu nehmen. Ein Geruch von Blut und Schande haftet ihnen an. Sie sollten alle eingestampft werden."
„offenen Brief": Fr. Thiess: *Der Staat und die Künstler. Eine Antwort an Gottfried Benn*, Die Literarische Welt 3 (1927), Nr. 40, S. 7-8. Es war eine Antwort auf Benns *Neben dem Schriftstellerberuf*, ebd., Nr. 38, S. 3-4. Vgl. I, 41-51.
Rowohlt: mit dem Verleger Ernst R. trat Benn, durch die Vermittlung Oelzes, erst Ende August 1946 wieder in Verbindung.
Akademie der Künste: sie wurde erst 1954 in Westberlin wiedergegründet.
Carl Werckshagen: C. W. vermittelte Ende Januar 1946 Benns

Verbindung zu dem Hamburger Goverts-Verlag (Dr. Claassen) und veröffentlichte in der Schleswig-Holsteinischen Volks-Zeitung v. 27. 4. 1946 einen Artikel *Gottfried Benn 60 Jahre. Zu seinem Geburtstag am 2. Mai 1946.* In der Hamburger Wochenzeitung Die Zeit erschien am 2. 5. 1946 ein Auszug aus Benns Essay *Kunst und Drittes Reich* unter dem Titel *Die Kunst der Völker in Europa* mit einer kurzen Vorbemerkung von C. W. Vgl. dazu Benns Brief an C. W. v. 25. 12. 1945 (*Limes-Lesebuch*, 2. Folge, Wiesbaden 1958, S. 52 ff.).

Nr. 299
Berlin 26. 12. 1945. Hs., 4 Bl. Unveröff.

Brief von vorgestern: wahrscheinlich ein Irrtum Benns.
„das Spiel ist die Kerzen ...": aus Corneille, *Le Menteur* I, 1: „le jeu, comme on dit, n 'en vaut pas les chandelles." Vgl. I, 360.
die Verbrecher u. die Mönche: vgl. II, 223 u. IV, 284.

Nr. 300
Berlin 14. 1. 1946. (Der Brief ist vom „Military Censorship, Civil Mails" geöffnet worden.) Hs., 2 Bl. Unveröff.

Fr. Th.: Frank Thieß; Benn spielt auf den genannten Aufsatz über *Die Innere Emigration* und auf seine Antwort auf die Neujahrsrede von Th. Mann an, die Th. am 30. 12. 1945 im Nordwestdeutschen Rundfunk gab. Von seinem Caruso-Roman *(Caruso. Roman einer Stimme.* I. Buch: *Neapolitanische Legende.* II. Buch: *Caruso in Sorrent.* Hamburg 1946) erschien der II. Teil unter dem Titel *Stärker als der Tod. Roman eines Begnadeten* in der Berliner Illustrierten Zeitung (53. Jg., 1944) in 15 Fortsetzungen v. 27. 1. 1944-11. 5. 1944. Vgl. II, 226.
Zeitschrift der jüdischen Emigranten: Benn bezieht sich auf einen im Aufbau (Jg. 11) v. 23. 11. 1945 erschienenen Artikel von Ulrich Becher: *Ein ‚innerer Emigrant'. Der Typ Frank Thiess.* Gegen den Vorwurf Bechers, daß Frank Thiess „kein einziges verhülltes Wort gegen die totale Gemeinheit gewagt" habe, wendete sich in der gleichen Zeitschrift ein Leserbrief Karl O. Paetels v. 7. 12. 1945.
englische Übersetzungen: Oelze übersetzte für die Bremer Stadtverwaltung, beim sog. „Transport-Pool".
grossen Fragebogen: im Zusammenhang mit der „Entnazifizierung" durch die Besatzungsmächte.
Else C. Kraus u. Frl. Schuster: vgl. die Briefe Nr. 65/66.
literarischer Staats- u. Gesellschaftsfeind: in diesen Tagen bemühte

sich der Berliner Verleger Karl Heinz Henssel um eine Druckerlaubnis für die *Statischen Gedichte*, vergeblich, wie sich spätestens im April herausstellte. Die Kontrollbehörde lehnte die Veröffentlichung mit Hinweis auf Benns 1933 erschienene Aufsatzsammlung *Der neue Staat und die Intellektuellen* ab.
Schluss von „Phänotyp“: vgl. II, 190; das Kapitel „Studien zur Zeitgeschichte des Phänotyp“ rückte erst später ans Ende des „Romans“.
Maulwurf: vgl. Brief Nr. 267.

Nr. 301
Berlin 19. 2. 1946. Hs., 1 Bl. Unveröff.

Kunst ist die Wirklichkeit der Götter: so im Februar 1946 in einem Arbeitsheft unter einem Gedichtentwurf. Vgl. *Texte aus dem Nachlaß*, S. 110.
Eli Eli lama sabassthani: irrtümlich für „Eli Eli lama asabthani“, die Worte Christi am Kreuz: „Mein Gott, mein Gott, warum hast du mich verlassen?“ (Matth. 27, 46)
Aphrodisisches betreffend: Oelze antwortete im Brief v. 6./7. 3. 1946 u. a. mit der Bemerkung, daß ihm „Frauen physiologisch durchaus unangenehm geworden“ seien.
Hörselberg: scherzhafte Anspielung auf Oelzes Kriegsadresse in Schleswig (Hesterberg). Vgl. Brief Nr. 207.
Haus in Oberneuland: Oelze hatte einen kleinen Stich des Hauses mitgeschickt.
C. S. M.: Charlotte Stephanie Michaelsen. Die Initialen stehen auf einer Blumen-Radierung, die Frau Oelze mit 18 Jahren gemacht hat.

Nr. 302
Berlin 27. 2. 1946. Hs., 2 Bl. Unveröff.

Notizen: Benns Arbeitshefte, die sich in seinem Nachlaß in Marbach (Kopie) und bei Frau Dr. Ilse Benn befinden.
Ein junger Verleger: Karl Heinz Henssel, der sich jedoch vergeblich um die Druckerlaubnis für die *Statischen Gedichte* bemühte. Dazu Steinhagen, S. 60-87.
Goverts-Verlag: er hatte auf Veranlassung von C. Werckshagen geschrieben, um sich die Verlagsrechte an Benns Werk zu sichern. Benn schreibt „Goevarts-Verlag“.

Nr. 303
Berlin 20. 3. 1946. (Der Brief ist vom „Military Censorship, Civil Mails" geöffnet worden.) Hs., 1 Bl. Unveröff.

Herr W.: C. Werckshagen.
der 2. V: Benns 60. Geburtstag.
2 Süddeutsche Verläge: der Südverlag von Johannes Weyl in Konstanz. Vgl. *Ausgew. Briefe,* S. 98 ff. Der andere Verlag ist nicht feststellbar. Ev. handelt es sich um den Bühler-Verlag, Baden-Baden.
Graf Reventlow: Ernst Graf zu R. (1869-1943), Kapitänleutnant a. D., politischer Schriftsteller und Politiker, zunächst alldeutsch, nach 1918 deutsch-völkisch, seit 1924 Reichstagsabgeordneter, 1927 Eintritt in die NSDAP, 1933 stellvertretender Führer der „Deutschen Glaubensbewegung", Hrsg. der Wochenzeitung Der Reichswart.
Wulle: Reinhold W. (1882-1950), Journalist, seit 1920 im Reichstag für die DNVP, ab 1922 für die Deutschvölkische Freiheitspartei, die er von 1928-1933 führt. Kein Anhänger der NS, 1938 bis 1942 im KZ Sachsenhausen; gründet 1945 die bald verbotene „Deutsche Aufbaupartei".
Shakespeare: Der Kaufmann von Venedig, V, 1, Verse 60-65.

Nr. 304
Berlin 11. 4. 1946 (Poststempel: Hamburg 14. 4. 1946). Hs., 1 Bl. Unveröff.

Nele Topsoe: jetzt Nele P. Soerensen, die Tochter Benns aus seiner ersten Ehe mit Edith Benn, die im November 1922 starb.
Dr. Claassen: da der Henssel-Verlag die Gedichte herausbringen wollte, plante der Goverts-Verlag einen Essay- und Prosaband. Vgl. Benns Brief an C. Werckshagen v. 2. 4. 1946 (*Limes-Lesebuch* 2. Folge, Wiesbaden 1958, S. 56 f.). In seinem Brief v. 28. 3. 1946 spricht Claassen von einem „Essayband".
Goverts Verlag: Benn schreibt „Govaerts".
ganze Manuscript: im Sinne der Briefe Nr. 285/286.
Horoskopiker: Alfred Bauer, Graphologe; ein Patient Benns seit 1945, mit dem er – skeptisch, aber nicht unbetroffen – bis zu seinem Lebensende in Kontakt blieb. Vgl. Brief Nr. 747.
der ostdeutsche Sowjetstaat: daß selbst die auf der Potsdamer Konferenz geplante „wirtschaftliche Einheit" Deutschlands nicht zu verwirklichen sei, zeichnete sich schon im Fühjahr 1946 ab.

Nr. 305
Berlin 14. 4. 1946. Hs., 2 Bl. Unveröff.

Verbrecher u. Mönche: vgl. II, 223; IV, 284.
„Berlingske Tidende“: Kopenhagener Zeitung.
„fraternisieren“: Trumans maßgebliche Direktive ICS 1067, die u. a. verfügte: „Deutschland wird nicht besetzt zum Zwecke seiner Befreiung, sondern als besiegter Feindstaat“, hatte der amerikanischen Besatzungsmacht das „Fraternisieren“ untersagt.
schröpft sie mich: vgl. Nele P. Soerensen: *Mein Vater Gottfried Benn*, S. 57 ff. u. 64 ff. und II, 214 *(Der Ptolemäer)* u. Brief Nr. 547.
Steinhagen: Oelzes Besitz in Mecklenburg.
2. V: Benns 60. Geburtstag.
Chors der hellgeäugten Cherubime: vgl. Erläuterung zu Brief Nr. 303.
verehrten Verses: der Schlußvers von Rilkes *Requiem für Wolf Graf von Kalckreuth:* „Wer spricht von Siegen? Überstehn ist alles.“
„den einst der Sommer ...“: aus Benns Gedicht *Anemone* (III, 139), entstanden 1936.

Nr. 306
Berlin 2. 5. 1946. Hs., 2 Bl. Lohner S. 87 (Auszug).

Das Archiv: das Benn-Archiv Oelzes, das dieser testamentarisch dem Literaturarchiv in Marbach vermacht hat. Oelze hat es anläßlich von Benns 60. Geburtstag eingerichtet.
Im übrigen ...: vgl. zu diesem Passus, der bei der Entstehung des Gedichts *Orpheus' Tod* eine Rolle spielt, Steinhagen, S. 110 f.
Angriff im „Schwarzen Korps“: vgl. die Briefe Nrn. 73 ff.
„Wandlung“: Alex v. Frankenberg: *Umsonst?*, Die Wandlung I, 3 (1946), S. 213 f., zitierte kritisch aus Benns *Antwort an die literarischen Emigranten.*
Schweizer Journalist: Erhard Hürsch, der später die Verbindung zum Arche-Verlag in Zürich vermittelte. Vgl. Brief Nr. 332.
junge Verleger: Karl Heinz Henssel stellte, nachdem die Veröffentlichung der *Statischen Gedichte* nicht genehmigt wurde, nach der schon fertigen Druckvorlage einen Privatdruck her, von dem er Benn am Geburtstag fünf Exemplare überreichte und von dem ein Exemplar im Nachlaß erhalten ist. Vgl. Steinhagen, S. 67 ff.
die Manuscripte: eine vollständige Abschrift der *Ausdruckswelt*, die Oelze im Mai 1946 hat herstellen lassen und die er vermutlich Dr. Claassen zur Verfügung stellte, ist in seinem Archiv.

„Impavidum ...": aus Horaz' *Oden*, 3. Buch, 3. Ode, 2. Strophe: „si fractus inlabatur orbis, / inpavidum ferient ruinae."

Nr. 307
Berlin 22. 5. 1946. Hs., 1 Bl. Unveröff.

Beitrag in der „Zeit": der Auszug aus *Kunst und Drittes Reich*, eingeleitet von C. Werckshagen, erschien am 2. 5. 1946.
Südverlag in Konstanz: von J. Weyl. Vgl. Benns Brief v. 10. 6. 1946 an J. W. (*Ausgew. Briefe*, S. 100 ff.).
lache, Bajazzo: vgl. Benns Brief an J. W., ebd., S. 101. Aus der Oper *Der Bajazzo* von R. Leoncavallo.
„Tagesspiegel": Benn bezieht sich auf einen Artikel im Tagesspiegel mit dem Titel *Frühling in Bremen* (21. 5. 1946, Nr. 117, Beiblatt S. 3). Dort wird u. a. von einer Sonderausstellung französischer Maler in der Bremer Kunsthalle berichtet.
„Abgründen des Herrn Gerstenberg": ein Theaterstück von Axel v. Ambesser, dessen Aufführung im Bremer Nottheater in dem Tagesspiegel-Artikel ebenfalls erwähnt wird.
Herrn Blunck: Hans Friedrich B. war Präsident und Altpräsident der nazistischen Reichsschrifttumskammer gewesen. Vgl. Brief Nr. 19.
R. S. K: Reichsschrifttumskammer.
Laune über St Petersburg: das 1946 entstandene Gedicht *St. Petersburg – Mitte des Jahrhunderts*. Typoskript in Oelzes Archiv vorhanden (2 Bl., undatiert, signiert: „G. B. F. W. Oe."). Vgl. Steinhagen, S. 66.

Nr. 308
Berlin 27. 5. 1946. Hs., 1 Bl. Unveröff.

Dr. Cl.: Oelze hatte Dr. Claassen am 14. Mai 1946 in Hamburg besucht, ihm im Auftrag Benns sämtliche Typoskripte überbracht und Möglichkeiten der Veröffentlichung besprochen.
Vor-Fleming: Sir Alexander F., englischer Bakteriologe, entdeckte 1928 das Penicillin und erhielt 1945 den Nobelpreis.
dorischen Gottes: Apollon, im Sinne von Nietzsches *Geburt der Tragödie* und Benns Essay *Dorische Welt* (I, 274, 278). Vgl. Brief Nr. 134.
„blickst du auch ...": später abgewandelt in *Quartär:*
„Quartäre Zyklen – Szenen, / doch keine macht dir bewußt, / ist nun das Letzte die Tränen / oder ist das Letzte die Lust ..." (III, 186).

Nr. 309
Berlin 1. 6. 1946. Hs., 2 Bl. Lohner S. 112 (Auszug).

kleinen Vers: das beiliegende Gedicht *Rosen.*

Nr. 310
Berlin (9. 6. 1946), Hs., 4 Bl. Lohner S. 112 (Auszug).

Darwinschen Sachen: Oelze hatte aus Darwins *Über die Befruchtung der Orchideen durch Insekten und die guten Wirkungen der Kreuzung* (1862) zitiert.
meines Zitats: gemeint ist ein von Oelze zitierter Satz aus dem *Roman des Phänotyp:* „Radio ist der Natur weit überlegen, es ist umfassender, kann variiert werden ..." (II, 182).
Hummelpelze: bezieht sich auf Benns Satz: „Eine ungeheuerliche Hitze, sehr übersteigert, dumpf wie aus den Pelzen von Hummeln" im Kapitel „Bordeaux" aus dem *Roman des Phänotyp* (II, 183).
zwei Kaballeros: Oelze hatte einem Bekannten, der lange in Bordeaux gelebt hatte, das Kapitel „Bordeaux" zu lesen gegeben und ihm die „Hummelpelz"-Stelle interpretiert.
Kasernenelaborat: der in Landsberg a. d. Warthe entstandene *Roman des Phänotyp.*
Musik, die, zierlich: die Entzifferung von „zierlich" ist nicht ganz gesichert.
Peter Kreuder: geb. 1905, Komponist von Operetten, Schlager- und Filmmusik.
Rosensong: das am 1. 6. 1946 übersandte Gedicht *Rosen.*

Nr. 311
Berlin 19. 7. 1946. Hs., 2 Bl. Unveröff.

„führende Persönlichkeiten": in den Arbeitsheften Benns ist auch nur von „führenden Persönlichkeiten" mit „großen Wagen" die Rede. Nach unveröffentlichten *Tagebuch-Notizen über Benn 1946 bis 1950* von Frank Maraun handelte es sich um Walther Karsch, Wolfgang Goetz und H. Ullstein, die Benn zur Mitarbeit am Tagesspiegel gewinnen wollten. Vgl. den Brief an Werckshagen v. 28. 7. 1946, (Gottfried Benn, *Das gezeichnete Ich. Briefe aus den Jahren 1900-1956*, mit einem Nachwort von Max Rychner, München 1962, S. 74 f.).
hündische Feigheit: vgl. Benns *Berliner Brief*, Juli 1948 (IV, 281 f.).
aus der Schweiz: vom Arche-Verlag, nach F. Maraun, a.a.O.
ein weiter Weg ...: vgl. die Eintragung in den Arbeitsheften, *Texte aus dem Nachlaß*, S. 111.

Gustav Falke: Schriftsteller und Lyriker (1853-1916), verfaßte Gedichte, Romane, Novellen, Kinderbücher.
Phili Eulenburg: Philipp Fürst zu E. und Hertefeld (1847-1921), Diplomat, Dichter und Komponist, Vertrauter Kaiser Wilhelms II.
„Bunbury": Komödie von Oscar Wilde *(The Importance of Being Earnest)*, Uraufführung 1895 in London; erschien 1899, in dt. Übersetzung auch unter dem Titel *Bunbury*.
Ninive: vgl. Prophet Nahum (2, 2 ff.) und Zephanga (2, 13-15).
Jean Paul: Oelze hatte im Brief v. 18. 6. 1946 von seiner J.-P.-Lektüre berichtet und angeboten, Benn *Die Reise nach Flätz* zu schicken.

Nr. 312
Berlin 30. 7. 1946. Hs., 2 Bl. Unveröff.

Rose von Malmaison: ein Rosenaquarell, von Frau Oelze als Geschenk angekündigt, mit dem sie sich für Benns Rosenverse bedankte. Vgl. Brief Nr. 342.
die Dramen: in die *Gesammelten Schriften*, Berlin 1922 (1. u. 2. Auflage), waren auch die Szenen (*Ithaka*, *Der Vermessungsdirigent*, *Karandasch*, *Etappe)* aufgenommen worden (vgl. Steinhagen, S. 20 f. u. S. 276, Anm. 33). Benns hs. Widmung in dem Oelze gesandten Exemplar lautet: „Herrn F W *Oelze* –

Sie wären bestimmt bei
Kenntnis dieses Buches nie in die
Bellealliancestrasse gekommen –
wohl mir, dass Sie es nicht besassen!
Gottfried Benn.
30. VII. 1946
Bozenerstr."

Auf S. 3, am Ende des Gedichts *Prolog* (III, 395 ff.), bemerkt Benn hs.: „Ein Literarhistoriker schrieb 1924 in ‚Weltliteratur der Gegenwart', Franz Schneider Verlag, Berlin, S. 133 ‚der wildeste u begabteste, unbändig den Wucherungen seines tollen Genies erlegen, – G.B. –'. – (Arno Schirokauer)".
Frank Maraun: vgl. Erläuterung zu Brief Nr. 259. F. M. hatte Benn am 22. 7. 1946 zum erstenmal nach dem Kriege wieder besucht.
als 3.: neben Oelze und C. Werckshagen.
ein Buch über mich: vgl. Brief Nr. 259.
die 3. Abschrift: eine Abschrift des *Phänotyp*, die Oelze hat herstellen lassen, befindet sich in Oelzes Archiv (Typoskript, 38 Bl., von Oelze datiert: 23. Juli 1946). Auf der Titelseite unten der

Vermerk, möglicherweise von Dr. Claassen: „durch Dr. Oelze 31. IX 46".
„sie wässerten ...": die Stelle im *Phänotyp* lautet: „ja ganze Tage wässerten in entrücktem Schweigen, ohne Ungeduld, mit jenem Honig in den Stunden, der nach der Blüte kommt, nach vielen Blüten, aus Schnee- und Purpurfeldern." (II, 189).

Nr. 313
Berlin 15. 8. 1946. Hs., 4 Bl. Unveröff.

Charbin: chinesische Stadt in der Mandschurei, 1945 von den Russen erobert, 1949 Hauptstadt der Provinz Sungkiang, seit 1954 von Heilungkiang.
Reiss-band: die *Gesammelten Schriften* von 1922 hatte der Verleger Erich R. (1887-1951) herausgebracht. Über ihn s. *Ausgew. Briefe*, S. 393 f.
Pameelen: die Hauptfigur im Stück *Der Vermessungsdirigent.*
in Herbsttagen ... parthenogen: dieses Motiv spielt auch bei der Entstehung des Gedichts *Orpheus' Tod* eine Rolle. Vgl. Steinhagen, S. 113. Statt „krankhaft schwebenden Stunden" könnte es auch „prunkhaft" heißen.
Jupiter im 7. Haus: das Feld der Beziehungen zum Du (Partnerschaft, Ehe).
Spengler'scher Prophetie: der Untergang des Abendlandes.
Alkaloide: vorwiegend giftige, stickstoffhaltige Verbindungen basischen Charakters pflanzlicher Herkunft (Heil- und Rauschmittel).
neuesten Claassenbrief: Cl. wartete noch immer auf die Druckerlaubnis und wollte zunächst einen kleinen Auswahlband herausbringen. Vgl. Benns Brief v. 28. 7. 1946 an C. Werckshagen (Gottfried Benn, *Das gezeichnete Ich. Briefe aus den Jahren 1900-1956*, mit einem Nachwort von Max Rychner, München 1962, S. 74 f.).
Rinde: gemeint ist die Hirnrinde.
wenn Tränen einen Geruch ...: vgl. *Der Ptolemäer* (II, 221). Ebenfalls im Entwurf zu *Orpheus' Tod*, vgl. Steinhagen, S. 112.
„Antigone": dieses Stück war eines der ersten ausländischen Dramen, die auf den deutschen Nachkriegsbühnen aufgeführt und viel diskutiert wurden.
„auf welchen schwarzen Stühlen ...": aus Benns Gedichten *Epilog 1949* (III, 343) und *Turin* II (III, 465), deren Entstehung also bis ins Jahr 1946 zurückreicht.

Nr. 314
Berlin 31. 8./1. 9. 1946. Hs., 3 Bl. Lohner S. 88 (Auszug), Steinhagen S. 121 f. (Auszug).

Bremer Zeitung (Raschke): Nietzsche in Nürnberg, von Pastor Hermann R., Weser-Kurier v. 21. 8. 1946, S. 5.
Horst Lommer: Berliner Journalist und Schriftsteller (1904 bis 1966); sein kritisch-satirischer Gedichtband *Das Tausendjährige Reich* erreichte 1946 hohe Auflagen; H. L. lebte zuletzt in Frankfurt a. M. In dem Artikel schreibt Raschke u. a.: „Aber dem kritischen Blicke konnte es nicht entgehen, wie klein und spießbürgerlich (vgl. Rauschning, ‚Gespräche mit Hitler', und Lommer: ‚Das tausendjährige Reich', Gedichte) wie kurzsichtig und schäbig diese nur dem unmittelbar äußeren Erfolge nachjagende Amoral Nietzsches und Hitlers ist... Ein so scharfer Seelenkenner wie Christian Morgenstern hat darum mit treffsicherem Blick in Nietzsche den tragischen Bourgeois und Bildungsphilister erkannt, eben die sich selbst aufhebende reine Diesseitigkeit, den gottlosen Menschen, den Menschen ohne Ewigkeit."
Aus den Beständen des Instituts für Zeitungsforschung der Stadt Dortmund.
N.: Nietzsche.
Studie dazu: Benns Gedicht *Orpheus' Tod,* das er im Gedenken an Herta Benn im August 1946 schrieb (III, 191 ff.). Möglicherweise handelt es sich bei der „Studie", die sich nicht mehr in Oelzes Archiv befindet, um die hs. Fassung H^3 v. 26. 8. 1946. Vgl. Steinhagen, S. 109.
Rembrandt: vgl. das Gedicht *Gewisse Lebensabende* (III, 239 ff.), das im Juni 1946 entstand.
Heinrich M.: H. Mann.
Tilly Wedekind: vgl. Benns Briefe an T. W., *Den Traum alleine tragen,* S. 80-114.
r...: russische.

Nr. 315
Berlin 12. 9. 1946. Hs., 4 Bl. Lohner S. 90 (Auszug), Steinhagen S. 75 (Auszug).

An der Spitze: nach Auskunft von Frank Maraun (i. e. Erwin Goelz) handelte es sich vermutlich um einen führenden Vertreter der Berliner Ärztekammer.
Johannes R. B.: J. R. Becher als Präsident des „Kulturbundes". Vgl. die Erläuterung zum Brief Nr. 294. Becher, als expressionistischer Lyriker Benn noch verbunden, kam nach seinem Moskauer

Exil im Sommer 1945 mit der Ulbricht-Gruppe nach Berlin zurück und war ab 1953 der erste Kulturminister der DDR.
Absicht von Dr. C.: Claassen hatte sich inzwischen an die englische Hauptzensurbehörde in Bünde (Westfalen) gewandt, um die Druckerlaubnis zu erreichen.
Pandora: die Zeitschrift nannte sich dann Vision. Deutsche Beiträge zum geistigen Bestand, hrsg. v. G. F. Hering u. P. Wiegler. Das erste Heft, August 1947, erschien ohne den Beitrag Benns.

Nr. 316
Berlin 3. 10. 1946. Hs., 3 Bl. Unveröff.

neue Zweimonatsschrift: Pandora bzw. Vision; vgl. die Erläuterung *Ausgew. Briefe*, S. 354 und Benns Brief v. 5. 10. 1946 an J. Weyl (*Lyrik und Prosa*, S. 169-175). A. Döblin war am 9. 11. 1945 nach Deutschland zurückgekehrt und als französischer Kulturoffizier im Bureau des Lettres der Direction de L'Education Publique in Baden-Baden tätig, also als eine Art Lektor, wie er selber angibt. (*Autobiographische Schriften und letzte Aufzeichnungen*, Olten und Freiburg/Brsg. 1977, S. 372 f.).
Seine Frau: Döblins Frau war eine Kusine des mit Benn befreundeten Verlegers Erich Reiss.
Unsere Unterhaltung ... auf allen Gräsern: Notiz auf einer Karteikarte, die dem beigelegten Typoskript des Gedichts *Gewisse Lebensabende* angeheftet ist. Das Typoskript (4 Bl., auf Bl. 3 signiert und datiert: „G. Be. 22. 9. 46.") befindet sich in Oelzes Archiv.

Nr. 317
Berlin 4. 10. 1946. Hs., 2 Bl. Lohner S. 88 f. (Auszug), Steinhagen S. 123 f. (Auszug).

seinen Tod ermöglicht: Benn schreibt versehentlich „ermöglichen".
„nackte Haune": Benn hat diesen Ausdruck aus der J. H. Vossischen Ovid-Übersetzung (1829) in sein Gedicht *Orpheus' Tod* übernommen.

Nr. 318
Berlin 15. 10. 1946. Hs., 5 Bl. Lohner S. 90 f. (Auszug), Steinhagen S. 320 (Auszug).

„leere Stelle": gemeint ist der Teil II (Shakespeare) des Gedichts *Gewisse Lebensabende*, u. zwar die Verse: „ich glaube, das ist von mir, / kann nur von mir sein" (III, 242).
Leer ist er: könnte auch „Leer ist es" heißen.

Stunde da wäre ...: vgl. *Der Ptolemäer* (II, 219).
R. A. Schröder's: Anspielung auf die Bekanntschaft Oelzes mit dem Bremer Dichter R. A. Schr. Oelze hatte in seinem Brief v. 28. 9. 1946 ironisch davon berichtet, daß R. A. Schr. zu einigen Vorträgen in seine Vaterstadt zurückgekehrt sei.

Nr. 319
Berlin 4. 11. 1946. Hs. (die Verse am Briefanfang ms.), 2 Bl. Lohner S. 89 (Auszug).

Stelle aus Ovid: aus Ovids *Metamorphosen* in der Übersetzung von J. H. Voss.
das komplettierte „Quartär": Typoskript des dreiteiligen Gedichtzyklus (1 Bl., signiert und datiert: „G. B. X. 46."); in Oelzes Archiv vorhanden. Vgl. Steinhagen, S. 177.
Zeitungsausschnitt: Oelze hatte im Brief v. 27. 10. 1946 von der Deportation führender Persönlichkeiten und von Fachleuten in der russischen Zone gesprochen und angefragt, ob Benn davor gesichert sei. Der Text des von Benn mitgeschickten Zeitungsausschnittes – unter dem Titel *Registrierung deutscher Ärzte* – lautet: „Berliner Aerzte wurden in diesen Tagen in den Bezirken Pankow und Oberschöneweide zur deutschen Polizei befohlen, um dort in Anwesenheit einiger russischer Offiziere ihren Lebenslauf niederzuschreiben und registriert zu werden. Diese Aerzte müssen sich, wie die Leiter des Berliner Gesundheitsamtes, Dr. Piechowski und Dr. Harms mitteilten, zur Verfügung halten und weitere Nachricht abwarten. (DANA)"
πολυτροποσ ...: Benn bezieht die Charakterisierung des Odysseus am Anfang der Homerischen *Odyssee* (I, 1) auf sich selbst.
Vertraute: Dr. Ilse Kaul, die Benn im Juli 1946 kennengelernt hatte und am 18. Dezember heiratete. Vgl. Brief Nr. 321 u. Ilse Benn, *Mein Mann G. B.* die waage 5 (1976), Bd. 15, S. 208-212.

Nr. 320
Berlin 21. 11. 1946. Hs., 3 Bl. Lohner S. 91 f. (Auszug), Steinhagen S. 185 (Auszug).

Einlagen: gemeint sind die Gedichte des Kollegen, der Artikel von Raschke und die Briefe von Rowohlt und Frau Lehne (s. u.).
Rowohlts Brief: ein ausführlicher Brief an Benn v. 25. 10. 1946. Oelze war Mitte November 1946 erneut nach Hamburg gefahren und hatte mit R. verabredet, daß Kurt Marek, der Lektor im R.-Verlag und gleichzeitig Redaktionsmitglied der Welt war, versuchen sollte, die Erlaubnis für die Veröffentlichung eines Stückes

aus dem *Roman des Phänotyp* für Die Welt zu bekommen, um dadurch den Weg für die Buchpublikationen zu ebnen. Auch dieser Versuch mißlang.
Spengler: Oswald Sp. galt seit seinem kritischen Buch *Jahre der Entscheidung* (Sommer 1933) bei den Nazis als unerwünscht.
Nobelpreis: Hermann H. erhielt ihn 1946.
Die Franzosen: Oelze hatte im Brief v. 17. 11. 1946 von einer Überschätzung der französischen Literatur des 19. Jahrhunderts gesprochen und namentlich Mérimée, Musset, Villiers de l'Isle, Barbey d'Aurévilly erwähnt.
Frau Lehne: aus Stade; sie hatte Oelze für ihren Mann, einen Verehrer Benns, um dessen Schriften gebeten und dafür einen Korb Äpfel angeboten. Vgl. Brief Nr. 364.
Der dichtende Kollege: ein Bremer Arzt, der Oelze gebeten hatte, einige seiner Gedichte Benn zur Beurteilung vorzulegen.
„Olymp des Scheins“: ein von Nietzsche übernommener Begriff. Vgl. I, 309, 413, 489, 500, 527, 543 u. a.
Martina: M. Bally, Kusine von Benns erster Frau Edith Osterloh, seit 1921 mit Benn bekannt, lebte in Zürich.
Erna: E. Pinner, geb. 1896, Zeichnerin und Schriftstellerin, Mitarbeiterin an der Frankfurter und der Kölnischen Zeitung; emigrierte 1935 nach England, wo sie ihren Beruf als Tierzeichnerin wissenschaftlich erweiterte; Mitarbeiterin der Züricher Weltwoche. Vgl. Benns Briefe an E. P., *Ausgew. Briefe*, S. 106 ff.
Trudchen: Dr. Gertrud Zenses, geb. 1898, Archivarin und Bibliothekarin, seit 1921 mit Benn bekannt, ging 1926 in die USA, seit 1940 in New York. Vgl. Benns Briefe an G. Z., *Ausgew. Briefe*, S. 15 ff.
Inselband: Briefe an einen jungen Dichter, Leipzig 1929 = Inselbücherei 406.

Nr. 321
Berlin 13. 12. 1946. Hs., 7 Bl. Unveröff.

wiederverheiratet: die standesamtliche Trauung mit Dr. Ilse Kaul fand am 18. Dezember statt.
„war er wirklich ...“: ein Rönnewort aus *Der Geburtstag* (II, 56).
dessen Frau: Frau Ellen Overgaard, die Benn auf der Rückreise von der Beerdigung seiner ersten Frau kennengelernt hatte und die Nele in ihr Haus in Kopenhagen aufnahm.
„Am Saum des nordischen Meers“: Benns gleichnamiges Gedicht (III, 167 f.).

Nr. 322
Berlin 18. 12. 1946 (Poststempel). Gedruckte Anzeige mit hs. Zusatz. Unveröff.

Nr. 323
Berlin 27. 12. 1946. Hs., 1 Ansichtskarte (En Provence; Mireille; A. Mercie) Unveröff.

impavidum: vgl. Erläuterung zu Brief Nr. 306.

Nr. 324
Berlin 1. 1. 1947. Hs., 3 Bl. Unveröff.

ausweichender Brief: erst am 26. 4. 1947 erhielt der Goverts-Verlag in Sachen Benn eine immer noch unentschiedene Antwort von der englischen Hauptzensurstelle in Bünde.
von Rowohlt: das „von" hat Benn vergessen.
mein Prophet: vgl. Erläuterung zu Brief Nr. 304.
Heidsieck Monopole: nach Erhalt der Heiratsanzeige hatte das Ehepaar Oelze den Champagner auf das Wohl von Ilse und Gottfried Benn getrunken.

Nr. 325
Berlin 10. 1. 1947. Hs., 2 Bl. Unveröff.

D.V.A. Stuttgart: Benns alter Verlag mußte im Herbst 1943 die Verlagsrechte an seinen Büchern an ihn, als unerwünschten Autor, zurückgeben. Vgl. Benns Brief vom 28. 10. 1943 an Gustav Kilpper (*Ausgew. Briefe*, S. 92 f.).
Italienische Verlag: vermutlich Feltrinelli; die Ausgabe ist nicht zustande gekommen.

Nr. 326
Berlin 11. 2. 1947. Hs., 2 Bl. Unveröff.

Berliner Zeitung: Benn paraphrasiert und zitiert hier aus zwei Nrn. des US-lizenzierten Tagesspiegels. In der Nr. 32 v. 7. 2. 1947 steht der Artikel *Vorschule der Grausamkeit? Eine Diskussion um die Märchen der Brüder Grimm*, gez. Karl Privat (Beiblatt S. 4); in der Nr. 34 v. 9. 2. 1947 der Artikel *Atempause der Wale* von Warren Armstrong (Beiblatt S. 4); im Weltspiegel. Illustrierte Sonntagsbeilage des Tagesspiegels v. 9. 2. 1947 (Nr. 6, S. 2) steht ein Bildbericht über *Kairo*. Der Text unter dem 11. Bild lautet: „Jenseits des Nils, rund zwölf Kilometer im Westen Kairos, sind die Pyramidenfelder von Gizeh. Eine schnur-

gerade Asphaltstraße führt dorthin, und neben Autos aus aller Welt fährt die ‚Linie Fünfzehn' in einer Stunde hinaus." Der Text unter dem 12. Bild: „Am Ende der Straße steht das große Mena-Haus, ein elegantes Hotel mit Schwimmbädern, Spiel- und Reitplätzen, das Ziel vieler Hochzeitsreisenden. Von einer schattigen Terrasse geht der Blick über die stolzen Zeichen uralter Kultur." Der letzte Satz fast unverändert im *Ptolemäer* (II, 221).
u. die rotglühenden: Benn schreibt versehentlich „u. in die".
André Gide: Benn bezieht sich auf einen Artikel A. Gides mit dem Titel *Einige werden die Welt retten* aus der Neuen Zeitung v. 7. Februar 1947, S. 3 (Nr. 11). Darin zitiert G. aus dem Brief eines jungen Ägypters und aus seiner Antwort an ihn.
Dr. Henry Goldblatt: Benn bezieht sich auf einen Artikel, der über dem eben zitierten steht: *Eine Waffe gegen den Tod?* von Dr. Martin Gumpert. Darin wird von einem „antiretikulären zytotoxischen Serum" (ACS) berichtet, das der russische Physiologe Bogomolets entdeckt hat und das der amerikanische Pathologe Dr. H. Goldblatt nun in den USA therapeutisch erprobe. Vgl. II, 220 f.
Heisenberg: Werner H. (1901-1976), Physiker, Nobelpreis 1932, Direktor des Max-Planck-Instituts für Physik, Arbeiten zur Quantenmechanik, Atomphysik und Feldtheorie der Elementarteilchen, Beschäftigung auch mit philosophischen Fragen.
Prinz de Broglie: Louis-Victor Duc de B., geb. 1892, französischer Physiker, Nobelpreis 1929, Prof. an der Sorbonne, Arbeiten zur Wellenmechanik, zur Theorie der Röntgenstrahlen und der Wellentheorie der Materie.
Uexküll: Jakob Johann Baron v. Ue. (1864-1944), Biologe, 1926 bis 1940 Leiter des von ihm gegründeten Instituts für Umweltforschung und Mitbegründer der vergleichenden Physiologie. Vgl. IV, 275 f., I, 385 u. II, 281.
Veil u. Sturm: Wolfgang Heinrich V. u. Alexander St., *Die Pathologie des Stammhirns und ihre vegetativen klinischen Bilder als Erkenntnis und Grundlage der Unfallbegutachtung innerer Krankheiten*, Jena 1942.

Nr. 327
Berlin 23. 2. 1947. Hs., 4 Bl. Unveröff.

Reformation: vgl. Benns abfälliges Urteil über die R. Brief Nr. 52.
„erkenne die Lage": vgl. *Ptolemäer* (II, 232).
Georges Bernanos: der erste Roman *Sous le soleil de Satan* des französischen Schriftstellers (1888-1948) erschien 1926.

Café Barbacena: kein Café in Rio, sondern ein Ort in Brasilien, in dessen Nähe Bernanos von 1940-1944 wohnte.
Ausschnitt einer heutigen Zeitung: ein Artikel des Telegrafs mit dem Titel *Die Freiheit der Verlage* (23. 2.1947, Nr. 46, S. 5); er spricht davon, daß die Vorzensur durch die Besatzungsbehörden in der Britischen Zone nunmehr aufgehoben sei.

Nr. 328
Berlin 16./22. 3. 1947. Hs., 2 Bl. Unveröff.

Neues: Der Ptolemäer. Berliner Novelle, 1947.
„ältester Lehrer“: ein Deutschprofessor Oelzes in Tertia und Untersekunda, dessen Bemerkung Oelze in seinem Brief v. 2. 3. 1947 zitiert: „Die Wirklichkeit ist was sie ist. La vie est faite ainsi“.
2 Wirklichkeiten . . .: vgl. dazu *Ptolemäer* (II, 215 ff.).

Nr. 329
Berlin 23. 3. 1947. Hs., 1 Bl. Unveröff.

Nr. 330
Berlin 12. 4. 1947. Hs., 2 Bl. Unveröff.

Domshof 10[1]: Oelzes Kontor in Bremen.
Satz über Goethe: vgl. Brief Nr. 108.
Daumer: Georg Friedrich D. (1800-1875), Religionsphilosoph, Dichter und Privatgelehrter, übertrug orientalische Lyrik; Kaspar Hauser lebte zeitweilig in seinem Hause; Brahms hat einige seiner Gedichte vertont; Oelze wurde durch seinen Deutschprofessor auf ihn hingewiesen. Das von Oelze zitierte Wort Borchardts über Daumers Werk lautet: „der halb wunderliche, halb widerliche Trödel des Nürnberger Sonderlings, der fast alle seine ekeln Torheiten zu Papier gebracht und fast alle seine menschlichen Geheimnisse ins Grab genommen hat.“ Dieser Daumer ist auch in Brief Nr. 197 gemeint, entgegen der Erläuterung S. 443.
beiden Stellen: Goverts- und Rowohlt-Verlag.
Goethe-Distichon: „Prüft das Geschick dich, weiss es wohl warum: es wünschte dich enthaltsam! Folge stumm.“ (Weimar 1814)
neuen Stümpereien: Der Ptolemäer.
„Wir alle leben . . .“: II, 212.

Nr. 331
Berlin 29. 4. 1947. Hs., 2 Bl. Lohner S. 127 (Auszug).

Brief aus dem Rowohlt-Haus: der Lektor im Rowohlt-Verlag, Kurt Marek, teilte Benn am 21. 4. 1947 mit, daß der Versuch, die

Erlaubnis für einen Vorabdruck aus dem *Roman des Phänotyp* in der Welt zu erwirken, gescheitert sei. Der Brief, mit Benns Entwurf einer Antwort auf der Rückseite, befindet sich im Nachlaß.
„Ph.": Roman des Phänotyp.
Paul Wegener: der Schauspieler P. W. war Präsident der Kammer der Kunstschaffenden und Mitglied des Präsidialrates des Kulturbundes.
neue kleine Arbeit: das erste Kapitel „Lotosland" aus dem späteren *Ptolemäer.* Typoskript 14 Bl., signiert u. datiert: „G. B. April 1947". In Oelzes Archiv vorhanden.
„Schwarze Kutten": Ausdruck aus „Lotosland" (II, 223) und dem *Berliner Brief* (IV, 284).
Mitarbeiter von Minister Grimme: vermutlich Egon Vietta, der 1947 als Pressereferent in der Staatskanzlei Hannover tätig war.

Nr. 332
Berlin 24. 5. 1947. Ms. (bis „nennenswerte Unternehmungen sind", der Schluß hs.), 4 Bl. Unveröff.

mit Maschine beantworte: am Rand hs.: „diktiere".
Angelegenheit in Bünde: von dort hatte der Goverts-Verlag am 26. 4. 1947 eine wiederum ausweichende Antwort erhalten. Vgl. Steinhagen, S. 72 f.
zwei größere Aufsätze: Peter Schmid: *Hinweis auf Gottfried Benn,* Die Weltwoche (Zürich), 9. Mai 1947, und Eugen Gürster-Steinhausen: *Gottfried Benn. Ein Abenteuer der geistigen Verzweiflung,* Die Neue Rundschau (Stockholm), Bd. 58 (1947), S. 215-226. Vgl. Brief Nr. 335.
Kritik meiner neueren Gedichte: Schmid schreibt u. a.: „Der deutschen Literatur ist damit, wenn man aus jüngeren Gedichten, die in privaten Abschriften in die Schweiz gelangten, schließen darf, nichts mehr verlorengegangen: die epochale Bedeutung Benns begrenzt sich auf die Zwanzigerjahre".
junger Schweizer Dichter: der Schriftsteller und Journalist Erhard Hürsch, geb. 1920; Ostern 1946 erster Besuch bei Benn, vermittelt durch Nele P. Soerensen. Vgl. Brief Nr. 350.
befreundeter Verleger: Peter Schifferli, der 1948 im Arche-Verlag Benns *Statische Gedichte* herausbrachte.
einen Gedichtband: Das Gestirn. Gedichte, Zürich 1947.

Nr. 333
Berlin 25. 5. 1947. Hs., 2 Bl. Unveröff.

Betrifft: Benn schreibt versehentlich „Betriff".

italienische Sache: vgl. den Brief Nr. 325
Heym: P. Schmid hatte in seinem *Hinweis auf G. B.* über Georg H. geschrieben: „Wenn er trotzdem nicht heutig wirkt, wenn er im Grunde bloß als ein übersteigerter Lenau erscheint, so liegt das daran, daß er sich noch stark an die Formen einer überlieferten Poetik hält."

Nr. 334
Berlin 23. 6. 1947. Hs., 1 Bl. Unveröff.

Emigrantenfeder: der Dramaturg und Schriftsteller E. Gürster (-Steinhausen), geb. 1895, war 1933 nach Basel, dann in die USA emigriert.

Nr. 335
Berlin 23. 6. 1947. Hs., 1 Postkarte. Unveröff.

also werden sie wohl: Benn schreibt versehentlich „Sie".

Nr. 336
Berlin 13. 7. 1947. Hs., 3 Bl. Unveröff.

telegrafierte: das Telegramm ist nicht erhalten.
Reise nach Antwerpen: die Rönneprosa *Die Reise* (1916).
Spruchkammer: die für das umstrittene Entnazifizierungsverfahren verantwortliche Behörde.
encephalitischen Art: Enzephalitis = Gehirnentzündung.
Stockholmer Aufsatz: von E. Gürster-Steinhausen.

Nr. 337
Berlin 3. 8. 1947. Hs., 2 Bl. Lohner S. 127 (Auszug).

II. Kapitel von Lotosland: das Kapitel „Der Glasbläser" des späteren *Ptolemäer*. Typoskript 14 Bl., signiert u. datiert: „G. B. VIII/47". In Oelzes Archiv vorhanden.
neue Schwierigkeiten: nach der Verkündung der „Truman-Doktrin" (12. 3. 1947, Eindämmungspolitik gegenüber der Sowjetunion), dem Scheitern der 4. Außenministerkonferenz in Moskau (10. 3.-24. 4. 1947) und der Ankündigung des Marshall-Plans (5. 6. 1947, wirtschaftliches Hilfsprogramm für Europa) kühlte sich das Verhältnis der beiden Weltmächte zunehmend ab. Am 8. 7. 1947 hatten die Sowjets im Kontrollrat die Bestätigung von Prof. E. Reuter als Berliner Oberbürgermeister abgelehnt.

Nr. 338
Berlin 17. 8. 1947. Hs., 1 Bl. Lohner S. 127 f. (Auszug).

letztes Kapitel: der spätere Abschnitt „Der Ptolemäer".
die Rede: Geistige Grundlagen eines schöpferischen Deutschlands der Zukunft, Hamburg, Stuttgart 1947. Kurt Hiller hielt diese polemische Rede, in der auch Benn erwähnt wird (S. 53), auf Einladung des Kulturrats der Hansestadt am 31. 5. 1947.

Nr. 339
Berlin 22. 8. 1947. Hs., 2 Bl. Unveröff.

Brief nach Stockholm: der Durchschlag eines Briefes von Oelze an Eugen Gürster-Steinhausen v. 15. 8. 1947 ist in Oelzes Archiv vorhanden.
Briefstück 1933: Oelze hatte eine Abschrift des Briefes v. 27. 1. 1933 (Nr. 2) an Benn gesandt.
Passphoto: von Benn oben auf das zweite Blatt des Briefes geklebt.

Nr. 340
Berlin 11. 9. 1947. Hs., 1 Bl. Unveröff.

Dokument: Oelze hatte Benn eine Liste mit Fragen und Schreibfehlern zu dem ihm übersandten Typoskript des „Glasbläsers" und des „Lotoslands" mitgeschickt. Auf der Rückseite des Blattes schreibt Benn diesen Brief.
van Dine: Willard H. Wright (1888-1939), amerikanischer Kritiker und Schriftsteller, der unter dem Ps. S.S. Van Dine seit 1926 eine Reihe von Kriminalromanen (Murder Cases) veröffentlichte.
Sven Elvestadt: S. Elvestad (1884-1934), norwegischer Journalist und Schriftsteller, der den Kriminalroman in die norwegische Literatur einführte. Etwa fünfzig seiner Bücher wurden ins Deutsche übersetzt.

Nr. 341
Berlin 16. 9. 1947. Hs., 1 Bl. Unveröff.

Dr. C.: bezieht sich auf eine öffentliche Anfrage der Zeitschrift Ulenspiegel an vier Verleger. Dr. Claassen beantwortete die zweite Frage: „Welchen von den nicht erlaubten Autoren möchten Sie gern drucken?" mit „Gottfried Benn". (Ulenspiegel, Bd. 2, 1947, Nr. 18). Vgl. *Ausgew. Briefe*, S. 118.
E R.: Ernst Rowohlt antwortete auf die gleiche Frage des Ulenspiegels: „erlauben Sie mal – keinen!"

Nr. 342
Berlin 21. 9. 1947. Hs., 1 Bl. Lohner S. 128 (Auszug).

junge Schweizer: Erhard Hürsch.
JüngerSache: Sprache und Körperbau. Ein Versuch, Zürich 1947.
Schweizer Wochenschrift: vermutlich der Artikel *Sieben Tage Berlin* von M. G., Die Weltwoche v. 5. 9. 1947, S. 7.
Flushing Meadows: Flushing ist ein Ort bei New York. In Flushing Meadow Park war der Sitz der Generalversammlung der UNO von 1946-1949.
das graue Rosenbild: vgl. Brief Nr. 312.

Nr. 343
Berlin 25. 9. 1947. Hs., 1 Bl. Unveröff.

Herrn Dinnyés: ungarischer Ministerpräsident in den Jahren 1947/1948, nachdem die Kommunisten mit sowjetischer Hilfe die Mehrheit im Lande erlangt hatten.
Zeitschrift: der Ulenspiegel, den Oelze in einem Brief v. 20. 9. 1947 an Benn sehr negativ charakterisiert hatte.
„Vater aller Dinge“: der Krieg, nach einem berühmten Wort von Heraklit.
Vortrag von Th. M.: Th. Manns Vortrag *Nietzsches Philosophie im Lichte unserer Erfahrung*, gehalten auf der Pen-Club-Tagung in Zürich am 2. 6. 1947, erschienen in der Neuen Rundschau, H. 8 (1947), S. 359-389.
Schriftsteller tagen: v. 4.-8. 10. 1947 tagte in Berlin der erste (und letzte) gesamtdeutsche Schriftstellerkongreß.

Nr. 344
Berlin 29. 9. 1947. Hs., 1 Bl. Lohner S. 128 (Auszug).

der Abschluss der Sache: „Der Ptolemäer“, das 3. Kapitel des gleichnamigen Prosawerkes. Typoskript 9 Bl., signiert u. datiert: „G. B. IX/47.“ In Oelzes Archiv vorhanden.
Frau Breysig: vgl. Erläuterungen zu den Briefen Nr. 148 u. 180.

Nr. 345
Berlin 2. 10. 1947. Hs., 1 Bl. Lohner S. 128 f. (Auszug).

Nr. 346
Berlin 12. 10. 1947. Hs., 3 Bl. Unveröff.

Fidus-Toteninsel-stil: F., eigentlich Hugo Höppener (1868-1948), Zeichner, Grafiker und Baumeister, zum Jugendstil gehörig.
Kurt Breysig: s. Brief Nr. 180.
Schuchhardt: Carl Sch., *Aus Leben und Arbeit*, Berlin 1944.
von Marées: Hans von M. (1837-1887), wurde bekannt durch

monumentale Fresken und idealistische, antikisierende Landschaftsbilder. Vgl. I, 309.
beiden Typen: vgl. *Lebensweg eines Intellektualisten* (IV, 50 f.).
„Platanengedächtnis“: II, 250.

Nr. 347
Berlin 7. 11. 1947. Hs., 1 Bl. Lohner S. 129 (Auszug).

„Es giebt Existenzen ...“: von Balzac (s. I, 329); vgl. die vierte Maxime des „Glasbläsers“ (II, 232).

Nr. 348
Berlin 24. 11. 1947. Hs., 2 Bl. Lohner S. 93 (Auszug).

Aufsatz von Maraun: Ein unerlaubter Autor, Schwäbisches Tagblatt (Tübingen) v. 28. 10. 1947.
netten Brief: Benn hatte den Brief P. Schifferlis v. 3. 10. 1947 erst am 22. 11. 1947 erhalten und beantwortete ihn am nächsten Tag. Der Brief Schifferlis befindet sich in Benns Nachlaß; dessen Antwort erschien im Arche-Briefband, Zürich 1960, S. 7 ff.
Gürster: vgl. die Briefe Nr. 332 u. 334.
„Nach dem Nihilismus“: der Essayband erschien 1932.

Nr. 349
Berlin 25. 11. 1947. Hs., 1 Bl. Unveröff.

Brief von G.: E. Gürsters Antwort v. 12. 11. 1947 auf Oelzes Brief v. 15. 8. 1947. Vgl. Brief Nr. 339. Gürsters Antwortbrief ist in Oelzes Archiv vorhanden.
„Rätsel Deutschland“: der Titel eines Aufsatzes von E. Gürster, der gerade in der Neuen Rundschau erschienen war (1947, S. 259 bis 280).
Schweizer Brief: die Abschrift eines Briefes von P. Schifferli (Arche-Verlag) v. 3. 10. 1947 befindet sich in Oelzes Archiv.
erfreut er Sie: Benn schreibt versehentlich „sie.“

Nr. 350
Berlin 4. 12. 1947. Hs., 4 Bl. Unveröff.

Schweizer Manuscript: vgl. dazu Steinhagen, S. 80 ff.
ältere Gedichte: Liebe und *Turin* (III, 175, 177).
K.: Kopenhagen; vgl. Nele P. Soerensen, *Mein Vater Gottfried Benn,* S. 76 ff.
Metanoeite: tut Buße! (griech.)
neue Idee literarischer Art: vermutlich zu den *Drei alten Männern* (II, 379-412).

Nr. 351
Berlin 18. 12. 1947. Hs., 1 Ansichtskarte (Kandersteg im Berner Oberland). Unveröff.

Nr. 352
Berlin 27. 12. 1947. Hs., 2 Bl. Lohner S. 278 (Auszug).

Nr. 353
Berlin 7. 1. 1948. 2 Bl. hs., 1 Bl. ms. mit hs. Zusätzen. Unveröff.

Edschmid u. Herrn Thiess: Oelze hatte eine Äußerung Edschmids über Benn wiedergegeben, die Thiess ihm erzählt hatte: „Benn ist das grösste heute in Europa lebende Genie. Wenn er zu Worte kommt, können wir alle uns einstampfen lassen."
die Franzosen die Antike ausweiden: gemeint sind die im Nachkriegsdeutschland vielgespielten Dramen von Anouilh, Giraudoux und Sartre, vielleicht auch von A. Gide.
„Strahlungen": erschienen Tübingen 1949.
„Im Tierkreis": ein Geburtstagsgedicht für Oelze.
Dr. Jaentsch: vgl. Brief Nr. 157 u. die Erläuterung zu Brief Nr. 152 und I, 320, 374 f.
F. N.: Friedrich Nietzsche.

Nr. 354
Berlin 17. 1. 1948. Hs., 2 Bl. Unveröff.

W. W: Weinhaus Wolf.
Dr. Göpel: Kunsthistoriker, ein langjähriger Bekannter Oelzes und Bewunderer Gottfried Benns. Oelze hatte ihm einige Statische Gedichte und das Typoskript von *Weinhaus Wolf*, das G. vor kleinem Kreis vorlesen wollte, zugänglich gemacht.
Aussen-Innenproblematik: darüber hatte Oelze in seinem Brief v. 4. 1. 1948 einige Bemerkungen gemacht.

Nr. 355
Berlin 22. 1. 1948. Hs., 3 Bl. Lohner S. 83, 120 (Auszüge).

Theodor P.: Th. Plievier, der Autor des Romans *Stalingrad;* Oelze hatte im Brief v. 19. 1. 1948 seine Schrift *Eine Deutsche Novelle* (Weimar 1947) erwähnt, in der „Bremen und seine ‚Gesellschaft' der Gegenstand neuer literarischer Anpöbelungen geworden" seien.
R. A. Sch.: im gleichen Brief erwähnt Oelze, daß er zur Feier des 70. Geburtstages von R. A. Schröder am 26. 1. 1948 ins Bremer

Rathaus eingeladen sei. Sch. wurde bei dieser Gelegenheit das Ehrenbürgerrecht der Stadt Bremen verliehen.
Sanften Heinrich: vgl. Benns Brief v. 5. 3. 1949 an Erich Reiss (*Ausgew. Briefe*, S. 139).
Hamburger Auslandskorrespondenz: Interpress. Internationaler Biographischer Pressedienst. Ausgabe Kultur 7/1948 v. 14. 1. 1948 brachte den Aufsatz unter dem Titel *Gottfried Benn. Lyrik aus den Extremen*. In Oelzes Archiv vorhanden.
Sonntagsblatt: die Zeitung Sonntag, Wochenschrift für Kulturpolitik, Kunst und Unterhaltung, die vom 1. 7. 1946 an erschien.
Tagebuch von Thomas M.: im Sonntag v. 31. 12. 1947 erschienen Auszüge *Aus Thomas Manns Tagebüchern* vom März und Juni 1933 und Juli und August 1934. Benn bezieht sich auf folgende Passage: „Was wird eines Tages mit diesen Intellektuellen, die es hemmungslos, mit unterworfenen und begeisterten Hirnen mitgemacht haben! Spranger, der in der Preußischen Akademie der Wissenschaften Hitler den ‚charismatischen Führer' nennt... Nicht zu reden von einem Bäumler, dem Nietzsche-Verhunzer, der auf Fichtes Katheder sagt: ‚Hitler ist nicht weniger als die Idee – er ist mehr als die Idee, denn er ist wirklich.' ... Wiederum nicht zu reden von Benn, Binding oder gar Johst oder dem Gros der Aerzte, Juristen, Nationalökonomen, die einem kläglichen Rausch mit den tollsten Unsinnsreden und ‚Beiträgen' der Psychose nachgeben und sich vor der Geschichte prostituiert haben." (S. 4 f.) Aus den Beständen des Instituts für Zeitungsforschung der Stadt Dortmund. Heute in: Th. Mann: *Leiden an Deutschland. Tagebuchblätter aus den Jahren 1933 und 1934. Ges. Werke* Bd. XII (1960), S. 699 f.
Eine Büste: vgl. Brief Nr. 70.
Ein Bild: Oelze hatte Benn im Brief v. 20. 1. 1948 um ein Bild von ihm gebeten. Benn schickt eine Fotografie, auf der Rückseite hs.: „Herrn Fr. W. Oelze ‚– die Schwalben streifen die Fluten und trinken Fahrt und Nacht' August 47 Bozenerstr. 20 Gottfried Benn." (im Besitz von H. Steinhagen). Zitat aus dem Gedicht *Astern* (III, 174).

Nr. 356
Berlin 1. 2. 1948. Hs., 2 Bl. Lohner S. 120 (Auszug).

Ihre Schilderung: Oelze hatte im Brief v. 28. 1. 1948 eine ausführliche ironische Schilderung der offiziellen Feier von R. A. Schröders 70. Geburtstag gegeben.
Zeitschrift: Zs. für Haut- und Geschlechtskrankheiten. Vgl. die Briefe Nr. 353 u. Nr. 357.

Hamburger Notiz: Interpress. Vgl. Brief Nr. 355.
Ph.: Roman des Phänotyp. Eine Abschrift der ersten Fassung befindet sich in Oelzes Archiv. Vgl. die Erläuterungen zu Brief Nr. 312.

Nr. 357
Berlin 12. 2. 1948. 1 Bl. hs., 1 Bl. ms. mit hs. Zusätzen. Unveröff.

erwähnten Zeitschriften: Oelze hatte in seinem Brief vom 8. 2. 1948 „Merkur, Prisma, Goldenes Tor, Sammlung, Wandlung, etc. etc." genannt.
berühmte Roman: Thomas Manns *Doktor Faustus*, der gerade bei Bermann-Fischer in Stockholm erschienen war. Oelze hatte eine ausführliche Rezension von M. Beheim-Schwarzbach in der Welt v. 31. 1. 1948 beigelegt.
Hamburger Aufsatzes: in der Interpress.
- u. innen waltet ...: aus Schillers *Lied von der Glocke:* „und drinnen waltet ...".
keine Prostituierte: Benn schreibt „Prostitutierte", versehentlich falsch korrigiert aus dem getippten Wort „Prostitution".

Nr. 358
Berlin 19. 2. 1948. Hs., 2 Bl. Unveröff.

„Alraune": A. Die Geschichte eines lebendigen Wesens. Phantastischer Roman von Hanns Heinz Ewers (1871-1943), 1911 erschienen, erreichte hohe Auflagen. E. veröffentlichte auch ein Buch über *Horst Wessel* (1932).
„Schwarzen Korps": SS-Zeitung, in der Benn im Mai 1936 angegriffen wurde. Vgl. die Briefe Nr. 73/74.

Nr. 359
Berlin 25. 2. 1948. Hs., 1 Bl. (auf der Rückseite eine getippte Inhaltsübersicht zum *Phänotyp*). Lohner S. 120 f. (Auszug).

„Fliegen": Drama von Sartre, dt. Erstaufführung im November 1947 in Düsseldorf.
Fehling: Jürgen F., geb. 1885, Regisseur, vor allem in Berlin (Preußisches Staatstheater, Schillertheater), viele bedeutende Inszenierungen.
Orest: Figur in Sartres *Fliegen.*
Inhalt: zu den Unterschieden der beiden Fassungen vgl. die Inhaltsübersicht II, 474 f.

Nr. 360
Berlin 27. 2. 1948. Hs., 2 Bl. Lohner S. 83 (Auszug).

H. M.-Band: Heinrich Mann, *Ein Zeitalter wird besichtigt*, 1947.
Ewers-B. Band: s. Brief Nr. 358.
„Das Gestirn": Gedichte, Zürich 1947.
Tracouts: nach dem Schriftbild muß es wohl Tracouts (vielleicht auch Traconts) heißen. Die Bedeutung dieses Worts war nicht zu erschließen, auch nicht durch E. Hürsch. Vielleicht wollte Benn „Flacons" schreiben.
Was Sie ... schreiben: Oelze hatte im Brief v. 23. 2. 1948 u. a. geschrieben: „Der Künstler vermag das, was er erlebte, in Brüchen nach aussen zu übertragen, als selbständiges eigengesetzliches Gebilde, kann es aber deshalb nicht im selben Masse als Erlebnis besitzen. Den einen zehrt das Werk auf, den andern das Erlebnis. Beide gehören zur Gruppe Tod. – Das blosse Denken dagegen gehört ins Reich der Handelnden (Gruppe Leben), ausser in den Fällen der grossen Philosophen, wo es der zweckfreien Erkenntnis dient, also zum Spiel wird (Spiel aus Zwang) wie beim Künstler. Schliesslich wäre das Höchste, das Vermögen zu schweigen, ‚nichts mehr auszudrücken'? (Auch nur eine Gruppe – Wahrheit ...)".

Nr. 361
Berlin 29. 2. 1948. Hs., 2 Bl. Unveröff.

Karte aus Rhodesia: Oelzes Karte vom 24. 2. 1948 zeigt die Victoria-Wasserfälle in Rhodesien.
Sie zu zitieren: Oelze hatte u. a. geschrieben: „Die Essays der Ausdruckswelt allein enthalten mehr Gedankenmasse als alle zeitgenössischen Wälzer von Th. Mann bis zur Philosophischen Logik (1 100 S.) von Jaspers zusammen. Ihre Stunde wird kommen, Ihr Name wie ein fernes Gestirn aufgehen, wenn die Schlammfluten abgelaufen sind und das Land sich hebt, auf dem die Wenigen zu Hause sein werden."
Stadt an der Moldau: gemeint ist der kommunistische Staatsstreich am 23. 2. 1948 in Prag.
Land der grossen Seen: Finnland, damals noch in der russischen Machtsphäre, befand sich am Vorabend eines Freundschafts- und Beistandspaktes mit der UdSSR (10. 4. 1948).

Nr. 362
Berlin 13. 3. 1948. Hs., 1 Bl. Unveröff.

13. III. 48: Benn schreibt versehentlich „47".

umstehender Brief: Benn schreibt auf der Rückseite eines Briefes von Dr. Claassen (H. Goverts Verlag) v. 26. 2. 1948.
Hamburger Zeitung: am 2. 5. 1946 war in der Zeit ein Auszug aus Benns Essay *Kunst und Drittes Reich* (I, 299-322) erschienen.

Nr. 363
Berlin (21. 3. 1948). Hs., 1 Bl. Lohner S. 121 (Auszug).

Ihre Sendung: von Herrn Hürsch überbrachte Geschenke Oelzes.
Brief mit Anlagen: Oelze hatte in seinem Brief v. 13./14. 3. 1948 in besonderen Anlagen über den Besuch von Herrn Hürsch und seine Lektüre von H. Manns *Ein Zeitalter wird besichtigt* berichtet.
beiden Kontrahenten: USA u. UdSSR, nach dem letzten kommunistischen Staatsstreich in der Tschechoslowakei.
Abschrift: die Abschrift eines Briefes des Verlegers P. Schifferli v. 15. 3. 1948, in dem es um Benns Prosaschriften geht, ist in Oelzes Archiv vorhanden.

Nr. 364
Berlin 1. 4. 1948. Hs., 2 Bl. Unveröff.

„Bogen“: Oelze hatte seinem Brief einen Aufsatz von Werner Milch: *Die Entwicklung des Romans* aus der Zeitschrift Der Bogen (Wiesbaden, Schriftleitung P. E. H. Lüth) beigelegt und auf Anklänge an den *Roman des Phänotyp* hingewiesen.
„Telegraf“: britisch lizenzierte Berliner Zeitung. In ihr wie anderswo wurde Paul E. H. Lüth, ein 26jähriger Journalist und Schriftsteller, wegen seiner 1947 erschienenen zweibändigen Literaturgeschichte *Literatur als Geschichte. Deutsche Dichtung von 1885-1947* heftig angegriffen. Neben zahlreichen Fehlern und Nachlässigkeiten und der plagiatorischen Benutzung der Literaturgeschichte von Albert Soergel (*Dichtung und Dichter der Zeit*) wurde Lüth vor allem seine abwertende Behandlung Th. Manns im ersten Bd. angekreidet, die offensichtlich auch unter dem Einfluß seines Gönners und Förderers A. Döblin erfolgte, der im zweiten Bd. ausführlich gepriesen wurde. Die Auseinandersetzung gipfelte in der im März 1948 erschienenen Streitschrift von Paul Rilla: *Literatur und Lüth*, Berlin 1948. Vgl. M. Niedermayer, *Pariser Hof*, S. 22-26.
Döblin: nach Auskunft von Lüth, wie Oelze in dem angegebenen Brief mitteilte, habe D. über Benn kürzlich gesagt: der begabteste lebende Deutsche.
„Welt“: irrtümlich statt Die Zeit.

Mäzen: E. Hürsch hatte Oelze, nach seinem Besuch in Bremen, als geborenen Mäzen apostrophiert. Vgl. Brief Nr. 363.
Gebrüder Reinhardt: Oelze hatte im Brief vom Karfreitag 1948 deren Gemäldesammlung und das Bild *La Brioche* von Manet erwähnt.
neuer Jünger: vermutlich der Journalist und Schriftsteller Joachim Seyppel, wie sich aus der Altersangabe schließen läßt.
ein Brief: von dem Benn-Verehrer Robert Lehne aus Stade. Vgl. Brief Nr. 320.

Nr. 365
Berlin 14. 4. 1948. Hs., 2 Bl. Unveröff.

Altmeisters: Goethes *Faust II*, V. 5168/69. Vgl. N. P. Soerensen, *Mein Vater Gottfried Benn*, S. 30 f.
Verhältnissen in Berlin: nach dem Scheitern der Londoner Außenministerkonferenz (25. 11.-15. 12. 1947) und damit dem eigentlichen Beginn des „Kalten Krieges", kam es seit Januar 1948, im Vorfeld der totalen Blockade, zu beträchtlichen Transport- und Verkehrsbehinderungen auf dem Weg von und nach Berlin. Am 20. 3. 1948 zog die Sowjetunion ihren Vertreter aus dem Alliierten Kontrollrat zurück und legte damit das oberste Organ der Viermächteverwaltung in Deutschland lahm. In der ersten Aprilhälfte 1948 häuften sich die Verkehrs- und Transportbehinderungen, erstmals auch im Postverkehr. Die Spaltung Berlins und Deutschlands kündigte sich an.
Bogota: in B. (Kolumbien) fand im April 1948 die 9. Tagung der Panamerikanischen Union statt; sie wurde durch einen kommunistischen Aufstand unterbrochen.
„Gedanke u. Dichtung": Wiesbaden 1948.
Buch von Stefan Zweig: Balzac, Stockholm 1946.

Nr. 366
Berlin 20. 4. 1948. Hs., 1 Bl. Unveröff.

Herr Lüth: vgl. M. Niedermayer, *Pariser Hof*, S. 44.
Zettel: nicht erhalten.

Nr. 367
Berlin 2. 5. 1948. Hs., 1 Bl. Unveröff.

Umstehender Brief: in diesem Brief v. 16. 4. 1948 berichtete P. Schifferli, daß er bei der amerikanischen Zensurbehörde in München die Druckgenehmigung für eine Lizenzausgabe der *Statischen Gedichte* erreicht habe. Vgl. Benns Brief an Schifferli v. 29. 4. 1948

(Arche-Briefband, Zürich 1960, S. 12 f.). Benn schreibt auf der Rückseite einer Abschrift des Schifferli-Briefes.
diesen Verlag: gemeint ist die Nymphenburger Verlagshandlung (München), die mit Zustimmung der amerikanischen Militärbehörden in München für eine Lizenzausgabe der im Schweizer Arche-Verlag erscheinenden *Statischen Gedichte* vorgesehen war.
die Manuscripte: die unveröffentlichten Prosaarbeiten und Aufsätze.

Nr. 368
Berlin 7. 5. 1948. Hs., 1 Bl. Unveröff.

zwei Briefe: von Lüth v. 27. 4. 1948 und Dr. Claassen v. 27. 4. 1948, in dem er sich immer noch um die deutschen Rechte an Benns Gesamtwerk bemüht und bedauert, daß Benn auch die innerdeutschen Rechte an den *Statischen Gedichten* an Schifferli vergeben hat.
seinem Vorschlag: Lüth hatte geschrieben: „Das Benn-Kap. (sc. seiner Literaturgeschichte) möchte ich übrigens vorher von Herrn Dr. Oelze prüfen lassen."

Nr. 369
Berlin 13. 5. 1948. Hs. 3 Bl. Unveröff.

„Merkur"beilage: es handelt sich vermutlich um den kleinen Artikel von Albrecht Fabri: *Physiognomik einer Bibliothek*, Merkur, 2. Jg. (1948), H. 1, S. 153-159. Auf S. 158 wird Benn erwähnt.
neuer Brief: Lüths Briefe v. 28. 4. und v. 5. 5. 1948.
Sich irren ...: vgl. *Drei alte Männer* (II, 411).
Herrn Rilla: P. Rillas Streitschrift *Literatur und Lüth*, Berlin 1948.
Döblin: D. wies anläßlich des Gedenkens an Ricarda Huch rühmend darauf hin, daß sie 1932 gegen die Aufnahme Gottfried Benns in die Preußische Akademie der Künste gestimmt hatte. Das Goldene Tor, Jg. 3, H. 2 (1948), S. 100.
Herrn v. Brentano: Bernard v. B., deutscher Journalist und Schriftsteller, von 1933-1949 in Küsnacht bei Zürich lebend, Bekannter Benns in den zwanziger Jahren. Seine „Bemerkung" nach dem Brief von Lüth: „Über eine Diskussion Ihrer Arbeit in Zürich lächelte er übrigens skeptisch. Es wäre ja auch ein Wetterleuchten in einer L. Richter-Welt". Vgl. Brief Nr. 372 sowie M. Niedermayer, *Pariser Hof*, S. 27-32.
„N. d. N.": Benns Essayband *Nach dem Nihilismus*, 1932.
Ina Seidel: ihr Brief ist nicht mehr vorhanden. Vgl. Benns Brief an I. S. v. 4. 5. 1948 (*Ausgew. Briefe*, S. 123 f.) Zum „Eselstritt"

von 1936 vgl. Benns Brief v. 21. 5. 1936 an Tilly Wedekind: „In der ‚Sache' nichts nennenswertes Neues. Von privater Seite einige Briefe, die mich überraschen, soweit einen noch etwas überrascht. Z. B. von Ina Seidel, die ja im gleichen Verlag ist u. offenbar Angst um ihre Honorare hat, einen geradezu arroganten Brief voll Belehrung u Kritik u Ablehnung. Ich bin äußerst verärgert darüber, werde aber schweigen, gar nicht antworten." (*Den Traum alleine tragen*, S. 98)

Nr. 370
Berlin 19. 5. 1948. Hs., 3 Bl. Lohner S. 94 (Auszug).

Rückeinlagen: Briefe von Lüth und Dr. Claassen.
Bosquet: Alain B., Schriftsteller und Lyriker, geb. 1919 in Odessa, 1940 belgischer und französischer Soldat, 1941/42 Emigration in die USA, Redaktionssekretär der Zeitschrift La Voix de France in New York, 1943 Eintritt in die amerikanische Armee und Erhalt der amerikanischen Staatsbürgerschaft, 1945 Übersetzer und Verbindungsoffizier beim alliierten Kontrollrat in Berlin, 1946-1951 für das amerikanische Kriegs- und Außenministerium tätig, zusammen mit A. Koval und E. Roditi Herausgabe der deutschsprachigen Zeitschrift Das Lot (1947-1952), die von Benn geschätzt wurde (I, 499) und in der er 1950 seine Nietzsche-Rede veröffentlichte. Vgl. Brief Nr. 507.
der Krieg: vermutlich die Kämpfe zwischen Juden und Arabern, nachdem am 16. 5. 1948 die Errichtung des souveränen Staates Israel erfolgt war, aufgrund eines UNO-Beschlusses von 1947.
Herr von Ascot: Figur aus Benns *Ptolemäer* (II, 228-233).
Herr v. U.: Fritz von Unruh nahm den Goethe-Preis der Stadt Frankfurt in Empfang und hielt am 18. 5. 1948 im Rahmen der 100-Jahr-Feier der Revolution von 1848 und des deutschen Schriftstellerkongresses (v. 19.-21. 5. 1948) eine Rede in der Paulskirche. Diese *Rede an die Deutschen* erschien mit einem Geleitwort von Eugen Kogon im Verlag der Frankfurter Hefte, Frankfurt a. M. 1948.

Nr. 371
Berlin 4. 6. 1948. Hs., 2 Bl. Unveröff.

Zeitungsausschnitt („Welt"): vermutlich der Artikel *Der neue deutsche Mensch* von Gerhard Sanden, Die Welt v. 15. 5. 1948, S. 2. Die Stelle, die Oelze angestrichen haben könnte und auf die sich Benn wahrscheinlich bezieht, lautet: „Ich fuhr tiefer in die Verborgenheit. Irgendwo in Deutschland traf ich einen Mann, einen

großen Lyriker Deutschlands, der es mir untersagte, ihn vor der Zeit zu nennen. Er will sein Werk nicht zerreden lassen. Das hat etwas verflucht Ironisches, wo ich in jeder dritten Zeitschrift scharfsinnige Untersuchungen darüber lesen muß, warum wohl gegenwärtig keine meisterlichen Dichtungen erschienen. Der Grund dafür ist, daß die Meister sie nicht herausgeben." Aus den Beständen des Inst. f. Zeitungsforschung der Stadt Dortmund.
Marvelli: Zauberer und Trickkünstler, der sich in den zwanziger Jahren einen Namen machte. Er war dem Ehepaar Benn in Berlin als Patient bekannt geworden. Vgl. Brief Nr. 418.
Seelig: Georg Heym: *Gesammelte Gedichte. Mit einer Darstellung seines Lebens und Sterbens*, hrsg. v. Carl Seelig, Zürich 1947. C. S., geb. 1894, war Schweizer Journalist und Schriftsteller, u. a. Herausgeber von Novalis, Büchner und Robert Walser. Im Nachlaß Benns befinden sich zwei Briefe C. Seeligs (v. 10. 5. u. 26. 5. 1948).
Botschafter Smith's Auftrag: Botschafter der USA; sein Auftrag stand wohl im Zusammenhang mit der bevorstehenden Währungsreform.
Frau Clay: die Frau des amerikanischen Militärgouverneurs.
„wenn die alten Adler ...": vgl. *Züchtung I* (I, 221).
anliegende Notiz: nach einem Hinweis Oelzes im Brief v. 9. 6. 1948 handelt es sich um einen Zeitungsausschnitt über Ernst Bertram, Köln.

Nr. 372
Berlin 15. 6. 1948. Hs., 3 Bl. Unveröff.

einige Postzüge: Benn schreibt versehentlich „eine".
Gruss von Willy Haas: Oelze hatte im Brief v. 9. 6. 1948 geschrieben: „Willy Haas: Feuilletonredakteur der ‚Welt', (früher Herausgeber der Literarischen Welt?) lässt Sie ‚in alter Verbundenheit' grüssen, – dies übermittelte mir ein holländischer Bekannter, Herr Italiaander, der in Hamburg lebt."
Italiaander: Prof. Rolf I., geb. 1913, Schriftsteller und Forschungsreisender, Gründer und Generalsekretär der Freien Akademie der Künste in Hamburg.
Beleidigungsprocess in Zürich: der Schweizer Journalist Manuel Gasser hatte v. Brentano im September 1945 in der Weltwoche angegriffen. Brentano erhob gegen seine Anschuldigungen Klage. Der Prozeß fand im März 1947 in Winterthur statt und endete mit der Verurteilung Gassers zu einer hohen Geldstrafe. Vgl. den Bericht Brentanos in seinem Buch *Du Land der Liebe*, Tübingen und Stuttgart 1952, S. 170-181 u. 188-206.

„Phädra“: 1947 in Darmstadt uraufgeführt, Wiesbaden 1948 erschienen. Ein Exemplar mit der Widmung „Für Gottfried Benn. Brentano. Wiesbaden Mai 48“ befindet sich in der Bibliothek Gottfried Benns.
Das Abendland geht ja ...: vgl. *Berliner Brief, Juli 1948* (IV, 281 f.).
Band über Eckermann: J. P. Eckermann. Sein Leben für Goethe. Nach seinen neuaufgefundenen Tagebüchern und Briefen dargestellt von H. H. Houben, Leipzig 1925. Die zitierte Stelle s. S. 520 f.

Nr. 373
Berlin 21. 6. 1948. Hs., 1 Bl. Unveröff.

M. 40 im Monat: am 18. 6. 1948 wurde mit Wirkung vom 20. 6. 1948 die Währungsreform für die Westzonen verkündet. Jeder Bürger erhielt 40.- DM, im August weitere 20.- DM ausgezahlt. Berlin blieb zunächst davon ausgenommen. Als am 23. 6. in der SBZ und für Groß-Berlin von den Sowjets eine eigene Währungsreform verkündet wurde, erhielt die neue Währung auch in den Westsektoren Berlins Geltung. Noch am 23./24. 6. begann die Blockade Berlins durch Sperrung aller Verkehrswege. Seit dem 26. 6. wurde Westberlin durch die Luft versorgt (Luftbrücke).
Steppenwährung: die Ostmark, die zunächst mit Klebemarken auf der alten Reichs- und Rentenmark erschien.
alten Alma mater: Kiel; Benn hatte einen Brief mit der Bitte um seinen Aufsatz *Goethe und die Naturwissenschaften* erhalten.
Goetheaufsatz: der Essay *Goethe und die Naturwissenschaften* (1932) erschien im Arche-Verlag Zürich 1949.

Nr. 374
Berlin 3. 7. 1948. Hs., 2 Bl. Unveröff.

Herrn Clay: General Lucius C., amerikanischer Militärgouverneur und „Vater der Luftbrücke“.
Charbinzukunft: vgl. Erläuterung zu Brief Nr. 313.
Skymaster: amerikanisches Transportflugzeug.
Einlage aus Kiel: vgl. Erläuterung zu Brief Nr. 373.

Nr. 375
Berlin 8. 7. 1948. Hs., 4 Bl. Unveröff.

Franz Neumann: der Parteivorsitzende der Berliner SPD.
Madame Schröder: Louise Schroeder, seit dem 5. 12. 1946 Stellvertretende Oberbürgermeisterin (SPD), war seit der Abberufung

des Oberbürgermeisters Dr. Ostrowski am 31. 5. 1947 „Amtierender Oberbürgermeister", da der neugewählte Oberbürgermeister Prof. Reuter (24. 6. 1947) von den Sowjets abgelehnt wurde (8. 7. 1947). Am 5. 7. 1948 hatte eine SPD-Delegation in London Vorschläge zur Lösung der Berliner Probleme überreicht.
mephitischen Dschungelluft: nach der Göttin Mephitis, schädliche und pestilenzartige Dünste erzeugend.
G.PU: russische Geheimpolizei.
eigenverfasste Lebensgeschichte: gemeint sind die von H. Houben benutzten Materialien.
„Die Geheimnisse": Goethes Epenfragment.
wie fliegende Fische wirkt: Benn schreibt versehentlich „wirken".
„Dann hat er uns ..": Die Geheimnisse, Verse 161 f.

Nr. 376
Berlin 22. 7. 1948. Hs., 4 Bl. Unveröff.

wieder einsteigen: gemeint ist: ins Geschäft. Oelze hatte einen sehr deprimierten und pessimistischen Brief geschrieben.
Briefwechsel mit „Merkur": daraus ging, als Antwort, Benns *Berliner Brief, Juli 1948* hervor, der 1949 im Merkur (III, 2, S. 203 bis 206) erschien. Benns Antwort v. 18. 7. 1948 ist in Oelzes Archiv vorhanden.
v. Kempski: Prof. Jürgen v. K., geb. 1910, Privatgelehrter, Mitarbeiter des Merkur, Arbeiten über philosophische und sozialwissenschaftliche Themen.
Moras: Joachim M., in dessen jungkonservativer Zeitschrift Benns Essay *Dorische Welt* 1934 erschienen war.
aushändigen: Benn schreibt versehentlich „auszuhändigen".
Buch über André Gide: vermutlich Helmut Uhlig, *André Gide oder Die Abenteuer des Geistes. Reflexionen über einen französischen Dichter,* Berlin 1948.
Russen sind raffinierter: sie ließen Lebensmittelkarten für alle Berliner drucken.

Nr. 377
Berlin 25. 7. 1948. Hs., 2 Bl. Unveröff.

70. M. Kopfquote: dieses Angebot galt auch für die Bewohner der Westsektoren, die außerdem eingeladen wurden, in den Geschäften des Ostsektors ihre Lebensmittel einzukaufen. Die neue Ostwährung war auch in den Westsektoren zugelassen, die Westwährung dagegen nicht im Ostsektor.

Nr. 378
Berlin 29. 7. 1948. Ms. (mit hs. Schlußsatz), 1 Bl. Lyrik und Prosa S. 169 f.

neulichen Bemerkungen: Oelze hatte von einer erneuten Lektüre des *Faust* und der zugehörigen Paralipomena berichtet. Der Brief beginnt ohne Anrede und ist von Oelze mit „Faust II" überschrieben worden.

Nr. 379
Berlin 8. 8. 1948. Hs., 1 Bl. Unveröff.

seinem Verleger: Max Niedermayer, der am 22. 7. 1948 an Benn geschrieben und sich um die Veröffentlichung der ungedruckten Arbeiten im Limes Verlag beworben hatte. Abgedruckt in M. N., *Pariser Hof*, S. 45 f.
Herrn Paeschke: Hans Paeschke. Hrsg. des Merkur. Es handelt sich um Benns Berliner Brief v. 18. 7. 1948.
in Moskau: vom 1.-2. 8. konferierten westalliierte Sonderbotschafter mit Stalin über die Berliner Blockade; die Verhandlungen setzten sich, auf verschiedenen Ebenen, ergebnislos fort.

Nr. 380
Berlin 15. 8. 1948. Hs., 2 Bl. Unveröff.

den Brief abdrucken: Benn schreibt versehentlich „abzudrucken".
Sein Aufsatz über Goethe: Um einen Goethe von innen bittend. Brief an einen Deutschen, Neue Rundschau Bd. I (1932), S. 551 bis 570.
Radio Stuttgart: durch die Vermittlung F. Marauns.
kleine neue Arbeit: Drei alte Männer. Gespräche (II, 379-412).
Manuel Gasser: Schweizer Journalist, geb. 1909, 1933-1957 Hrsg. der Weltwoche, seit 1947 Chefredakteur der Monatsschrift Du. Vgl. Erläuterungen zu Brief Nr. 372.
„Neue Zeitung": erschien unter der Chefredaktion Hans Habes erstmals am 17. 10. 1945; seit Ende 1945 gab es eine Berliner Ausgabe.

Nr. 381
Berlin 17. 8. 1948. Hs., 1 Bl. Lohner S. 50, 98 (Auszüge).

kleine Sache: Drei alte Männer, das erste Gespräch. Typoskript 12 Bl. (Durchschläge, Bl. 2 Original), auf Bl. 1 hs.: „Herrn Fr W Oelze", auf Bl. 12 signiert u. datiert: „Gottfried Benn. 18. VIII. 1948." In Oelzes Archiv vorhanden.

Der damalige Aufsatz: Goethe und die Naturwissenschaften.

Nr. 382
Berlin 22. 8. 1948. Ms. (von der Grußformel an hs.), 2 Bl. Lohner S. 98, 279 f. (Auszüge).

nunmehr geantwortet: Brief v. 18. 8. 1948, abgedruckt in: *Briefe an einen Verleger*, S. 2 f.
Baden-Baden: Bühler-Verlag.

Nr. 383
Berlin 8. 9. 1948. Hs., 1 Bl. Lohner S. 98 (Auszug).

Trudchen: Gertrud Zenses, vgl. Brief Nr. 320.
Keyserlings ... Art: Oelze hatte im Brief v. 27. 8. 1948 dessen letztes Buch *Das Buch vom Ursprung*, Baden-Baden 1947, erwähnt. Vgl. Brief Nr. 78 und IV, 264 ff.
Ritter Toggenburg: Anspielung auf die gleichnamige Ballade Friedrich Schillers, die die treue, aber bis zum Tode unerwiderte Liebe eines Ritters verherrlicht.
Seladon: schmachtender Liebhaber (nach Céladon im Schäferroman *Astrée* von d'Urfé).
neuen Novellenband: darunter versteht Benn im Brief v. 18. 8. 1948 an M. Niedermayer: *Weinhaus Wolf, Roman des Phänotyp, Der Ptolemäer.*
Tausend Dank: das Wort „Dank" fehlt in der Handschrift.

Nr. 384
Berlin 14. 9. 1948. Hs., 1 Bl. Unveröff.

die Novemberkrise: eine schwere psychische Krise im November 1947, von der Oelze berichtet hatte.
bewundernder Brief: v. 6. 9. 1948, abgedruckt in: *Lyrik und Prosa*, S. 184.

Nr. 385
Berlin 20. 9. 1948. Hs., 1 Bl. Unveröff.

die Wüste wächst: nach Nietzsches Dionysos-Dithyrambus. Vgl. Brief Nr. 297.
Lt: Lüth. Nicht ganz eindeutig zu entziffern.
„Norddeutschen Zeitung": Werner Milch: *Das Unaufhörliche. Der Lyriker Gottfried Benn*, Norddeutsche Zeitung v. 17. 8. 1948.
mein Bruder: Ernst-Viktor B.
Dibelius: Otto D. (1880-1967), 1926 Generalsuperintendent der

Kurmark, 1933 suspendiert, führendes Mitglied der Bekennenden Kirche, bis 1945 wiederholt in Haft, 1945-1960 Bischof von Berlin-Brandenburg, 1949-1961 Vorsitzender des Rates der Ev. Kirchen in Deutschland, 1954-1961 Präsident im Weltkirchenrat.

Nr. 386
Berlin 18. 10. 1948. Hs., 1 Bl. Unveröff.

Lüthsendung: es ging um die Frage der Reihenfolge der Stücke im „Novellenband" und die Essayauswahl für die *Ausdruckswelt.*
„Tat" vom 18. 9.: sie brachte einen Vorabdruck der Gedichte *Gedichte, Astern, Gärten und Nächte* und *Liebe,* mit einer kurzen Einführung von Max Rychner (Nr. 258, S. 11).
Hahnenklee: Oelze hielt sich Ende September/Anfang Oktober dort auf. Benn spielt auf seinen mißglückten Besuch in H. am ersten Weihnachtstag 1935 an. Vgl. Brief Nr. 57.

Nr. 387
Berlin 20. 10. 1948. Hs., 1 Bl. Unveröff.

anbei: die Ausgabe der *Statischen Gedichte* im Arche-Verlag mit der Widmung:
„Herrn Friedrich Wilhelm Oelze,
dem Einzigen in Deutschland,
dem ich diesen Band zu übersenden verpflichtet bin mit der
Widmung: in Dankbarkeit
und Freundschaft.
Gottfried Benn.
20 X 1948.
Berlin."

Nr. 388
Berlin 1. 11. 1948. Ms. (von „Herr Hürsch" an hs.) 1 Bl. Unveröff.

Herr Lüth hält von den Essays nichts: L. hatte in einem Brief an Oelze v. 24. 10. 1948 Bedenken gegen allzu „antifaschistische" Stellen in den Essays *Kunst und Drittes Reich* und *Zum Thema Geschichte* geäußert. Oelze, der diese Bedenken teilte, hatte Benn den Brief zugeschickt.

Nr. 389
Berlin 22. 11. 1948. Ms. (bis „empfindet!", Schluß hs.), 1 Bl. Lohner S. 94, 98 f. (Auszüge).

den Band mit diesen beiden Gesprächen zu beginnen: Drei alte Männer erschien schon Ende Dezember 1948 separat im Limes Verlag.
über den Gedichtband schrieben: Oelze hatte im Brief v. 1. 11. 1948 vor allem die Seiten 61, 62, 70 und die Gedichte *September* und *Nachzeichnung* hervorgehoben.
Radio: eine Lesung im Berliner Rundfunk.
Radio Frankfurt: eine Anfrage von Heinz Friedrich v. 28. 10. 1948.

Nr. 390
Berlin 24. 11. 1948. Hs., 1 Bl. Unveröff.

nach Lectüre: des 2. Teils der *Drei alten Männer*, den Benn diesem Brief beigelegt hat; Typoskript 16 Bl. (Originale), undatiert, auf dem letzten Blatt signiert: „G. B.". In Oelzes Archiv vorhanden.
„Neuen Woche": Alfred Andersch: *Gottfried Benn. Statische Gedichte*, Die Neue Woche v. 20. 11. 1948.

Nr. 391
Berlin 25. 11. 1948. Hs., 1 Bl. Unveröff.

Bozenerstrasse: das Gedicht wurde als Teil II in den Zyklus *Epilog 1949* aufgenommen (III, 343 f.).

Nr. 392
Berlin 15. 12. 1948. Hs., 1 Bl. Unveröff.

Charakterisierung von Niedermayer: Oelze hatte auf Wunsch Benns Erkundigungen über den Verleger M. N. eingezogen.
3 AM: Drei alte Männer.
Prospect mit A. R Meyers Notiz: M. schreibt im Hinblick auf die Verlagsankündigung des *Ptolemäer* u. a.: „Seit sechsunddreißig Jahren dem vielfachen Werk des Dichters Gottfried Benn verbunden, bedeutet diese Tatsache für mich die tiefste Bereicherung meines Lebens. Dem Dichter selbst und vielen Deutschen wird die Genugtuung, daß man in Benn, trotz aller Anfeindungen, einen großen Seher von internationaler Bedeutung erkannte und nunmehr, nach Vorliegen seiner neuen Prosa, wiederum erkennen wird. Seine Berliner Novelle des Jahres 1947 ‚Der Ptolemäer' ist von deutscher Seite aus der erste international zu wertende Beitrag, der in ganz selbständiger Form einen Zeit-Bezug über die Zeit erhebt und alle Gedanken hinsichtlich unserer verelendeten Existenz unheimlich belebt . . ."

Nr. 393
Berlin 3. 1. 1949. Hs., 1 Bl. Lohner S. 99 (Auszug).

Indonesien: in Indonesien scheiterte 1949 der im Dezember 1948 begonnene letzte militärische Versuch der Holländer, ihre Herrschaft gegen die indonesische Nationalbewegung unter Sukarno und Hatta zu restaurieren, am Widerstand des UN-Sicherheitsrates und unter dem Druck der USA, die ihre Marshallplanlieferungen an Holland einstellten. Am 27. Dezember 1949 wurde Indonesien nach den Vereinbarungen von Den Haag bis auf Niederländisch-Westneuguinea unabhängig.
Kompensationsgeschäft: vgl. die Briefe Nr. 363, Nr. 371, Nr. 379.

Nr. 394
Berlin 19. 1. 1949. Ms. (Grußformel und Nachsatz hs.), 1 Bl. Unveröff.

Demgegenüber bin ich: das „ich" fehlt bei Benn.
Kreuder: die Abschrift eines Briefes an Niedermayer v. 26. 12. 1948 ist in Oelzes Archiv vorhanden. K. äußert sich darin zu den *Drei alten Männern.*
eine Karte: abgedruckt in: *Briefe an einen Verleger*, S. 8 f.; dort auch Benns Antwort an Niedermayer, S. 9 f. – Über Halder brachte Limes dann 1950 heraus: Peter Bor [d. i. Paul E. H. Lüth], *Gespräche mit Halder* sowie 1972 von Heidemarie Gräfin Schall-Riaucour: Aufstand und Gehorsam. Offizierstum und Generalstab im Umbruch. Leben und Wirken von Generaloberst Franz Halder.
Merkur: im Merkur 3 (1949) erschienen vom *Phänotyp* die Kapitel *Der Stundengott*, *Ambivalenz*, *Statische Metaphysik*, *Die Verneinung* und *Zusammenfassung* (S. 116-125). Der *Berliner Brief* folgte, leicht gekürzt, unter „Marginalien" am Schluß des Heftes (S. 203-206).
Bense: Über expressionistische Prosa, Merkur 3 (1949), S. 197-199.
Maraun: Mythische Welt. Neue Lyrik von Gottfried Benn von Frank Maraun, Schwäbisches Tagblatt v. 12. 1. 1949.
Schaeder: Prof. Dr. Hans-Heinrich Sch. (1896-1957), seit 1945 Ordinarius für orientalische Philologie und Religionsgeschichte in Göttingen; publizierte neben orientalistischen Werken auch Arbeiten über Goethe, Eliot u. a. (z. T. zusammen mit Grete Schaeder).

Nr. 395
Berlin 23. 1. 1949. Ms. (bis auf die Bemerkung vor dem Briefanfang und die Grußformel), 2 Bl. Unveröff.

23 I 49: Benn hat das Datum im Brief selbst vergessen u. dann auf dem Briefumschlag neben der Absenderangabe nachgetragen. Von dort ist es in den Brief übernommen worden. Der Poststempel ist im übrigen vom 23. 1. 194*8*. Aber Benns eigene Datumsangabe auf dem Briefumschlag und seine inhaltliche Bezugnahme auf Oelzes Brief vom 17. 1. (1949), der vorhanden ist, lassen keinen Zweifel daran, daß dieser Brief in das Jahr 1949 gehört.
„unbestimmbar sich verhalten": vgl. II, 251.
„wer glaubt ...": vgl. II, 13 u. 15.
Ihre beiden Citate: am 16. 1. 1949 hatte Oelze mit Bezug auf die *Drei alten Männer* (II, 388 f.) geschrieben: „*Strawinski* (Vorlesung an der Harvard University 1940): ‚The more art is controlled, limited, worked over, the more it is free ... The Dionysian elements which set the imagination of the artist in motion ... must be properly subjugated before they intoxicate us, and must finally be made to submit to the law: Apollo demands it.' (...) *Manet* (bei G. Jeanniot, 1907): ‚La concision en art est une nécessité et une élégance; l'homme concis fait réfléchir, l'homme verbeux ennuie; modifiez-vous toujours dans le sens de la concision. – Et puis cultivez votre mémoire, car la nature ne vous donnera jamais que des renseignements – c'est comme un garde-fou qui vous empêche de tomber dans la banalité ... Il faut tout le temps rester le maître et faire ce qui vous amuse. Pas de pensum! ah non, pas de pensum!'"
„ich rechne nur ...": vgl. I, 436; II, 198.
„ich ziehe es vor ...": vgl. I, 308.
„il faut ...": vgl. IV, 162.

Nr. 396
Berlin 3. 2. 1949. Ms. (bis „von fremder Hand", Schluß hs.), 1 Bl. Lohner S. 100 (Auszug).

Ärgern Sie sich nicht ...: Niedermayer hatte Kesten (der zu jener Zeit sein Autor war) ein Exemplar der *Drei alten Männer* nach New York geschickt und damit nach Oelzes Meinung eine „pöbelhafte Antwort provoziert" (Abschrift in Oelzes Archiv vorhanden).
Buch von Gisevius: Hans Bernd G., *Bis zum bitteren Ende*, Hamburg 1947. G. (1904-1974) war seit 1933 im Staatsdienst. Er wurde Mitglied des Widerstandskreises um Generalstabschef Beck, betei-

ligte sich an den Vorbereitungen zu den Putschversuchen der militärischen Führungsgruppe und mußte im Januar 1945 in die Schweiz flüchten.
Verlag C. u. G: Claassen & Goverts.
Ihre Bemerkung...: Oelze hatte am 30. 1. 1949 geschrieben: „selbst die strengen formalen Verhältnisse, auf denen das grosse musikalische Kunstwerk beruht (Bach), scheinen aus einem unreflektierten, nicht erlernbaren Vermögen hervorzugehen, aus einem Zwang – wie die Bienen Sechsecke bauen." Oelze knüpft damit an einen literarischen Topos an, der besonders in der deutschen Aphoristik anzutreffen ist (z. B. Lichtenberg D 621: „Ut apes Geometriam.").
Jahnn: Paul Lüth hatte Oelze Ernst Kreuder *(Die Unauffindbaren)* und H. H. Jahnn empfohlen; ersteren wollte Oelze lesen, letzteren nicht.
möchte ich auch erfahren: das „ich" fehlt u. ist (wohl von Oelze) ergänzt worden.
Furtwängler und Gieseking und dem Boxer ten Hoff: der Dirigent Wilhelm F. (1886-1954) unterschrieb 1948 einen Vertrag, nach dem er die Leitung des Chikagoer Symphonieorchesters übernehmen sollte. Aufgrund des massiven Protestes führender Musiker, die ihm vorwarfen, während des Faschismus in Deutschland geblieben zu sein, trat er jedoch von dem Vertrag zurück. – Aus dem gleichen Grund wurde gegen die beabsichtigte Rückkehr des Pianisten Walter G. (1895-1956) in die USA nach zehnjähriger Abwesenheit protestiert. – Hein t. H., geb. 1919, versuchte 1949 eine Boxlizenz für die USA zu erhalten, die ihm jedoch nach einer Pressekampagne, in der man ihm vorwarf, während des 2. Weltkrieges der deutschen Wehrmacht angehört zu haben, nicht erteilt wurde.
„Kälte des Gefühls": Oelze hatte am 16. 1. 1949 geschrieben: „Und das spöttisch kalte Mitleid des Geistes für jede menschliche Ungerechtigkeit, Torheit, Qual: nur wer in der dünnsten Luft zu atmen gelernt hat, kann sich im Kreise dieser alten Männer bewegen."
Einige Beilagen: davon sind zwei feststellbar; vgl. die folgende Erläuterung u. Brief Nr. 397.
von fremder Hand: Kulturnotizen aus Deutschland von G. B. in der Schweizer Zeitung Der Landbote und Tagblatt der Stadt Winterthur v. 30. 12. 1948. Text abgedruckt bei Steinhagen, S. 83.

Nr. 397
Berlin 17. 2. 1949. Ms. (bis auf die Grußformel), 1 Bl. Lohner S. 97 f., 129 (Auszüge).

17 II 49: Benn schreibt „17 II 48", aber inhaltliche Indizien (z. B. das Erscheinen des *Ptolemäers*) weisen darauf hin, daß dies ein Schreibversehen ist. (Der Briefumschlag ist nicht erhalten.)
wegen Hawaiabfall: Oelze hatte sich daran gestört, daß in der Erstausgabe des *Ptolemäers* auf S. 107 eine leere Stelle zu finden ist: „Die Bars füllten sich: Hawai-   und sibirisches Fleckblut" (vgl. II, 224); er meinte, Niedermayer habe offenbar „in letzter Minute Angst bekommen vor dem ‚Abfall'".
beende anbei: Typoskript, 6 Bl. (Originale). Bl. 1: *„Vier Privatgedichte* (für das Oelze-GB Archiv –, und damit enden die blauen Bogen, die mich, glaube ich, sieben Jahre begleitet haben.)" – signiert u. datiert: „G. B. 17 II 49." Bl. 2: „Wo du gewohnt, gewacht –" (*Epilog 1949;* III, 343 f.), Bl. 3: „Die Himmel wechseln ihre Sterne –" (*Epilog 1949*; III, 344), Bl. 4: „Erinnerungen –" (III, 445), Bl. 5: „Es ist ein Garten –" (*Epilog 1949;* III, 345), Bl. 6 leer. Vgl. Brief Nr. 418.
Aufsatz von Milch: Gottfried Benn. Zum Erscheinen der ‚Statischen Gedichte' von Werner Milch in der Tat v. 1. 1. 1949.
älteren langen Essays: Das Nichts und die Form in den Preußischen Jahrbüchern, Bd. 240, S. 257-271. Vgl. Brief Nr. 31.
Konvertikeln: Benn meint wahrscheinlich „Konventikel", schreibt aber eindeutig (ms.) „Konvertikeln", möglicherweise im Gedanken an ‚konvertieren' (im Sinne eines freien Austausches von Meinungen und Argumenten).

Nr. 398
Berlin 22. 2. 1949. Hs., 4 Bl. Lohner S. 95, 132, 173 (Auszüge).

fragwürdigen Vorschlag: Paul Lüth hatte Oelze um finanzielle Unterstützung für einen zu gründenden Verlag gebeten, als dessen erster Autor Halder vorgesehen war.
jetzt erschienene Band: die *Statischen Gedichte.*
ein neuer Band: noch 1949 erschien bei Limes die Gedichtsammlung *Trunkene Flut.*
Bense: vgl. Brief Nr. 394.
grosses Werk: Ernst Robert Curtius, *Europäische Literatur und lateinisches Mittelalter*, Bern 1948.
Nobelpreis: Oelze hatte geschrieben, daß Eliot den Nobelpreis erhalten solle, und gefragt, warum dieser nicht an einen deutschen Dichter, z. B. Gottfried Benn, verliehen werde.

Nr. 399
Berlin o. D. (nach Oelzes Antwortbrief: 28. 2. 1949). Hs. auf dem Rand einer Abschrift der Besprechung der *Statischen Gedichte* von Friedrich Sieburg: *Wer allein ist* –, Die Gegenwart 4 (1949), Nr. 4, S. 22. Unveröff.

Nr. 400
Berlin 2. 3. 1949. Ms. (bis auf die Grußformel), 2 Bl. Lohner S. 100 f. (Auszug).

„es ist besser ...“: Charlotte sagt in Goethes *Wahlverwandtschaften*, I. Teil, 1. Kap.: „Und doch ist es in manchen Fällen [...] notwendig und freundlich, lieber nichts zu schreiben, als nicht zu schreiben.“
Kritik Ihres Doktorfreundes: ein Bekannter Oelzes, praktischer Arzt, hatte diesem gegenüber seine Bewunderung für die *Drei alten Männer* geäußert, aber „die eiskalten Güsse, – diese Zoten“ darin moniert.
Pflaumenmus: vgl. II, 380.
Döhmel: Friedrich D., *Zum indischen Schiff*, Roman, Wiesbaden 1949. Der Roman erschien zuerst 1939 unter dem Pseudonym Conrad Lee in Leipzig, da der Verfasser Schreibverbot hatte. Der Roman *Der Gott der Finsternis* wurde von Limes abgelehnt.
Was fehlt denn ...: Oelze hatte das Fehlen des Absatzes hinter „Tiger“ moniert (II, 135).
Buch von M. ..., das: Benn schreibt versehentlich „der“. Das neue Buch von W. Milch *Ströme – Formeln – Manifeste* erschien in Marburg 1949.

Nr. 401
Berlin 3. 3. 1949. Hs., auf dem Rand eines Zeitungsausschnitts aus dem Kurier (Berlin) v. 2. 3. 1949: Abdruck einer Passage aus dem *Weinhaus Wolf* (II, 129-144 mit Auslassungen) unter der Überschrift *In der Weinstube. Von Gottfried Benn*, mit einer redaktionellen Vorbemerkung. Unveröff.

Nr. 402
Berlin 18. 3. 1949. Hs., auf dem Rand eines Zeitungsblattes aus dem Kurier (Berlin) v. 17. 3. 1949, das unter dem Titel *Der Fahnennagel. Von Gottfried Benn* ein kurzes Zitat aus dem *Weinhaus Wolf* (II, 137) enthält. Unveröff.

Nr. 403
Berlin 23. 3. 1949. Hs., 4 Bl. Lohner S. 101, 284 (Auszüge).

Währungsreform: im März 1949 wurde für Westberlin das System der Doppelwährung, nach dem in den Westsektoren DM-West und Ostmark als gleichberechtigte Zahlungsmittel behandelt wurden, abgeschafft und die Westmark als alleiniges Zahlungsmittel eingeführt. Die Neue Zeitung v. 25. 3. 1949 weist darauf hin, daß die Berliner Bevölkerung allgemein die neue Regelung begrüße, andererseits aber wegen der nicht geringen Übergangsschwierigkeiten die Stimmung noch gedämpft sei.
Zeitungssendungen: vgl. die beiden vorangehenden Briefe.
Essayband: Ausdruckswelt, Wiesbaden 1949.
Döblin hat geschrieben...: das Zitat steht in einem Brief D.s an Paul Lüth.
Ihre Gedichtauswahl: Oelze hatte Benn eine Auswahl von 25 Gedichten für einen Sammelband älterer Lyrik gesandt. Vgl. Brief Nr. 398.
Kritik Helwig: Gottfried Benns Wiederkehr (Rezension der *Statischen Gedichte*) von Werner Helwig in der Mainzer Allgemeinen Zeitung v. 12./13. 3. 1949. Benn notierte auf dem Zeitungsausschnitt: „Ziemlich dämlich! G. B."

Nr. 404
Berlin 25. 3. 1949. Hs., 2 Bl. Lohner S. 103 (Auszug).

„Orphische Zellen" (120): Seitenangabe, die sich, wie auch die nächste, auf die *Gesammelten Gedichte* von 1927 bezieht.
„überblickt man die Jahre –": befand sich in der Auswahl der *Statischen Gedichte,* die Benn als Typoskript am 3. 1. 1945 an Oelze geschickt hatte (vgl. Brief Nr. 284). Veröffentlicht erst in *Primäre Tage,* Wiesbaden 1958.
22 Gedichten 1943: Zweiundzwanzig Gedichte 1936-1943, Privatdruck (August 1943). Vgl. Brief Nr. 259.
fraglich, ob er ihn bringt: aus *Kunst und Drittes Reich* erschien im Merkur 3 (1949), S. 475-482, Teil II *(Die Kunst in Europa)* unter dem Titel *Kunst und Prosperity.* Vgl. Brief Nr. 411.

Nr. 405
Berlin 27. 3. 1949. Hs., 2 Bl. Lohner S. 96 (Auszug).

tom Moehlen: Adolf Stier t. M., Senatssyndikus a. D., Rechtsanwalt, Schriftführer der Rudolf-Borchardt-Gesellschaft e. V., Bremen.

nahm das Gedicht auf: Acheron ist erst in die Limes-Ausgabe der *Statischen Gedichte* aufgenommen worden.
Im „Telegraf" ...: Schatten der Vergangenheit (16. 3. 1949) von W. G. Oschilewski. Siehe dazu: *Briefe an einen Verleger*, S. 15, 291 f., 334.

Nr. 406
Berlin 30. 3. 1949. Hs., 2 Bl. Lohner S. 123 f. (Auszug).

neuliche Bemerkung: Oelze hatte am 7. 3. 1949 geschrieben: „Bei Ihnen: völlige Zerstrahlung des Gegenständlichen (Sie lösen Betonklötze in immaterielle Gebilde auf), völliger Zerfall des Sinnlichen, seine Durchstrahlung bis zur Blosslegung der unsichtbaren Struktur, bis das Gegenständliche zuallerletzt in Bilder übergeht, Bilder ‚an sich', ohne menschliche Attribute, abstrakte Bilder aus Traum und Rückblicken, aber dennoch von schärfstem Umriss, aus sich selbst Licht erzeugend (*kaltes* Licht), die magische (zweite) Wirklichkeit (frappantestes Beispiel: ‚Summarisches Überblikken') –".
„Die Schönheit ...": vermutlich handelt es sich um den Band *Frauenschönheit im Wandel von Kunst und Geschmack*, hrsg. v. E. Heyck, Bielefeld/Leipzig: Velhagen & Klasing 1902 (Illustrierte Monographien, Bd. 8).
Hamburger Zeitung: Literatur zwischen Traum und Wirklichkeit von Adolf Frisé in der Hamburger Allgemeinen v. 18. 3. 1949.

Nr. 407
Berlin 2. 4. 1949. Ms. (bis auf die Grußformel), 3 Bl. Lohner S. 96 f., 103 f. (Auszüge).

Felsenquitten: Oelze hatte geschrieben, daß die kanadischen Felsenquitten, eine Oberneuländer Spezialität, bald blühen würden.
dem Bild nach: eine Fotografie liegt Oelzes Brief v. 29. 3. 1949 bei.
aus Reichtum ...: vgl. *Kunst und Drittes Reich*, I, 305, 312.
Gedicht von Rilke: Spätherbst in Venedig.
Überblickt man die Jahre –: vgl. Brief Nr. 404.
Gedicht, das ich auch: Benn schreibt versehentlich „dass".

Nr. 408
Berlin 4. 4. 1949. Hs., 3 Bl. Lohner S. 104 f. (fast vollständig).

13) Der Sänger: durch einen Einweisungsstrich hat Benn nachträglich angedeutet, daß dieses Gedicht, das er als Titelgedicht der ganzen Sammlung in Erwägung zog, möglicherweise an den An-

fang der vorliegenden Titelaufstellung – zwischen 2) und 3) – zu rücken sei.
Ikarus I: daneben notiert Oelze: „Am Brückenwehr?"
Titel entweder: von Oelze ist der Titel *Das späte Ich* angekreuzt.
Ihnen zugänglichen Bänden: Gesammelte Gedichte, Berlin: Verlag „Die Schmiede" 1927; *Ausgewählte Gedichte. 1911-1936*, Stuttgart: DVA (Mai) 1936.
„die Himmel wechseln ihre Sterne": vgl. Brief Nr. 397.
7) wäre zu überlegen: daneben schreibt Oelze: „nein".
Büste von mir: vgl. Brief Nr. 70 und Erläuterung sowie Brief Nr. 355.

Nr. 409
Berlin 7. 4. 1949. Hs., 2 Bl. Lohner S. 105 f. (fast vollständig).

Nr. 410
Berlin 9. 4. 1949. Ms. und (von der Anrede an) hs., 1 Bl. Unveröff.

Totenrede des Pericles: vgl. Thukydides, *Die Geschichte des Peloponnesischen Krieges*, II, 35-46.
Grabrede: am 30. Dez. 1767 wurde Friedrichs Gedenkrede *Eloge sur le Prince Henri de Prusse* auf seinen Neffen – nicht Bruder – Prinz Heinrich, den zweiten Sohn des Prinzen August Wilhelm von Preußen, in der Berliner Akademie der Wissenschaften verlesen.

Nr. 411
Berlin 18. 4. 1949 (Poststempel). Hs., 2 Bl. Lohner S. 106, 153 (Auszüge).

Herrn Döhmel: Benn schreibt fälschlich „Döhle".
Notiz über Gide: Oelze hatte Benn einen Ausschnitt aus der New York Times mit kurzer Rezension von *The Journals of André Gide*, Vol. III, New York 1949, gesandt.
Bemerkung über Goebbels: Oelze hatte in seinem Brief v. 11. 4. 1949 geschrieben: „Interessant Ihre Eindrücke von der Unterhaltung mit dem französischen Kulturdezernenten (: als die fruchtbarste und folgenreichste politische Erscheinung des 20. Jahrhdts. hat sich bislang Dr. Joseph Goebbels erwiesen; sein Einfluss und seine Lehre haben nicht nur Europa, nein auch die Vereinigten Staaten besiegt, – wer die Weltstunde erkennt, wird ihr Opfer)."
„Beylisme": der Begriff ist abgeleitet von Stendhals bürgerlichem Namen Beyle.

Nr. 412
Berlin 8. 5. 1949. Hs., der Abschnitt am Anfang des Briefes („lichung bei Strafe ... zu machen, dass") ms., 3 Bl. Lohner S. 153 f. (Auszug).

Der Ernst Ihrer Ausführungen: Oelze hatte Benn bewegen wollen, *Kunst und Drittes Reich* aus dem geplanten Essayband *Ausdruckswelt* wegzulassen und später zu publizieren, weil er befürchtete, man könne sich auf Benns abwertende Urteile über die Deutschen berufen; auch meinte er, der Essay könne politische Angriffe gegen Benn provozieren.
mit oder ohne diesen Aufsatz: „ohne" fehlt im Original.
Graugeborenen: die Graien oder Phorkyaden der griechischen Mythologie, drei Weiber, die das Alter und die Häßlichkeit personifizieren. Sie sind grauhaarig geboren und haben zusammen nur ein Auge und einen Zahn, die sie abwechselnd benutzen.
Oscar Wilde: vgl. Erläuterung zu Brief Nr. 229.
eingefügt: in das Vorwort zur *Ausdruckswelt* (1949, S. 6 f.); IV, 402 f.

Nr. 413
Berlin 22. 5. 1949. Hs., 3 Bl. Unveröff.

Äusserungen von Herrn N.: sie betreffen den Verkauf von Benns *Statischen Gedichten* und die Aussichten für den Gedichtband.
bei Rias gesprochenen Gedichte: es handelt sich um eine am 8. 5. 1949 um 21[30] Uhr vom Südwestfunk ausgestrahlte Sendung – aufgenommen vom Rias Berlin am 25. 8. 1948 –: *Gottfried Benn liest eigene Gedichte.* Vgl. Briefe Nr. 380 und Nr. 383.
Mainzer Zeitung: Der Ptolemäer von Karl Korn in der Mainzer Allgemeinen Zeitung v. 18. 5. 1949.
Neuen Zeitung: Künstler und Mensch in dieser Zeit von Oskar Jancke in der Neuen Zeitung v. 21. 5. 1949.
Radio Frankfurt: vgl. Briefe Nr. 389, Nr. 420, Nr. 425.
In Sachen Curtius: Benn spielt auf den Streit zwischen Ernst Robert C. und Karl Jaspers an. Der Ausgangspunkt dieser Auseinandersetzung war Jaspers' Vortrag *Unsere Zukunft und Goethe*, den er anläßlich der Verleihung des Frankfurter Goethe-Preises am 28. 8. 1947 gehalten hatte und der zuerst in der Zeitschrift Die Wandlung (2, 1947, S. 559-578), dann gekürzt in der Welt am Sonntag v. 30. 3. 1949 erschienen war. Curtius replizierte auf diesen Vortrag, in dem er eine „subalterne und arrogante Zurechtweisung Goethes" sah, mit einem in äußerst scharfem Ton gehaltenen Artikel, der zuerst in der Schweizer Tat, dann am 28. 4. 1949

in der Zeit erschien. C. löste damit eine lebhafte öffentliche Kontroverse aus.
auch ich ihm: das „ich" fehlt bei Benn.
„Zeit": vermutlich *Gestaltung statt Mitteilung. Zur literarischen Situation der Gegenwart* von Ernst Kreuder in der Zeit v. 31. 3. 1949.
Blockadeaufhebung: am 12. 5. 1949.
Eisenbahnerstreik: nach der Währungsreform vom 20. 3. 1949 traten die in Westberlin beschäftigten und dort ansässigen Arbeiter und Angestellten der Reichsbahn, die sowjetischer Hoheit unterstand, in den Ausstand, um ihre Entlohnung in Westmark durchzusetzen. Der Streik wurde nach über fünf Wochen von der Alliierten Kommandantur zwangsweise abgebrochen und führte in der Lohnfrage zu einem Kompromiß.

Nr. 414
Berlin 29. 5. 1949. Hs., 1 Bl. Lohner S. 107 (Auszug).

Jaspersbeilage: ein Zeitungsausschnitt aus der Welt am Sonntag v. 22. 5. 1949 mit einem Artikel von Curtius *(Darf man Jaspers angreifen?)* und einer früheren Stellungnahme zu Curtius von Jaspers (unter der Überschrift *Karl Jaspers schreibt:*), die in der Rhein-Neckar-Zeitung, Heidelberg, v. 17. 5. 1949 bereits publiziert war.
Herrn Werner: Fritz W., geb. 1907, Buchhändler, Besitzer des größten privaten Benn-Archivs.
„haben Sie das Zitat...": in einer Fußnote auf S. 336 seiner *Ideen zur Natur- und Leidensgeschichte der Völker*, Hamburg 1949, schreibt Thiess: „Ich erinnere mich einer erschütternden Vision Gottfried Benns, in der er die Menschen der Zukunft in zwei Gruppen teilt: Verbrecher und Mönche. Ich fürchte, er hat sie noch zu freundlich gesehen, denn in einer normierten Welt würde man auch die Mönche zwingen, für die Verbrecher zu arbeiten." Außer in *Lotosland* (II, 223) die Wendung von den „Verbrechern und Mönchen" auch im *Berliner Brief, Juli 1948* (IV, 284).
Anbei 1 Kritik: Sein ist alles von Oskar Jancke im Tagesspiegel v. 29. 5. 1949.
seltsame Kritik: in der Frankfurter Rundschau v. 14. 4. 1949 erschien von E. Langgässer ein Aufsatz *Glanz und Auftrag der großen Form. Zu Wilhelm Lehmanns ‚Bukolischem Tagebuch' und Gottfried Benns ‚Statischen Gedichten'*. Im Anschluß an diese positive Besprechung Benns steht eine – wohl redaktionelle, als solche aber nicht ausgewiesene – Notiz: „Es geht wohl nicht an,

einen neuen Gedichtband von Gottfried Benn hier anzuzeigen wie irgendeine andere Neuerscheinung. Das Schweigen, das um den Dichter seit gut 15 Jahren gewesen ist, hat der Limes Verlag, Wiesbaden, gleichzeitig mit zwei Prosabänden gebrochen; aber schweigend kann man nicht darüber hinweggehen, daß Benn zu Beginn des Dritten Reiches mindestens einen ‚politischen Irrtum' begangen hat. Zu dem ‚Fall Benn' wird sich Dr. Cajetan Freund in der nächsten Nummer der Frankfurter LITERATUR Rundschau äußern." – Der hier angekündigte Beitrag ist aus nicht mehr feststellbaren Gründen nicht erschienen.
Münchener Sache: Das Mädchen und der Langweilige von Kramberg im Echo der Woche, München, v. 6. 5. 1949.

Nr. 415
Berlin, wahrscheinlich 29./30. 5. 1949. Hs., auf dem Rand eines Zeitungsblattes (Neue Zeitung v. 29. 5. 1949), das den Aufsatz *Fazit der Perspektiven. Gottfried Benn – Erinnerung, Rechtfertigung, Wiedersehen* von W. H. Wolff enthält. Benn hat das Blatt vermutlich nicht als Beilage zum vorangehenden Brief, sondern separat geschickt. Unveröff.

Nr. 416
Berlin 5. 6. 1949. Hs., 3 Bl. Lohner S. 50 (Auszug).

Beilage: 2 Fotografien von Frau Benn, auf der einen die Erklärung am Schluß des Briefes.
Redslob: Edwin R. (1884-1973), Kunst- u. Literaturhistoriker, 1920-1933 Reichskunstwart; Mitbegründer der Freien Universität Berlin; 1948-1954 dort Professor.
Goetheaufsatz: Goethe und die Naturwissenschaften, Zürich 1949 (Kleine Bücher der Arche, Nr. 208).
interviewt: Benn schreibt (nicht nur an dieser Stelle, sondern regelmäßig) „interiewt", „Interiew" etc.
sein Buch: ist nicht erschienen.
Willy Haas: W. H. (1891-1973), gründete 1925 die von ihm geleitete Wochenschrift Die literarische Welt, emigrierte 1933, kehrte 1947 nach Deutschland zurück; wurde Kritiker und Feuilletonchef der Welt.

Nr. 417
Berlin 6. 6. 1949. Hs., 2 Bl. Lohner S. 107 (Auszug).

neueres kleines Buch: Platons Lehre von der Wahrheit. Mit einem Brief über den Humanismus, Bern 1947.

sein Buch: G. Eichs Gedichtband *Abgelegene Gehöfte*, Frankfurt a. M. 1948.
Ihre „heimatlichen Schatten“: anläßlich des Aufsatzes von W. H. Wolff (vgl. Brief Nr. 415) hatte Oelze geschrieben: „Nun beginnt also der grosse Ruhm, den ich seit 1945 so beharrlich voraussagte, – und ich trete in meinen heimatlichen Schatten zurück.“
aus den beiden Bänden: vgl. Brief Nr. 408.

Nr. 418
Berlin 14. 6. 1949 (Poststempel). Ms. (bis „nichts Gutes.“), Schluß hs., 2 Bl. Lohner S. 112 ff. (Auszüge).

14. VI. 1949: von Oelze hinzugefügt, da Benn den Brief nicht datiert hat.
die beifolgenden 5 Gedichte: Typoskript, 4 Bl. (Originale). Bl. 1 (Titelblatt): „Epilog 1949“, signiert mit „G. B.“; Bl. 2: „I. Die trunkenen Fluten fallen“, „II. Ein breiter Graben aus Schweigen“; Bl. 3: „III Ein Grab am Fjord“, „IV. Es ist ein Garten“; Bl. 4: „V. Die vielen Dinge“, signiert mit „G. B.“. Dem Typoskript angeheftet ist ein weiteres Blatt mit dem Gedicht *Rosen.* Vgl. Brief Nr. 397.
das Gedicht Rosen: vgl. Brief Nr. 309.
Margret Boveri: M. B. (1900-1975), Journalistin und Schriftstellerin in Berlin, vor allem bekannt durch ihr Buch *Der Verrat im 20. Jahrhundert*, 4 Bde., Hamburg 1956-1960. Vgl. Brief Nr. 681 (Erläuterung).
mutige Broschüre: Margret Boveri, *Der Diplomat vor Gericht*, Berlin/Hannover 1948.
Zauberer Marvelli: der Illusionist Fredo M., geb. 1903, war ein Bekannter Benns. Vgl. Brief Nr. 371.
Engländerin: Elisabeth Jungmann. Vgl. auch Erläuterung zum Brief Nr. 103.
Unterscheidung von Kulturträgern und Kunstträgern: vgl. Brief Nr. 346; weiterhin I, 586 f., IV, 50-52, IV, 162.
kurzes Vorwort: erschien im Neudruck als Nachwort (IV, 405 f.).

Nr. 419
Berlin 20. 6. 1949. Hs., 2 Bl. Lohner S. 51, 107, 146 f. (Auszüge).

die beiden Zeitungsbeilagen: Die Zeit v. 2. 6. 1949 mit Schlußwort von Curtius zum Curtius-Jaspers-Streit und einem Artikel *Senator MacCarthy klagt an.*
„Kurier“: Männer von Lotte Wege im Kurier v. 20. 6. 1949.
bei der Korrectur die beiden: Satz im Original nicht beendet.

Mit Curtius ...: vgl. *Ausgew. Briefe*, S. 158-160, sowie I, 494.
Ortegaaufsatz: Ernst Robert Curtius, *Ortega*, Merkur 3 (1949), S. 417-430.
Kammfirma: Eine Kammfirma; Erstveröffentlichung unter *Aphoristisches* in *Ausdruckswelt* (I, 397 f.).
„grossartige" Kritik: Nihilismus als Durchgangsstation von Karl Korn in der Allgemeinen Zeitung, Mainz, v. 18./19. 6. 1949.

Nr. 420
Berlin 27. 6. 1949. Hs., 1 Bl. Lohner S. 113 (Auszug).

Anbei 3 Sachen: darunter wahrscheinlich je ein Brief von P. Schifferli und E. R. Curtius.
Vortrag bezw. Dialog: es handelt sich um die am 5. 7. 1949 im „Abendstudio" des Hessischen Rundfunks ausgestrahlte Sendung: *Strömungen der modernen Kultur. Intellektualismus, Nihilismus oder mehr?*, in der das Werk Gottfried Benns in einem Dialog von Heinz Friedrich mit Proben aus den frühen Gedichten, den Essays und den *Statischen Gedichten* vorgestellt wurde. Eine Publikation in den Berliner Heften unterblieb. Vgl. Briefe Nr. 389, Nr. 413, Nr. 425.

Nr. 421
Berlin 2. 7. 1949. Hs., 1 Bl. Unveröff.

amerikanischen Kugelschreiber: Oelze hatte geschrieben: „Amerikanischer Kugelschreiber, schauderhafte Erfindung – verzeihen Sie dieses Tintenstiftgeschmier, einmal und nicht wieder!"
Anbei 2 neue: darunter vermutlich die Benn vom Limes Verlag zugeleitete Abschrift eines Briefes von Gert Westphal (Radio Bremen) v. 23. 6. 1949, in dem er Benns Verlag mitteilte, daß er die *Drei alten Männer* als Hörspiel bringen wolle. In Oelzes Archiv vorhanden. – Bei der zweiten Beilage handelt es sich wahrscheinlich um den Rheinischen Merkur v. 18. 6. 1949 mit dem Beitrag *Kommunikation oder Monologe?* von Helmuth de Haas.
Westphal: Gert W., geb. 1920, Schauspieler und Regisseur; Oberspielleiter bei Radio Bremen, ab 1953 beim Südwestfunk Baden-Baden, ab 1959 Mitglied des Ensembles des Zürcher Schauspielhauses.

Nr. 422
Berlin 7. 7. 1949. Hs., 2 Bl. Lohner S. 170 (Auszug).

betr. „Nasse Zäune" u. „1886": das Gedicht *Nasse Zäune* ist im Typoskript der *Statischen Gedichte* v. 3. 1. 1945 enthalten (vgl.

Brief Nr. 283). Vom Gedicht *1886* sind in Oelzes Archiv vorhanden: 1 Typoskript der gekürzten Fassung von 1949, 2 Bl. Originale, mit Kugelschreiber signiert u. datiert: „Gottfried Benn. (1944).“ und 1 Typoskript der längeren ersten Fassung, 2 Bl. Durchschläge, mit Oelzes hs. Vermerk: „Abschrift Juli 49 Oe“. In seinem Brief v. 13. 8. 1949 hatte Oelze geschrieben: „*zwei Gedichte* sollten unbedingt in den Herbstband aufgenommen werden: ‚Nasse Zäune‘ und ‚1886‘. Ich weiss, daß Sie Nasse Zäune damals – als nicht gelungen – für die Statischen ablehnten, aber heute wurde mir blitzartig deutlich, daß es ein wunderbares Gedicht ist, – die letzten 8 Zeilen ein Zauber (...). Über ‚*1886*‘ bestehen ja auch wohl bei Ihnen keine Zweifel oder Bedenken? man müsste es schon deswegen in der grossen Auswahl haben, um den Deutschen zu zeigen, daß wir *Eliot* nicht zu importieren brauchen, weil wir diesen Stil viel grossartiger im eignen Lande haben. (Und dann würden diese beiden Gedichte eine gewisse stilistische Balance gegen die in der Zahl überwiegenden frühen herstellen.)“
ein Angriff: vermutlich – nach Oelzes Brief v. 18. 7. 1949 – Ferdinand Lions Artikel *Gottfried Benn: „Der Ptolemäer“* in der Neuen Zürcher Zeitung v. 2. 7. 1949.
Seite der „Tat“: wahrscheinlich Max Rychners Artikel *Ausdruckswelt* in der Tat v. 2. 7. 1949.
die neue Position: Oelze waren Beteiligung und Mitarbeit an einem deutsch-amerikanischen Konsortium in der Textilmaschinenbranche angeboten worden, die ihm aber keine Zeit mehr für die „wesentlichen Dinge (G. B.)“ gelassen hätten. Er lehnte deshalb ab.
„Man muß dicht am Stier kämpfen“: vgl. I, 523.

Nr. 423
Berlin 10. 7. 1949. (Poststempel: 9. 7. 1949). Hs., 2 Bl. Lohner S. 157, 180 f. (Auszüge).

Dr. Hansen: Kurt Heinrich H., geb. 1913 in Kiel; Philologe, Übersetzer und Schriftsteller. Übersetzte u. a. 1950 Audens *Zeitalter der Angst.*
Phase II: vgl. IV, 164.
rehbraune Decke: Zitat aus dem *Ptolemäer* (II, 251).

Nr. 424
Berlin 15. 7. 1949. Hs., 2 Bl. Unveröff.

1. Rundfunkspruch: auf Einladung Westphals hatte Oelze am 9. 7. 1949 bei Radio Bremen an einer Diskussion zwischen Vietta und Hansen über Benn teilgenommen, die aufgezeichnet wurde

und im Herbst gesendet werden sollte; vgl. Brief Nr. 452. Rundfunkmanuskript in Oelzes Archiv vorhanden.
Artikel von Vietta: Kaffeehaus und Ewigkeit in der Welt v. 12. 7. 1949.
Engländerin: vgl. Brief Nr. 418.
„Neue Schweizer Rundschau": vermutlich handelt es sich um Max Rychners Aufsatz *Gottfried Benn. Züge seiner dichterischen Welt*, Neue Schweizer Rundschau NF 17, Juli 1949, S. 148-180; vgl. Brief Nr. 426.

Nr. 425
Berlin 17. 7. 1949 (Poststempel 19. 7. 1949). Ms. (bis auf die Grußformel), 2 Bl. Unveröff.

so spät abends angesetzt: vermutlich vertippt (statt „angewetzt").
Dichterin: Inge Westphal. Vgl. R. A. Schröder, *Eine neue Dichterin*, Merkur 3 (1949), S. 703-711.
Frankfurter Rundfunksendung: vgl. Briefe Nr. 389, Nr. 413, Nr. 420.

Nr. 426
Berlin 30. 7. 1949. Hs., 1 Bl. Lohner S. 53 (Auszug).

Aufsatz von Rychner: Gottfried Benn. Züge seiner dichterischen Welt, vgl. Brief Nr. 424.
katholischen Aufsatz: Goswin Peter Gath, *Zum neuen Werk Gottfried Benns*, Allgem. Kölnische Rundschau v. 24. 6. 1949.
Zu Lion: vgl. Brief Nr. 422.
„Zusammenfassung": II, 188-190.
Die „Insel": Frau Benn hatte Oelze den Novellenband *Gehirne*, Leipzig 1916 (Der jüngste Tag 35), überbracht, in dem die *Insel* abgedruckt ist. Zur englischen Übersetzung der *Insel* vgl. Brief Nr. 431.

Nr. 427
Berlin 7. 8. 1949. Hs., 3 Bl. Lohner S. 85, 108 (Auszüge).

die beiden Gedichte: 1886 und *Nasse Zäune.*
Punkt 3 Ihrer Bemerkungen: Oelze fühlte sich u. a. „berührt" durch Rychners vorsichtige Bedenken gegen polemische Formulierungen in *Kunst und Drittes Reich.*
jener Absatz aus der Kölner Zeitung: in der Besprechung von G. P. Gath (vgl. Erläuterung zu Brief Nr. 426) ist ein Absatz mit *Ein Meister des Wortes* überschrieben.

Dusegedichtes: Ach, das ferne Land – (III, 183 f.).
Sie tanzen, ...: vgl. II, 260.

Nr. 428
Berlin 13. 8. 1949. Hs., 2 Bl. Unveröff.

Vietta hat mir den Aufsatz: nach Oelzes Brief v. 10. 8. 1949 handelt es sich um das Typoskript eines für den NWDR bestimmten Essays „Die denkerische Position G. B.'s". Benn hat ihn ein paar Wochen später von Oelze erhalten (vgl. Briefe Nr. 442 und Nr. 443). Da der Essay in gedruckter Form nicht nachweisbar ist, wäre es möglich, daß er jenes „ausführliche Gutachten" ist, mit dem V. den Vorschlag, Benn den Lessing-Preis zu verleihen, begründet hat (vgl. *Briefe an einen Verleger*, S. 30).
Gremium in Bremen: vor 80 geladenen Gästen waren die *Drei alten Männer* von Schauspielern gelesen worden.
Sein Aufsatz: Gottfried Benn. Ein Abenteuer der geistigen Verzweiflung von E. Gürster-Steinhausen in der Neuen Rundschau, 58 (1947), S. 215-226. Vgl. Brief Nr. 332.

Nr. 429
Berlin 15. 8. 1949. Hs., 2 Bl. Lohner S. 77 (Auszug).

Briefstelle: nach Oelze hatte Vietta in seinem Essay über Benn (vgl. Erläuterung zu Brief Nr. 428) eine Stelle aus Benns Brief Nr. 2 über den „Perspektivismus" zitiert, den Oelze ihm zugänglich gemacht hatte.
gehobener Palmström: Oelze hatte am 10. 8. 1949 über Heidegger geschrieben: „Manchmal scheint er mir ein sehr großer Denker, manchmal ein überdimensionaler Palmström."
1886: in seinem Brief v. 13. 8. 1949 hatte Oelze Benn gebeten: „Würden Sie gestatten, daß das Gedicht ‚1886' in der von Radio Bremen geplanten Vorlesung Ihrer Gedichte im Herbst gebracht wird? In diesem Falle würde ich Herrn Westphal eine Abschrift – nur für diesen Zweck – überlassen." Vgl. Briefe Nr. 452 und Nr. 454.

Nr. 430
Berlin 28. 8. 1949. Hs., 2 Bl. Unveröff.

Dr Buchinger: unterhält ein Fasten-Sanatorium, das Benn Oelze wegen dessen asthenischer Konstitution nicht anraten konnte.
„auf Wasser sehn": vgl. II, 256; IV, 142.
„wir Juden ...": vgl. IV, 162.

Nr. 431

Berlin 27./30. 8. 1949. Hs. in einem Exemplar der *Schöpferischen Konfession*, Berlin 1920 (Tribüne der Kunst und Zeit 13) und in einem Heft der Zeitschrift transition (Nr. 2, Mai 1927), das eine Übersetzung der Novelle *Die Insel* enthält (S. 64-73). Beide Bände hat Benn zwischen dem vorangehenden und dem folgenden Brief separat geschickt. Unveröff.

Seite 49-51: Benns Text (ohne Überschrift), in der Gesamtausgabe (IV, 188 f.) unter dem Titel *Schöpferische Konfession.*
die Hälfte tot: gemeint sind die in diesem Band vertretenen Künstler (Schickele, Pechstein, Unruh, Großmann, Klee, Toller, Benn, Hoetger, Beckmann, Scharff, Becher, Schönberg, Kaiser, Felixmüller, Sternheim, Hölzel, Marc, Däubler). Hinter die Namen der Toten hat Benn im Inhaltsverzeichnis ein Kreuz gesetzt.
aus Cambridge: das „aus" fehlt bei Benn.

Nr. 432

Berlin 8. 9. 1949. Hs., 2 Bl. Lohner S. 158 (Auszug).

G.: Goethe. Die Bemerkung, G. sei ein „Grimasseur" gewesen, bezieht sich auf seine von Zeitgenossen bezeugte Neigung zum „Gesichterschneiden", auf die Thiess in seinem Vortrag verwiesen hatte. Vgl. Frank Thiess, *Goethe der Mensch,* Rede, gehalten u. a. am 31. 8. 1949 im Rahmen der Goethe-Vorträge des Magistrats Berlin. Gedruckt Köln/Berlin 1949, S. 12 ff.
Ein junger Mann: Georg Rudolf Lind (vgl. auch Erläuterung zum Brief Nr. 434).
Ziegler: Benn meint, wie der folgende Brief zeigt, den österreichischen Kulturphilosophen Rudolf Kassner (1873-1959), der im Merkur 3 (1949), S. 729-750, den Aufsatz *Die Größe und das Glück Goethes* publiziert hatte. – Leopold Z. (1881-1958), Geschichts- und Religionsphilosoph, bemühte sich um eine spekulative Metaphysik des „allgemeinen Menschen".
die andere Studie: Heinrich Meyer, *Der alte und der neue Goethe,* Merkur 3 (1949), S. 816-824.

Nr. 433

Berlin 14. 9. 1949 (Poststempel). Hs., 2 Bl. Unveröff. (Dem Brief liegt ein Rezept für Oelze bei.)

Berlin, 14. IX. 49: von Oelze eingesetzt, da Benn den Brief nicht datiert hat.
Studie über Iphigenie: Gustav Hillard, *Das Opfer der Iphigenie,* Merkur 3 (1949), S. 908-917.

Briefwechsel: Thomas Mann und Kierkegaard. Ein Briefwechsel über den ‚Dr. Faustus' und seine Kritiker zwischen Hans Paeschke und Christian E. Lewalter, Merkur 3 (1949), S. 925-936.
1. Satz von Absatz 4: es handelt sich um einen Satz aus dem Beitrag Ernst Jüngers, *Die sieben Türme*, Merkur 3 (1949), S. 844 bis 849 (Vorabdruck aus *Heliopolis*). Der Satz lautet: „Das Glück durchdrang mich wie den erhörten Freier, der in die Kammer der Geliebten tritt; die Ruhe und die Gewißheit des Besitzes erfüllten mich." (S. 847)
Prospekt: Wer ist Gottfried Benn?, 12seitiger Prospekt des Limes Verlags.
dolle: Entzifferung nicht ganz gesichert.
Andererseits bekomme ich ...: vgl. Brief an H. Paeschke v. 14. 9. 1949 (*Ausgew. Briefe*, S. 176).

Nr. 434
Berlin 21. 9. 1949. Hs., 2 Bl., Lohner S. 159 (Auszug).

Physikbuch: Paul v. Handel, *Gedanken zur Physik und Metaphysik. Erkenntnistheoretische Wandlungen im Weltbild der Naturwissenschaft*, Bergen II/Oberbayern 1947.
Interview für den jungen Mann: das Interview von Georg Rudolf Lind erschien am 14. 1. 1950 unter dem Titel *Interview mit Gottfried Benn* in der Tat, nicht in der Zeit, wie Benn in den Briefen Nr. 432 und Nr. 451 schreibt.
Linfert: Carl L., geb. 1900 in Köln; Journalist, Schriftsteller, Wissenschaftler; 1923-43 Korrespondent und Redakteur der Frankfurter Zeitung, 1946-49 Feuilletonredakteur des Berliner Kuriers, danach Leiter des Nachtprogramms beim NWDR bzw. WDR Köln.
das Jahr 1922: Hofmannsthals *Turm* erschien zuerst 1923-25 in der Zeitschrift Neue Deutsche Beiträge, München (der erste und zweite Aufzug im Febr. 1923, der dritte bis fünfte Aufzug im Jan. 1925). Auch Rilkes *Duineser Elegien* erschienen erst 1923.
Aufsatz: Max Bense, *Ptolemäer und Mauretanier oder die theologische Emigration der deutschen Literatur*, Köln/Berlin 1950. Die von Benn erwähnte Äußerung über Jünger bezieht sich auf dessen Tagebücher *Strahlungen* und lautet: „Dekorativ, reich an Arabesken und Figuren, Ornamenten, die die Blumen verraten, harmonisch und sinnlich, verrät diese Prosa, die, könnte man sie tasten, sich gelegentlich wie Plüsch anfühlen würde, den vollendeten Manieristen, der das neunzehnte Jahrhundert zu einer letzten Konzeption verarbeitet hat." (S. 28 f.)

Nr. 435
Berlin 22. 9. 1949. Ms. (bis „Herzlichen Dank", danach hs.), 1 Bl. Lohner S. 31, 108 f. (Auszüge).

GG.: Gesammelte Gedichte (vgl. Erläuterung zu Brief Nr. 408).
A. G.: Ausgewählte Gedichte (vgl. Erläuterung zu Brief Nr. 408).
Reise: das Gedicht *Reise* (III, 43).

Nr. 436
Berlin, vermutlich 23. 9. 1949. Hs. in einem Exemplar des Aufsatzes *Goethe und die Naturwissenschaften*, Zürich 1949. Unveröff.

Nr. 437
Berlin 24. 9. 1949. Hs., 2 Bl. Lohner. S 44, 109 (Auszüge).

Das mit den „Gesängen": Oelze hatte das Fehlen von *Gesänge I* und *II* in dem Band *Trunkene Flut* moniert.
Notiz aus Frankfurt: in der Anlage ein Brief von M. Niedermayer v. 20. 9. 1949, in dem er schreibt: „Bei der feierlichen Eröffnung der Frankfurter Buchmesse in der Paulskirche sprach u. a. auch Fritz Usinger, den Sie ja sicherlich dem Namen nach kennen. Er wies nur auf zwei Schriftsteller hin, die wirklich modern und die größten unserer Zeit seien: den unvermeidlichen Jünger und G. B. Sie werden davon vermutlich nicht sehr entzückt sein, aber für die Werbung zumindest ist so etwas immer wieder gut." (nach einem Durchschlag des Briefes für Oelze).
„Oratorium": in dem Band *Trunkene Flut* erschienen einige Stücke aus dem Oratorium *Das Unaufhörliche* (1931).

Nr. 438
Berlin 27. 9. 1949. Ms., 1 Bl. Unveröff.

Lösche: der Naturwissenschaftler Martin L., u. a. Verfasser von *Goethes geistige Welt*, Stuttgart 1948, hatte Oelze über Benns Goethe-Aufsatz geschrieben.
ihn zitiert: IV, 166.
„Welt"essay: Kaffeehaus und Ewigkeit (vgl. Brief Nr. 424).
Benseaufsatz: Max B., *Ptolemäer und Mauretanier.*
Miller nicht gelten lassen: vgl. IV, 164. Die Aufzählung der Namen fehlt in der Merkur-Fassung.

Nr. 439
Berlin 28. 9. 1949. Hs., 2 Bl. Lohner S. 109, 110 (Auszüge).

Weigands Buchtitel: Oelze hatte beanstandet, daß der Titel *Trunkene Flut* sich zu nahe an Wilhelm Weigands *Rauschhaftes Herz* anschließe.
„Das Geschäft und die Halluzinationen“: II, 256.

Nr. 440
Berlin 4. 10. 1949. Hs., 2 Bl. Unveröff.

Nr. 441
Berlin 9. 10. 1949. Hs., 4 Bl. Lohner S. 110 (Auszug).

Briefwechsel Goethe-Voigt: Oelze hatte Benn auf *Goethes Briefwechsel mit Christian Gottlob Voigt*, Bd. 1, Weimar 1949 (= Schriften der Goethe-Gesellschaft 53), hingewiesen.
Zeitung von heute: Tagesspiegel v. 9. 10. 1949; darin der Aufsatz von Gerhard F. Hering: *Gottfried Benn oder zwischen Nichts und Sein.*
das übliche Interview: Sendung vom 12. 10. 1949. Vgl. auch *Briefe an einen Verleger*, S. 33. Ein Artikel im Tagesspiegel v. 15. 10. 1949 läßt den Charakter dieser Sendung deutlicher hervortreten: „Wie in der vergangenen Woche waren auch in diesen Tagen die wichtigen Dichterstimmen der Zeit unüberhörbar, und auf fast allen Wellen sprach man mit ihnen oder über sie. Hier muß zunächst der NWDR erwähnt werden, der in einem Interview von nur fünfzehn Minuten Dauer ohne Umschweife und mit verblüffender Unmittelbarkeit das erreichte, wozu sein spitzfindiges Nachtprogramm kürzlich in einer ganzen Stunde nur schwer gekommen war: zu einem klaren und unmißverständlichen Bild des dichtenden Mediziners Gottfried Benn, der mit präziser Rede Antwort stand auf die von Thilo Koch gestellten Fragen zur Kritik seiner Bücher, zur Notwendigkeit neuer Stilfindung, zum Bekenntnis zu unserer ‚antisynthetischen‘ Zeit, die ‚man tragen muß‘, wenn man erkannt hat, daß es darauf ankommt, nicht sich auszurotten, sondern sich zu dulden. Die Art, in der Benn zum Schluß einen Abschnitt aus dem ‚Ptolemäer‘ vorlas, zeigte, wie er sich aufgefaßt wissen will: nüchtern, ‚statistisch asozial‘ seinen Kreis sakraler Kunstprinzipien abschreitend und ohne den Glauben an eine Versöhnung von Kunst und Politik.“ (*Der Kritiker am Radio* von Elisabeth Mahlke). Vgl. Brief Nr. 444 und Benns Brief an Thilo Koch v. 17. 10. 1949 (Thilo Koch, *Gottfried Benn. Ein biographischer Essay*, München 1970, S. 93).
Zum Thema N.: die Altersangabe ist nicht ganz exakt. Niedermayer war Jahrgang 1905.

2 Romane: bei Limes erschien 1948 nur *ein* Roman von Bernard v. Brentano (1901-1964): *Die Schwestern Usedom.* 1947 erschienen *Die ewigen Gefühle* und *Prozeß ohne Richter.*
„Apfelsinenartig": vgl. IV, 132 f. und Brief Nr. 308. Benn hatte den Ausdruck „Apfelsinenförmig" in einem Brief an Johannes Weyl v. 28. 3. 1946 erläutert (*Ausgew. Briefe*, S. 99). Gerhard F. Hering griff diese Erklärung in seinem Aufsatz *Gottfried Benn oder zwischen Nichts und Sein* dann auf; vgl. auch *Ausgew. Briefe*, S. 101.
Selbst West-Berlin ...: auf dem Rand des beigelegten Zeitungsausschnitts notiert.

Nr. 442
Berlin 10. 10. 1949. Hs., 2 Bl. Lohner S. 159 f. (Auszug).
Tabakhandel: vgl. Brief Nr. 444.
Prosaband: vgl. Brief Nr. 444.

Nr. 443
Berlin 10. 10. 1949. Hs., 2 Bl. Unveröff.
Aufsatz von Vietta: vgl. Erläuterung zu Brief Nr. 428.

Nr. 444
Berlin 15. 10. 1949. Ms. (von der Grußformel an hs.), 1 Bl. Lohner S. 160, 173 (Auszüge).

Tabakfirma: Oelze hatte bedauert, daß die Stelle mit dem „Tabakhandel" in *Phase II* gestrichen wurde; er fand „das Bild so plastisch".
Prosabände: Doppelleben. Zwei Selbstdarstellungen, Wiesbaden 1950; *Frühe Prosa und Reden*, Wiesbaden 1950.
Lebensweg fortzuführen: daraus entstand dann *Doppelleben*, in das *Phase II* als Kap. VII, Abschn. 1-6 integriert wurde (vgl. Brief Nr. 452).
Radiokritik: Der Kritiker am Radio von Elisabeth Mahlke. Vgl. Brief Nr. 441.
Schaederprojekt: der Limes Verlag teilte Benn am 5. 10. 1949 mit, daß Schaeder, da er mit dem Verlauf der Sendung im NWDR (vgl. Brief Nr. 434) nicht zufrieden war, eine Darstellung seiner eigenen Auffassungen zu Benn in einem Manuskript niederlegen und dieses als Werbeschrift zur Verfügung stellen wolle.

Nr. 445
Berlin 15. 10. 1949. Hs., 1 Bl. Lohner S. 110 (Auszug).

Bild im „Tagesspiegel“: Tagesspiegel v. 15. 10. 1949.
Florens Christian Rang: Freund von W. Benjamin, den Hering in seinem Artikel erwähnt (vgl. Brief Nr. 441).

Nr. 446
Berlin 19. 10. 1949. Ms., 1 Bl. Unveröff.
letzten Vorschlägen: sie betreffen die Anordnung der Gedichte im Band *Trunkene Flut.*
Einleitung: zu *Frühe Prosa und Reden*, die dann von Max Bense verfaßt wurde (*Versuche über Prosa und Poesie*).
„Tat“aufsatz: Begegnung mit Ernst Jünger von R. Adolph in der Tat v. 8. 10. 1949.
Lesen Sie bitte ...: es handelt sich um Heft 4 einer zwischen 1949 und 1950 erschienenen, von R. M. Gerhardt und Klaus Bremer herausgegebenen, als Typoskript im Rotaprintverfahren vervielfältigten und privat verteilten Schriftenreihe. Benn erhielt den Anfang des Heftes 4 mit einer Übersetzung aus H. Millers *Wendekreis des Krebses* von Fritz Werner zugesandt. Benn schrieb daraufhin an Werner am 4. 9. 1949: „Lieber Herr Werner, ich schulde Ihnen viele Briefe und Antworten. Nehmen Sie heute nur einen kurzen Gruß. In der Hauptsache, um Ihnen zu sagen, dass mich die Gedichte des Freiburger Kreises ungemein interessiert haben, ich empfinde in ihnen etwas ganz Modernes u. werde vielleicht Gelegenheit finden, dem demnächst öffentlich Ausdruck zu geben [damit meinte Benn wohl die Erwähnung der Freiburger als einer Gruppe, die den „neuen Stil“ vorantreibe, in dem Interview mit Lind. Siehe Brief Nr. 434]. Bitte bestellen Sie das den Unternehmern u. Dichtern!“ (Unveröff.) – Diese Schriftenreihe von Gerhardt und Bremer wurde nach sieben Typoskript- und zwei weiteren gedruckten Heften eingestellt.

Nr. 447
Berlin 26. 10. 1949. Ms. (Nachschrift hs.), 1 Bl. Lohner S. 114 (Auszug).
Analyse von Miller: Bemerkungen Oelzes zu Henry Millers *Wendekreis des Krebses;* Oelze hatte u. a. geschrieben, Miller sei kein Pornograph, sondern Dichter.
Buch von Bense: Max B., *Technische Existenz. Essays*, Stuttgart 1949.
Zwischenreich: zu diesem Begriff vgl. Briefe Nr. 47 und Nr. 165.
Finckensteins: vgl. Erläuterung zum Brief Nr. 201.

Nr. 448
Berlin 28. 10. 1949. Ms., 1 Bl. Unveröff.

Maler Oelze: Richard Oe., geb. 1900 in Magdeburg. 1921-1925 Studium am Bauhaus in Weimar. Seit 1926 in Dresden und Berlin. 1932-1936 in Paris in Verbindung zur Surrealistengruppe um Breton. 1937-1939 Schweiz und Italien. 1939 Rückkehr nach Deutschland. 1941-1945 Militärdienst und Gefangenschaft. 1946-62 in Worpswede. 1964 Osthaus-Preis der Stadt Hagen. Lebt in Posteholz bei Hameln.
Ihr Urteil wieder über v. W.: Oelze hatte über Victor v. Weizsäckers (1886-1957, Neurologe und bedeutender Vertreter der Psychosomatik) Buch *Begegnungen und Entscheidungen*, Stuttgart 1949, geschrieben, es sei ihm unerträglich in seiner Klugheit, Toleranz und seinem abgeklärten Allerweltsverstehen.
E. V.: Egon Vietta.
Heid.: Martin Heidegger.

Nr. 449
Berlin 2. 11. 1949. Ms. (von Grußformel an hs.), 1 Bl. Lohner S. 81, 160, 172 (Auszüge).

Abschrift von Block II, Z. 66: Oelze hatte Benn das Original am 24. 2. 1948 geschickt (nach Oelze-Brief v. 6. 11. 1949); vgl. Brief Nr. 360.
Menge neuer Kritiken: vgl. Brief Nr. 450.
„wir müssen wieder zu den Klassikern ...": vgl. II, 268.
es gilt alles nur ...: vgl. II, 241.
Eliot: E. las bei einer Veranstaltung der „Berliner Brücke" aus seinem Werk.
neue Studie: Der Radardenker (II, 258-274); vgl. Briefe Nr. 453 und Nr. 454.
Der neue Staat und die Intellektuellen: Oelze hatte Benn ein Antiquariatsangebot geschickt, in dem das Buch „zu Liebhaberpreisen" angeboten wurde.

Nr. 450
Berlin 9. 11. 1949. Hs., 1 Bl. Unveröff.

Manfred mit der Mundharmonika: Benn meint Manfred Hausmann, geb. 1898, Lyriker, Erzähler, Dramatiker; 1924/25 Redakteur der Weserzeitung, seit 1927 freier Schriftsteller in Bremen, von 1945 bis 1952 Redakteur des Weser-Kuriers, anschließend wieder freier Schriftsteller; bekannt wurde sein Buch *Abel mit der Mundharmonika*, Berlin 1932.

Gauguinzitat: „,Wo beginnt die Ausführung eines Werkes, wo endet sie? Im Augenblick, da die höchsten Gefühle im tiefsten Innern des Wesens zusammenschmelzen, im Augenblick, da sie zum Ausbruch kommen und der ganze Gedanke hervorbricht, wie die Lava aus dem Vulkan, gibt es da nicht ein Aufblühen des plötzlich geschaffenen Werkes, brutal, wenn man so will, aber gross und übermenschlich? Die kalten Berechnungen der Vernunft sind nicht an diesem Aufblühen beteiligt, aber wer weiss, wann im Grunde des Menschen das Werk begonnen wurde, unbewusst vielleicht?' Gauguin, Tahiti 1898." So auf einem Zettel in Oelzes Brief vom 6. 11. 1949.
Addicksgedichten: Oelze hatte Benn Gedichte seines Hausarztes Addicks zur Beurteilung geschickt.
einige Kritiken: Oelze hatte Benn um die neuesten, von Benn im Brief Nr. 449 erwähnten Aufsätze, vor allem die „allerchristlichsten", gebeten. Oelze sandte die Zeitungsartikel bereits am 16. 11. 1949 an Benn zurück und erwähnt in seinem Brief von diesem Tag nur den Aufsatz von Kramberg: *Gottfried Benn und das Konkrete* aus der Süddeutschen Zeitung v. 13. 9. 1949, sowie einen im Sonntagsboten erschienenen Artikel „mit dem Motto ‚Er sagt Anemone'".

Nr. 451
Berlin 14. 11. 1949. Hs., 2 Bl. Unveröff.

Rücksendung von A R Meyer: Alfred Richard M., die *maer von der musa expressionistica*, Düsseldorf 1948.
(Pardon): bezieht sich auf einen Tintenklecks im Brief.
firm: Entzifferung nicht ganz gesichert.
„Tagesspiegel": der Artikel *Ein Europäer in Paris* von René Gerhard v. 9. 11. 1949 berichtet von einem Besuch bei C. J. Burckhardt. Es heißt dort u. a.: „Wir kommen auf Gottfried Benn zu sprechen, auf seine Gedichte, auf die soeben einer der ersten Schweizer Kritiker aufmerksam macht, und freuen uns der Metamorphose dieses stählernen Gehirns, das einem in seiner Verlorenheit seiner von allen guten Geistern Verlassenheit einst bange machen mußte um die Zukunft der Intelligenz."
jenes Interview: vgl. Briefe Nr. 432 und Nr. 434.

Nr. 452
Berlin 19. 11. 1949. Ms. (bis „sondern Kater", danach hs.), 2 Bl. Lohner S. 77, 111, 160 f. (Auszüge).

Was Sie hinsichtlich Gide andeuten: Oelze hatte über Gide gesagt, bei ihm zeige sich ein „Bodensatz an Konventionalismus und Konformismus".

Was Herrn Italiaander angeht: I. wollte eine Anthologie deutscher Kriegs- und Nachkriegslyrik in Holland herausgeben, für die er um einige Gedichte Benns bat. Oelze schlug *Chopin* und *Traum* vor.

Sie fragten ...: vgl. Brief Nr. 429.

Übertragung: fand statt am 29. 11. 1949 (Radio Bremen); vgl. Brief Nr. 424.

den beifolgenden Karton: eine Briefkarte mit der Widmung:
„Frau Charlotte Oelze,
der das Rosengedicht
S. 99 gewidmet war.
Gottfried Benn.
November 1949,
Berlin."

Fortsetzung: Doppelleben, Kap. II: *Leier und Schwert* (IV, 91 bis 106).

Kurier: vermutlich der Artikel *Die Berliner sind Desperados* im Kurier v. 17. 11. 1949 oder *Der nichtverteilte Nobelpreis* im Kurier v. 14. 11. 1949.

Nr. 453
Berlin 19. 11. 1949. Hs., 1 Bl. Lohner S. 172 (Auszug).

Karte mit Elternhaus: Oelze schreibt auf der Rückseite einer Fotografie: „Umstehend mein Elternhaus, 1942 durch Luftmine zerstört, dort habe ich die wenigen glücklichen Stunden meines Lebens gehabt." (17. 11. 1949).

Allmers: Ausschnitt aus einer Bremer Zeitung (ohne Datum): Hermann A., *Die Eisenbahn fährt.* Von Oelze erläutert: „Mein Landsmann, † 1902 Dichter der ‚Feldeinsamkeit', von Brahms komponiert." Zu einem Satz in der Erzählung („Die anderen Reisenden taten geheimnisvoll und sagten, der, der die Weichen stelle, hieße Gott.") bemerkt Benn: „Sehr gut! ‚und sagten einen bestimmten Namen für den, der die Weichen stellt' (hätte ich geschrieben, das genügt.) Dank! Be".

Das beifolgende „Radar": Typoskript des *Radardenkers*, 13 Bl., Originale, signiert auf Bl. 1 („G B.") und auf Bl. 13 („G B"), auf Bl. 1 außerdem Oelzes Empfangsvermerk „rec. 3. XII. 1949 Oe".

„Diplomat": Burckhardt, s. Erläuterung zu Brief Nr. 451. Vgl. II, 264 u. 444 f.

Also auch hier Magie: Oelze hatte über Dr. Addicks geschrieben, er sei ein „Mann mit okkulten Fähigkeiten".

Nr. 454
Berlin 28. 11. 1949. Ms. (bis „dafür ansetzte."), 1 Bl. Lohner S. 161, 170, 172, 295 (Auszüge).

28 XI 49: Benn hat das (laut Poststempel) richtige Datum (28.) durch Überschreiben korrigiert (29.); Oelze hat dann das richtige Datum wieder darunter geschrieben.
Teil II: vgl. Erläuterung zu Brief Nr. 453.
„Du hättest singen sollen ...": vgl. Erläuterung zu Brief Nr. 117; sowie I, 312 u. 491.
Jener: Nietzsche.
alles vorweggenommen ...: vgl. I, 482.
Anbei das Gedicht 1886: vgl. Brief Nr. 452.
Radio Bremen: vgl. Erläuterung zu Brief Nr. 452.

Nr. 455
Berlin 29. 11. 1949. Hs., 2 Bl. Unveröff.

Das ist es ja: Oelze hatte sich in seinem Brief v. 27. 11. 1949, anknüpfend an M. Benses *Technische Existenz*, mit dem *Radardenker* befaßt und das moderne, logisch-begriffliche Denken als veraltet beschrieben – als „eine Art von Wortkarussell" und als etwas „Vernebelndes, das keineswegs zu Erkenntnissen führt (wie Pascal, Descartes, Kant zu Erkenntnissen führten)" – und dann gesagt: „Es gäbe also heute, als ernst zu nehmen, nur noch: das streng mathematische Denken in Formeln, und das ‚existentielle' Denken, den Radardenker. Das ist das Fazit, zu dem ich gelange. Und bemerkenswert ist, daß der Radardenker dem *Dichter* sehr nahe steht, ja, in seiner höchsten Form mit ihm identisch ist, das heisst, er gelangt wieder zu Erkenntnissen, wenn auch auf anderem Wege als die Obengenannten, und in einer anderen Ausdrucksform: nämlich nicht in der des logischen Satzes, sondern in der chiffrierten, der dichterisch-intuitiven." An diese Ausführungen schließt Benns Brief unmittelbar an. Vgl. zum ganzen Brief von Benn auch IV, 155 f.
Feldweg: Martin H., *Der Feldweg*, Privatdruck, Frankfurt a. M. 1949.
Ein Idylliker, ein Bua: vgl. IV, 156.
das Leiden am Sein: Benn schreibt versehentlich „dem Leiden".
Stockholm: Oelze hatte anläßlich der Beschreibung Stockholms im

Radardenker (vgl. II, 261) gefragt, ob Benn dort gewesen sei.
Burckhardt: Oelze hatte gefragt, woher das Zitat jenes Diplomaten „aus dem gesichertsten Land der Erde" stamme, das Benn im *Radardenker* anführt (II, 264). Vgl. Brief Nr. 453.
Druckfehlerkorrectur: gemeint sind Tippfehler im Typoskript des *Radardenkers.*
Es giebt nur ...: vgl. IV, 156. Dieses Zitat hatte Oelze in seinem Brief v. 27. 11. 1949 aufgegriffen.
der Butler schnarcht in Porterträumen: Zitat aus dem Gedicht *Gewisse Lebensabende* (III, 242).

Nr. 456
Berlin 4. 12. 1949. Ms. (bis „mir erzählten.", danach hs.), 1 Bl. Lohner S. 162, 295 (Auszüge).

was Sie eigentlich Herrn Maraun ...: Oelze antwortete, daß er nicht mit Maraun über die *Ausdruckswelt* korrespondiert habe.
„endogenen Bilder": vgl. I, 343; II, 407.
wie soll einer ... verfahren: Benn schreibt „was" statt „wie".
Ihren Monet: ein Schweizer Kunsthändler wollte Oelzes Monet kaufen; Oelze lehnte aber ab. (Das Bild stellt das in einer Wiege liegende Kind des Malers mit einer Wärterin dar.)
Widmung: vgl. Brief Nr. 458.

Nr. 457
Berlin 11. 12. 1949. Ms. (bis „dank Herrn Oelze!", danach hs.), 1 Bl. Lohner S. 162 (Auszug).

Sache M.: Maraun.
H. Abends: heißt wohl Herren-Abend; Oelze hatte Benn einen Bericht über eine Gesellschaft gegeben, zu der er eingeladen war.
Holzwegen: Martin Heidegger, *Holzwege*, Frankfurt a. M. 1950.
u. ich sollte doch: das Pronomen fehlt u. ist von Oelze eingefügt worden.
3 Aufsätze: im Brief v. 20. 11. 1949 hatte Oelze geschrieben: „Was meinen Sie zur letzten Nummer (21) des ‚Merkur'? ich fand 2 Aufsätze darin brillant: Thornton Wilder über Joyce und Lehmann über Jules Renard; auch der Weizsäcker-Artikel über Freud hat mich ausgesöhnt mit manchen Partien in ‚Begegnungen'. – Von Bense's ‚Technische Existenz' bin ich enttäuscht". Es handelt sich hierbei um die Aufsätze im Merkur 3 (1949): Thornton Wilder, *James Joyce*, S. 1086-1090; Wilhelm Lehmann, *Jules Renard*, S. 1092-1101; Victor v. Weizsäcker, *Nach Freud*, S. 1077-1086.
was enthielt der 3 Absatz: der Absatz in Benns Brief v. 28. 11. 1949

(Nr. 454), den Oelze angesprochen hatte, lautet: „Vertiefte mich dann gestern am Sonntag in die Sache ⟨...⟩ dass ich meine Zusage wieder zurücknehmen muß." Oelze hatte aufgrund dieser Formulierung vermutet, daß Niedermayer Benn dränge.

Nr. 458
Berlin 20. 12. 1949. Ms. (bis „Gruss aus Jamaika."), 1 Bl. Lohner S. 164 (Auszug).
Gegensatz zu Schifferkreisen: Anspielung auf den *Phänotyp* (II, 169-71).
den Hamsun: Knut H., *Auf überwachsenen Pfaden. Ein Tagebuch*, München / Leipzig / Freiburg 1950; autobiografische Schrift. Vgl. IV, 147 ff.
bis es erscheint: im Januarheft des Merkurs 4 (1950).
auch der Brief von Klaus Mann: Benn schreibt versehentlich „den Brief". – Vgl. IV, 74-78.
Auch Sie, Mister Oelze, treten auf: IV, 169 f. – Vgl. Brief Nr. 460.

Nr. 459
Berlin 25. 12. 1949. Ms. (bis „Geschenke."), 1 Bl. Lohner S. 165 (Auszug).
Was Sie über Marcuse sagen ...: „Was Sie von *Marcuse* schreiben – verzeihen Sie, so etwas macht mich einfach krank! Wenn man so viel von der menschlichen Gemeinheit und angebornen Niedertracht hält, wie ich es z. B. tue, wenn man davon überzeugt ist, daß Anstand und Güte seltener sind als ein tiefsamtgrüner wolkenloser Smaragd von 5 Karat, wenn man den menschlichen Normalzustand bejaht, nämlich ‚ce monde fatigué, hypocrite et vulgaire' – dann ist man damit noch keineswegs gefeit gegen die menschliche Gemeinheit (wie man denken sollte), sondern, im Gegenteil, ein Zustand von Hyperaesthesie ihr gegenüber ist die Folge". (Oelze).
„Philosophie des Glücks": Ludwig Marcuse, *Philosophie des Glücks. Von Hiob bis Freud*, Zürich/Wien 1949.
dann erhalten Sie sie: das „sie" fehlt im Original u. ist von Oelze eingefügt worden.
Auch das Fortlassen und Verändern ...: die Abweichungen zwischen den Fassungen des *Lebensweges* in *Kunst und Macht* und *Doppelleben* sind dokumentiert in IV, 445-447.
wie ... man Th. M. seine Veränderungen ... vorgeworfen hat: für die Neuveröffentlichung seines zuerst 1918 erschienenen Buches *Betrachtungen eines Unpolitischen* im Rahmen der *Gesam-*

melten Werke hatte Th. M. Kürzungen vorgenommen. Sie führten 1927 zu polemischen Angriffen von Arthur Hübscher, der Th. M. vorwarf, die ursprünglich antidemokratische Tendenz des Buches in eine demokratische umgefälscht zu haben. Th. M. antwortete darauf in seinem Aufsatz *Kultur und Sozialismus* (1928). – Veränderungen an *Friedrich und die Grosse Koalition* sind nicht bekannt; vielleicht bezieht Benn sich darauf, daß der Aufsatz *Gedanken im Kriege*, dessen erste Veröffentlichung in Buchform 1915 zusammen mit *Friedrich und die Grosse Koalition* erfolgte, von Th. M. nicht mehr zum Wiederabdruck freigegeben wurde.

Nr. 460
Berlin 27./28. 12. 1949. Hs., 1 Bl. u. 1 Karte. Lohner S. 165 (Auszug).

„Da trat jener Herr Oelze ...“: vgl. Brief Nr. 458.
Mon cher capricorne: auf einer Silvesterkarte mit Charaktermerkmalen der im Sternzeichen des Steinbocks Geborenen. „Mon cher“: schwer zu entziffern; dies ist die wahrscheinlichste Lesung.

REGISTER

Addicks 263 f 268 346 f
Adenauer, Konrad 247
Adolph, R. 344
Allmers, Hermann 267 347
Ambesser, Axel v. 292
Andersch 229 322
Anouilh 43 308
Armstrong, Warren 300
Auden, Wystan Hugh 225 336
August Wilhelm von Preußen 330

Bach, Johann Sebastian 325
Bäumler, Alfred 112 309
Bally, Martina 59 299
Balzac 307 313
Barbey d'Aurévilly 299
Barlach 186
Bauer, Alfred 24 290
Becher, Johannes R. 48 107 112 278 f 285 296 339
Becher, Ulrich 288
Beck, Ludwig 324
Beckmann, Max 339
Beheim-Schwarzbach, Martin 310
Benjamin, Walter 344
Benn, Edith 290
Benn, Ernst-Viktor 159 261 320
Benn, Ilse (geb. Kaul) 57 60-63 65 f 79 86 88 104 ff 129 146 ff 155 166 f 169 178 180 185 187 190 193 213-217 220 f 225-229 231-238 241 f 248 250 252 255 260-263 275 289 298 ff 333 337
Benn, Nele 24-26 63 78 102 113 130 142 176 259 290 f 299 303 307 313
Benn, Herta (geb. v. Wedemeyer) 5 ff 30 33 46 f 62 178 193 285 296
Bense 172 182 f 195 240 242 247 253 258 260 270 274 323 326 340 f 344 348 f
Bergson 58
Bernanos 69 f 301
Bertram, Ernst 316
Binding 112 218 309
Bismarck 105
Blunck, Hans-Friedrich 31 192 279 292
Bogomolets, Aleksander A. 301
Borchardt 74 302
Bosquet, Alain 134 315
Botticelli 194
Boveri, Margret 217 222 334
Brahms 302 347
Brecht 31 136 209
Bremer, Klaus 344
Brentano, Bernard v. 131 133 135 ff 251 314 316 f 343
Breton, André 345
Breysig (Frau) 92 94 179 306
Breysig, Kurt 94 306
Broglie, Louis-Victor de 68 301
Bronnen, Arnolt 136
Buchinger, Otto 236 338
Buddha 123
Büchner 316
Burckhardt, Carl Jacob 270 347 348
Busch, Wilhelm 28

Caligula 112
Christie, Agatha 88
Claassen, Eugen 24 f 29 31 f 38 42 f 45 48 f 51 58 64 66 68 70 74 77 79 f 82 f 85 88 f 92 97 99 f 102 104 110 112 122 124 f 128 131 ff 153 158 162 175 288 290 ff 295 297 305 312 314 f 324
Clay (Frau) 135 316
Clay, Lucius D. 140 317

Colette 254
Colt, Samuel 88
Comte 174
Corneille 288
Curtius, Ernst Robert 145 157 159 174 182 f 210 f 213 219 f 227 231 260 281 326 331 f 334 f

Däubler 339
Dante 54
Darwin 35 174 293
Daumer, Georg Friedrich 74 302
Descartes 348
Dibelius, Otto 159 186 320
Dinnyés, Lajos 90 306
Diogenes 29
Döblin 51 79 87 124 131 179 190 278 f 297 312 314 328
Döhmel, Friedrich 185 205 327 330
Du Bois-Reymond 174

Eckener 209
Eckermann 138 143 317
Edschmid 107 308
Eich, Günter 215 334
Eliot 174 183 214 242 247 258 260 262 f 323 326 336 345
Elvestad, Sven 88 305
Empedokles 184
Ernst, Max 259
Eulenburg, Philipp Fürst zu 39 294
Ewers, Hanns Heinz 117 119 310 f

Fabri, Albrecht 314
Falke, Gustav 39 294
Fehling, Jürgen 118 310
Felixmüller 339
Fichte 309
Fidus 94 239 306
Finckenstein, H. Graf Fink v. 259 344
Fleming, Alexander 32 292
Frankenberg, Alex v. 29 291
Freud 11 349
Freund, Cajetan 212, 333
Friedrich II., König von Preußen 205 330
Friedrich, Heinz 229 240 322 335
Frisé, Adolf 195 198 204 285 329
Fritsch, Werner v. 176
Furtwängler 176 325

Galilei 98
Ganeval 145
Gasser, Manuel 152 185 316 319
Gath, Goswin Peter 337
Gauguin 31 263 346
Gehring, Hansjörg 286
George 157
Gerhardt, R. M. 344
Gide 67 145 183 197 206 214 265 281 301 308 318 330 346
Gieseking 176 325
Giraudoux 308
Gisevius 175 180 324
Goebbels 206 330
Göpel, Erhard 110 224 227 308
Goethe, August v. 138
Goethe, Johann Wolfgang v. 19 72 74 94 126 138 143 149 151 f 174 183 f 213 220 237 f 251 302 313 315 317 ff 323 327 339 341 f
Goetz, Wolfgang 293
Goldblatt, Henry 67 301
Gottwald, Klement 138

Goverts, Henry 21 24 f 41 45 50 51 64 79 133 175 325
Grimm, Jakob u. Wilhelm 67 300
Grimme, Adolf 76 303
Grosser, Johannes Franz Gottlieb 286
Großmann, Rudolf 339
Gürster-Steinhausen 81 84 99 100 f 233 303 ff 307 338
Gumpert, Martin 301

Haas, Helmuth de 335
Haas, Willy 136 214 227 316 333
Habe 319
Halder 171 181 f 279 323 326
Hamsun 214 275 350
Handel, Paul v. 340
Hansen, Kurt Heinrich 212 225 336
Harms 298
Harnack 280
Hatta 323
Hauptmann, Gerhart 218
Hauser, Kaspar 302
Hausmann, Manfred 263 345
Hebbel 58
Hegel 58
Heidegger 187 211 215 223 235 257 260 270 273 338 345 348 349
Heine 41
Heinrich v. Preußen 205 330
Heisenberg 68 301
Helwig, Werner 190 328
Henssel, Karl Heinz 20 29 32 289 291
Heraklit 306
Herder 174
Hering, Gerhard F. 252 297 342 ff
Hesse, Hermann 58 146 183 299
Heyck, Ed. 329
Heydrich 118
Heym 80 135 304 316
Hillard, Gustav 339
Hiller 86 305
Hindemith 49
Hitler 180 195 296 309
Hölderlin 120
Hölzel, Adolf 339
Hoetger, Bernhard 339
Hoff, Hein ten 176 325
Hoffmann, E. T. A. 185
Hofmannsthal 80 157 242 340
Homer 298
Horaz 30 292
Houben 143 317 f
Hübscher 350
Huch, Ricarda 314
Hürsch, Erhard 29 78 89 102 104 107 f 111 ff 116 119 f 122 ff 129 f 132 ff 137 142 152 156 159 f 163 174 178 183 187 189 229 249 291 303 306 311 ff 321

Italiaander 136 214 f 266 269 275 316 346

Jaentsch, Walther 109 308
Jahnn, Hanns Henny 176 325
Jancke 331 f
Jaspers 29, 210 f 215 219 f 231 311 331 f 334
Jeanniot, G. 324
Jean Paul 39 41 45 50 66 100 294
Johst, Hanns 309
Joyce 237 349
Jülicher, Adolf 280
Jünger, Ernst 79 89 107 242

246 257 272-275 278 306 340 f 344
Julian Apostata 264
Jungmann, Elisabeth 218 334 337

Kästner, Erich 31 107 246
Kaiser, Georg 339
Kalckreuth, Wolf Graf v. 291
Kant 348
Karsch, Walther 293
Kasack 176 179
Kassner 240 339
Kempski, Jürgen v. 145 318
Kepler 241
Kesten 175 177 179 182 265 268 279 324
Keyserling, Hermann Graf 58 156 320
Kierkegaard 241 340
Kilpper, Gustav 300
Klages 58
Klee 339
Kleist, Heinrich v. 95
Koch, Thilo 342
Kogon 315
Korn, Karl 209 331 335
Koval, Alexander 315
Kowa, Victor de 186
Kramberg 333 346
Kraus, Else C. 17 288
Kreuder, Ernst 171 174 180 184 323 325 332
Kreuder, Peter 36 293

Langgässer 212 332
Laotse 19
Lehmann, Wilhelm 322 349
Lehne (Frau) 59 298 f
Lehne, Robert 126 299 313
Lenau 80 304
Leoncavallo 292
Lewalter 239 340
Lichtenberg 325
Lind, Georg Rudolf 238 241 265 339 f 344
Linfert 241 340
Lion 230 336 f
Lösche, Martin 246 341
Lommer, Horst 45 296
Louis Ferdinand v. Preußen 184
Lüth 124 127-135 150 153 158 f 162 ff 167 169 172 175 179 181 f 185 f 192 211 213 265 278 f 312-315 320 f 323 325 f 328

McCarthy, Joseph R. 334
Mahlke 342 f
Mallarmé 95 206
Manet 173 313 324
Mann, Heinrich 46 78 105 119 123 296 311 f
Mann, Klaus 102 276 350
Mann, Thomas 8 12 46 58 91 112 124 162 183 279 286 ff 306 309-312 340 350 f
Maraun 40 f 44 79 92 99 f 106 130 156 158 178 205 261 271 f 293 f 296 307 319 323 349
Marc 339
Marcuse, Ludwig 265 268 277 350
Marées 95 306
Marek 75 298 302
Mark Aurel 29
Marvelli, Fredo 135 218 316 334
Mérimée 299
Meyer, Alfred Richard 43 168 206 229 264 322 346
Meyer, Heinrich 339
Milch, Werner 124, 159 f 179 187 312 320 326 f

Miller, Henry 247 257 259 f 262 341 344
Moehlen, Adolf Stier tom 193 238 248 328
Moeller van den Bruck (Frau) 179
Molo 8 12 286
Molotow 138
Mombert, Alfred 120
Monet 31 272 279
Moras 145 318
Morgenstern 28 45 296
Musset 299

Neumann, Franz 142 317
Niedermayer, Max 150 f 153 158 160-163 165 167-169 171 f 174 f 178 f 181 f 186 189 f 192 195 198 202 204 f 209-212 216 f 219-221 223 f 230 232-235 238 240 242 f 245-247 249 251 254-258 261 264 266 ff 272 274 f 277 ff 312 f 319 f 322 ff 326 341 f 349
Nietzsche 28 45 58 72 87 94 ff 109 198 211 264 269 281 287 292 296 299 308 f 315 320 348
Nikolaus von Cusa 264
Novalis 316

Oelze, Charlotte 5 10 19 34 f 40 43 82 90 99 104 106 123 ff 228 235 238 243 245 255 257 266 269 289 294 347
Oelze, Richard 259 345
Opphard 9 286
Ortega y Gasset 151 211 220 238 335
Oschilewski 329
Osterloh, Edith 299
Ostrowski, Otto 318
Overgaard, Ellen 299
Ovid 46 52 57 297 f

Paeschke 150 f 154 157 183 206 239 f 247 257 275 319 340
Paetel 288
Pascal 348
Pechstein 339
Perikles 205 330
Picasso 181
Piechowski 298
Pinner, Erna 59 299
Planck 241
Plivier 111 308
Privat, Karl 300
Puccini 105

Raabe, Wilhelm 186
Rang, Florens Christian 256 344
Raschke, Hermann 45 58 296 298
Rauschning 296
Redslob 213 286 333
Reinhardt, Gebrüder 125 313
Reiss, Erich 42 59 295 297 309
Rembrandt 46 52 296
Renard 349
Reuter, Ernst 304 318
Reventlow, Ernst Graf zu 23 290
Richter, Ludwig 314
Rilke, Clara 285
Rilke, Rainer Maria 60 197 206 242 291 329 340
Rilla 131 312 314
Ringelnatz, Joachim 28
Ringelnatz, Leonharda 179
Roditi 315
Röhm 176
Roeschmann, Hermann 115
Rohr, von 280

Rowohlt, Ernst 13 48-51 58 64 71 74 f 77 85 f 88 97 134 287 298 300 305
Rubens 194
Rychner 160 230 f 254 274 293 295 321 336 f

Saint-John Perse 225
Sanden, Gerhard 135 315
Sartre 69 107 197 308 310
Sauerlandt, Max 202
Schaeder, Grete 323
Schaeder, Hans Heinrich 172 241-245 247 255 323 343
Schall-Riaucour, Heidemarie Gräfin 323
Scharff, Edwin 339
Schickele 339
Schifferli 78 122 f 129 132 f 137 139 141 145 153 158 182 214 219 f 227 230 234 245 303 307 312 ff 335
Schiller 320
Schirokauer 294
Schmeling 45
Schmid, Peter 303 f
Schönberg 339
Schopenhauer 73
Schroeder, Louise 142 317
Schröder, Rudolf Alexander 56 111 113 229 298 308 f 337
Schuchhardt 95 f 306
Schumacher, Fritz 94 96
Schuster, Alice 17 288
Seelig, Carl 135 316
Seidel, Ina 132 314 f
Seyppel 125 313
Shakespeare 23 143 173 290 297
Shaw 44
Sibelius 36
Sieburg 184 205 327
Sintenis 196
Smith, Walter Bedell 135 316
Soergel 312
Spengler 42 58 211 274 295 299
Spitteler 120
Spranger 112 215 309
Stalin 319
Stendhal 330
Sternheim, Carl 339
Sternheim, Thea 259 f 263
Strawinskij 173 324
Strindberg 206
Sturm, Alexander 68 301
Suhrkamp 85 97
Sukarno 323
Swinburne 206

Taine 107
Thiess 12 16 107 211 ff 236 238 241 286 ff 308 332 339
Thukydides 330
Tjaden 108
Toller 339
Topsoe, Björn 39 78
Truman 291 304

Uexküll, Jakob Johann Baron v. 68 301
Uexküll, Thure v. 346
Uhlig, Helmut 145 318
Ulbricht 297
Ullstein, Heinz 293
Unruh 134 315 339
Urfé, Honoré d' 320
Usinger 341

Valéry 173 242
Van Dine, S. S. (eigentlich William H. Wright) 88 305
Veil, Wolfgang Heinrich 68 301
Veronese 194

Vietta 211 f 215 226 229 233 235 247 253 255 257 260 274 280 303 336 ff 343 345
Villiers de l'Isle-Adam 299
Voigt, Christian Gottlob 251 342
Voß, Johann Heinrich 52 297 298

Wagner, Richard 105
Wallace 88 148
Walser, Robert 316
Wedekind, Pamela 209
Wedekind, Tilly 46 78 179 296 315
Wege, Lotte 334
Wegener, Paul 75 303
Weigand, Wilhelm 248 342
Weizsäcker, Carl Friedrich v. 218 270
Weizsäcker, Victor v. 239 260 345 349
Wennecke 109
Werckshagen 14 ff 18 22 24 31 37 41 76 114 125 180 185 229 285 f 288 ff 292-295
Werner, Fritz 211 213 225 332 344
Wessel, Horst 310
Westphal, Gert 222 235 266 335 f 338
Westphal, Inge 229 337
Weyl, Johannes 286 290 297 343
Wiegler, Paul 297
Wilde 208 294 331
Wilder 349
Wilhelm II. 294
Wolff, Gustav H. 112 202
Wolff, W. H. 333 f
Wordsworth 173
Wright, Willard H. s. Van Dine
Wulle, Reinhold 23 290
Wundt, Wilhelm 174

Zenker, Hilde 256
Zenzes, Gertrud 59 156 f 299 320
Ziegler, Leopold 239 f 339
Zuckmayer 107
Zweig 127 313

Gottfried Benn
Briefe an F. W. Oelze

Diese Briefe Benns an den Bremer Großkaufmann F. W. Oelze, von dem eine breitere Öffentlichkeit erst 1950 durch seine Erwähnung in Benns Autobiographie »Doppelleben« erfuhr, nachdem es bereits fast zwanzig Jahre lang eine Art Geheimkorrespondenz gab, gehören zu den bedeutendsten Briefen, die es von Benn gibt. Sie sind sein rückhaltloses Selbstbekenntnis, geben Auskunft über private Lebensumstände, repressive politische Verhältnisse und über ein für den Dichter ungemein produktives literarisches Gespräch mit einem hochgebildeten, selten belesenen Briefpartner. »Benn, der große Abweisende, der Maskenträger, der Undurchdringliche, der, wie es im »Epilog 1949« heißt, einen »breiten Graben aus Schweigen« um seine Existenz zog, gibt sich hier – im Schutze sicherer Diskretion – einem nahezu Fremden zu erkennen. Er, der die Selbstisolierung zu einem kunstvoll gehandhabten, zu einem instrumentalen Lebensprinzip machte, spricht sich aus – privat, politisch, künstlerisch.« (Günter Blöcker)

Briefe an F. W. Oelze 1932–1945
Band 2187

Briefe an F. W. Oelze 1945–1949
Band 5701

Briefe an F. W. Oelze 1950–1956
Band 5702

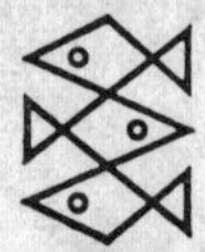

Fischer Taschenbuch Verlag

Lyrik

Ilse Aichinger
verschenkter Rat
Gedichte. Band 5126

Vicente Aleixandre
Gesicht hinter Glas
Gedichte/Dialoge. Band 2255

Rose Ausländer
Im Atemhaus wohnen
Gedichte. Mit einem Nachwort von Jürgen Serke
Band 2189

Wolfgang Bächler
Ausbrechen
Gedichte aus 20 Jahren
Band 5127

Hans Bender (Hrsg.)
In diesem Lande leben wir
Deutsche Gedichte der Gegenwart
Band 5006

Heribert Breidenbach
Leben mit Gedichten
Epochen deutscher Lyrik vom Barock
bis zum Expressionismus
Beispiele und Interpretationen
Band 2194/in Vorbereitung

Gisela Brinker-Gabler (Hrsg.)
Deutsche Dichterinnen vom 16. Jahrhundert
bis zur Gegenwart
Gedichte – Lebensläufe. Band 1994

Charles Bukowski/Carl Weissner
Terpentin on the rocks
Die besten Gedichte aus der amerikanischen
Alternativpresse 1966–1977
Band 5123

Fischer Taschenbuch Verlag

Lyrik

Reiner Kunze
Zimmerlautstärke
Gedichte. Band 1934

Christoph Meckel
Säure
Gedichte. Band 5122

Edgar Neis (Hrsg.)
Gedichte über Dichter
Band 2156

Fritz Pratz (Hrsg.)
Deutsche Gedichte von 1900 bis zur Gegenwart
Band 2197

Thomas Rothschild (Hrsg.)
Von großen und kleinen Zeiten
Politische Lyrik von den Bauernkriegen
bis zur Gegenwart. Band 5124

Ralf-Rainer Rygulla (Hrsg.)
Fuck you!
Underground-Gedichte
englisch-deutsch. Band 2254

Fischer Taschenbuch Verlag